世界の中の日本

社会に羽ばたく若者たちへ
平和をつくる

羽場久美子
編著

鳩山由紀夫／藤崎一郎／明石 康／山極壽一
上野千鶴子／川人 博／佐藤洋治／朱 建栄
サン・チュル・パーク／プラディープ・チャウハン／平川 均

明石書店

はじめに

本書は、二〇二二年に、神奈川大学みなとみらいの国際日本学部で、ユーラシア財団の寄付講座の支援を得て、『世界の中の日本――多民族の共存と共生』と題して行われた、オムニバス講演をまとめたものである。

二〇二〇年から続いたコロナ禍がようやく開け、学生さんたちが大学に戻ってきて活気があふれ始めた時で、みなとみらいキャンパスの全学部に公開され、約四〇〇人が収容できる四階の米田吉盛記念講堂で開催された。

それは、次のような形で予定され、実施された。

ユーラシア財団寄付講座「世界の中の日本――多民族の共存と共生」			
日付	講師名	講師所属機関名	講義テーマ
第一回（四月一二日）	小熊誠	神奈川大学学長	沖縄・中国、アジアとの連携
第二回（四月一九日）	羽場久美子	神奈川大学教授	アメリカの東アジア戦略と米中関係の変容――沖縄を平和のハブに！
第三回（四月二六日）	鳩山由紀夫	元内閣総理大臣	米中・米ロ対立における日本の役割と東アジアの共同

第四回（五月一〇日）	藤崎一郎	元駐米大使、日米協会会長	現代国際関係論
第五回（五月一七日）	山極壽一	学術会議元会長、京都大学前総長	戦争と平和、学問はどうあるべきか
第六回（五月二四日）	サン・チュル・パーク	韓国産業技術大学	RCEP, AIIB（アジア開発投資銀行）と、アジアの地域統合
第七回（五月三一日）	佐藤洋治	ユーラシア財団理事長	真理の探究
第八回（六月七日）	プラディープ・チャウハン	クルクシェトラ大学	インドと南アジアの地域協力、SAARC, BIMSTEC
第九回（六月一四日）	上野千鶴子	東京大学名誉教授	男女共同参画は学問を変えるか
第一〇回（六月二一日）	明石康	国際連合元事務次長	国連の役割
第一一回（六月二八日）	朱建栄	ロシア科学アカデミー	ウクライナ戦争が中国外交に与える影響
第一二回（七月五日）	平川均	名古屋大学名誉教授	Covid-19 とアジア経済の行方
第一三回（七月一二日）	ニック・スミス	カンタベリー大学、ニュージーランド	ウクライナ戦争——なぜこうなったのか？
第一四回（七月一九日）	懸賞論文審査結果発表と授賞式、講演 受賞者：最優秀賞：菊池優太、優秀賞：新藤琉斗、奨励賞：藤江真央		
第一五回（七月二六日）	全体の感想とレポート、試験		

以上のうち、大変恐縮なことに、最初の二回（小熊学長、羽場久美子）は録画が機能せず、またお忙しい中、小熊誠神奈川大学学長の講演「沖縄、中国、アジアとの連携」は、収録することができなかった。誠に心苦しいことだが、小熊誠編著、武井基晃、上水流久彦、八尾祥平 ほか著『〈境界〉を越える沖縄――人・文化・民俗』（叢書・文化学の越境24、森話社、二〇一六年）を参照していただきたい。

また、カンタベリー大学講師 Nick Smith 氏は、ニュージーランドからオンラインで講演してくださったが、接続の調子が極めて悪く、講演の半分以上が聞き取れず、収録を断念せざるを得なかった。

最後に、ユーラシア財団寄付講座「世界の中の日本――多民族の共存と共生」について懸賞論文をもうけ、審査の結果、最優秀賞・菊池優太君、優秀賞・新藤琉斗君、奨励賞・藤江真央さんが決まり、表彰式をし、受賞者の講演発表を行った。また受講生全員に、修了証書を発行した。

この講義を通じて、多くの学生さんたちが、世界で起こっている出来事を学び、目を開き、日本及び世界で活躍する第一人者の研究者、知識人、政治家など、通常では聞けないような方々の講演を間近に聞くことができ、さらに質疑を行い、その結果を懸賞論文にまとめるという作業を通じ、現代社会・世界に主体的に参加し、考えることができた。

＊＊＊

本書『世界の中の日本――社会に羽ばたく若者たちへ　平和をつくる』を通じて日本の多くの市民や若者たちが、日本の将来・世界の将来を真剣に考え、それに積極的にかかわり、問題点を是正し、近隣国や社会の人々とともに、平和をつくっていく基礎となってくれるようであれば、ありがたい。

ぜひ本書を通じて、世界の現在を知り、ネットワークを作り、世界の友人たちとともに、平和と改革の方向性を学び、考え、実行していっていただきたい。

本講演会と、本書作成にご支援とご尽力いただいた、ユーラシア財団、神奈川大学の皆様、および明石書店の大江道雅社長と佐藤和久氏に、心より感謝を申し上げたい。ありがとうございました。

本書を、平和を願い、将来を切り開く、すべての市民たち・若者たちに捧げたい。

二〇二四年三月一五日

神奈川大学元特任教授、青山学院大学名誉教授、京都大学客員教授
世界国際関係学会（ＩＳＡ）アジア太平洋会長　早稲田大学招聘研究員
羽場　久美子

＊なお、講演は、それぞれの講演者の自由な意志表明であり、統一されたものではない。

藤崎一郎氏

鳩山由紀夫氏

羽場久美子氏

上野千鶴子氏
（後藤さくら撮影）

山極壽一氏

明石　康氏

朱　建栄氏

佐藤洋治氏

川人　博氏

平川　均氏

プラディープ・チャウハン氏

サン・チュル・パーク氏

目次

1．アメリカの東アジア戦略と、米中関係の変容――沖縄を平和のハブに！

羽場　久美子

はじめに

二〇二二年は、日中国交回復五〇年、沖縄本土復帰五〇年（一九七二年）、二〇二三年は日中平和友好条約四五周年であった。日中国交回復、沖縄復帰は、恒久平和と自立を約束するはずであった。現実は、世界の二極対立・敵対、沖縄へのミサイルの拡大。そして二〇二二年二月二四日には、ロシアが東ウクライナに、さらにキーウへ戦争を仕掛け、現在、欧州の東の端で戦争が三年目に入っている。なぜこうした不安定化が始まっているのか？

それを理解するのには、マクロな世界史的把握が必要である。

すなわち、現代が大きな転換の時代であり、そうした中でアメリカによる自国をしのごうとする国の封じ込めと世界秩序の再編が始まっている、という事実である。

これを踏まえ、以下、アメリカの東アジア戦略、米中関係の変容について検討したい。

序　米中関係の蜜月から封じ込めへ

米中関係は、冷戦期においても冷戦後においても、ソ連・ロシアを牽制する観点から、良好な関係が続いてきた。

しかし近年中国が、二〇一〇年に名目GDPにおいて日本を抜き、二〇一四年にPPP（購買力平価）ベースのGDPにおいてアメリカを抜くと、にわかにアメリカは中国への警戒を増し、中国を敵視するようになってきた。

二〇三〇年になる前に中国は名目GDPにおいてアメリカを抜く、と英シンクタンク「経済ビジネス・リサーチ・センター」（CEBR）や、世銀、IMF、が予測する一方、米は経済頭打ちに加え、二〇二〇〜二二年にはコロナ・パンデミックが世界を、アメリカを襲った。アメリカは世界一コロナの影響を受け、一億一千万人が感染、一二〇万人の死者を出した。そうした中、にわかに米中対立の度合いが増してきた。

現在、アメリカの最大の敵は、ロシア以上に中国である。そのため、アメリカはインドを味方に引き入れているが、インドも早晩アメリカを抜く経済力とIT力を持つ。そもそもインドは、中国以上にロシアに軍事的に依拠し、アメリカから自立している。インドがアメリカの期待と異なる行動を起こした場合、アメリカはどう対処するか、という点も興味深い。

筆者は二〇二二年一月、「中国がアメリカを抜いて経済で世界一になる前に日本がとるべき路線——経済はアジア、政治はアメリカ」を書いた[1]。

アメリカ・欧州・日本いずれにとっても、中国という巨大生産工場・巨大労働力・消費市場を味方につけることは各国の国益にかなっている。アメリカもASEANもである。逆に、中国を排除した経済関係は、コロナで打撃を受けた米欧日にとって決定的なマイナスとなる。コロナ・パンデミックは世界で七〇〇万人を超える死者を出したが、その半数以上が欧米（三七九万人）である。中国と緊張関係を作ることは経団連を含む日本経済にとって得策とは言えない。隣国であり経済大国である中国と共同して発展することこそ、日本の長期戦略となるべきであろう。

図1　地域別世界の人口の推移(2)

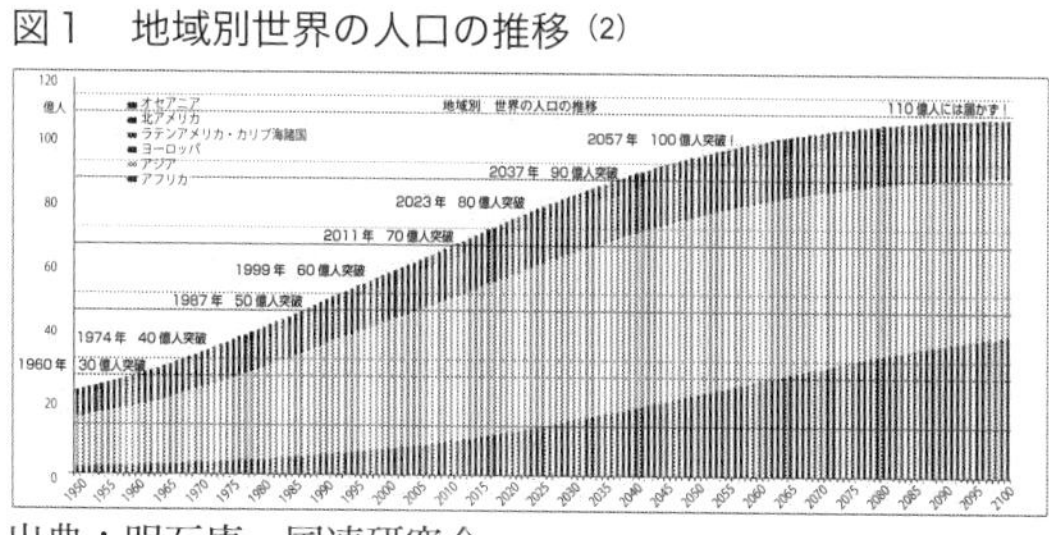

出典：明石康　国連研究会

上の図は、地域別世界人口の推移である(2)。

二一〇〇年（あと七五年）の世界人口は一一〇億人を超え、アジアとアフリカで八割以上を占める。二一世紀のアジア・アフリカ・ラテンアメリカは全く貧国ではなくBRICsを含む新興国である。逆に欧米の時代は頭打ちに向かい、アジアの時代に置き換わりつつある。特にIT、AI人口は、中国・インドで一六億、早晩二〇億に至る。そうした中、アメリカは一国支配維持の観点から、ロシア・中国・インドを分断している。

アジアにとって重要なことは、米欧露のように武力で他を制圧支配していくのではなく、経済力と知力と「和」の精神によって、新しい国際秩序を米欧と共に作っていくことである。アジアは、武力による支配ではなく、国際共同認識の育成により、米欧を凌ぎかつ共生する成熟した社会を実現する必要がある。

1.アメリカの「価値の同盟」

二〇世紀初頭、アメリカは、欧州の帝国主義的な世界秩序に代わって世界の秩序形成を牽引し、二つの大戦を経て、新国際秩序を構想してきた。

二〇世紀は戦争の世紀であった。

アメリカは二〇世紀の二つの世界大戦を経て、「価値に基づく国際秩序」を形成しようとした。

①第一次世界大戦末期、ウイルソン大統領[3]は、「戦争をやめさせるための戦争」を掲げて参戦し、ウイルソン一四か条[4]を打ち出して、欧州の帝国秩序に代わる、自由と民主主義に基づく国民国家の形成を実現しようとした。また国際連盟を創設し、国際秩序の実現により国家間の権力闘争を克服しようとした。

しかし小国の林立と国境をめぐる領土回復主義は、新たな対立と第二次世界大戦を導いた。

②第二次世界大戦において、ローズベルト大統領[5]は、「四つの自由（表現の自由、信仰の自由、欠乏からの自由、恐怖からの自由）」を掲げ[6]、それを「四人の警察官（米・英、ソ連・中華民国）」によって実現しようとした。また国際連盟に大国が加わらなかった限界に鑑み、国際連合（UN）を創設し、国際秩序を四人の警察官＝常任理事国により実現しようとした。平和のための国際機関の設置を実現したのである。

特筆すべきは、ローズベルトが多様な価値、ソ連・中国を加えた世界秩序を考案したことだ。米欧の「自由と民主主義」に、社会主義とアジアの価値をも加えた世界秩序を、「国際連合」の創設により実現したのだ。

しかし巨頭ローズベルトの死後、トルーマン大統領[7]により欧州の分断、ソ連・中国の排除が始まり、世界は二分され、冷戦が開始された。

バイデン大統領[8]は、二〇世紀の二人の米大統領を踏襲しようとした。すなわち、二〇二一年六月のG7で、コロナ後に向け「価値の同盟」を掲げて[9]、新国際秩序を再編しようとしたが、それは二〇世紀の巨頭ウイルソンとローズベルトを多分に意識したものであった。

しかしバイデンの「価値の同盟」は、多様な価値の包摂ではなく、米欧の「自由と民主主義」を正義とし、対抗軸に「専制主義」を置いたことで、中国・ロシアのみならず多くの国を敵と位置づけ、世界を分断するものとなった。

バイデンの戦略は共存の世界を分断したという点で、むしろトルーマンの戦略に酷似していた。バイデンは、アメリカの復興と国益追及のため、「中国の封じ込め」を意図した。背景には、世銀・IMF・英シンクタンクが一斉に、一〇年以内に中国がアメリカを追い抜くと予測した事実があった。故に中国を牽制し、専制主義と人権の批判により中国を封じ込め、アメリカの一極支配を盤石にしようとした点で、強いイデオロギー性と自国中心主義に根差しており、米欧日の支持は得ても、世界の共感を呼び難かった。

二〇二一年G7[10]におけるアメリカの動きに、欧州や日本は一様に戸惑いを見せた。

二〇二一年一二月、経団連は、アメリカの中国排除、封じ込めに対し、中国との経済関係は重要であり継続する、と声明を出した。また欧州では、二〇二〇年EU・中国連携が始まったところであり、ノルドストリーム2[11]により、ロシアと欧州のエネルギー共同も進行していた。

コロナ禍による米国経済の停滞の中、アメリカは、中国・ロシアの封じ込めによって衰退を押し留めようとした。他方、日欧、アジア、ラテンアメリカ、アフリカの多くは、中国・インド・ロシアと結ぶことで自国の復興を強化しようとした。

合理的に考えれば、中国との経済連携、ロシアとのエネルギー連携の方が正しい選択であった。しかし米欧の経済停滞と、その後のロシア・ウクライナ戦争が合理的視点を一変させ、アメリカの「価値の同盟」と分断が世界を覆うことになる。

2. 東アジアは、米中対立の最前線になるか?

バイデンの時代に、トランプの経済優先から軍事優先に舵を切ったことは重要な変化であった。二〇二一年六月、G7での「価値の同盟」宣言以降、アメリカは積極的な軍事行動に出始めた。英豪などアングロサクソンの同盟国と協力し、フランスのディーゼル潜水艦の購入を計画していた豪に、アメリカの原子力潜水艦を契約させたため、フランスのマクロン大統領[12]は、米豪のフランス大使を召還させ最大限の抗議を表明した[13]。

さらにアメリカは中国の経済力増大に対抗し、台湾・沖縄に軍備を増強したため、中国の反発と軍拡を招いた。これは二〇一四年以降、ウクライナに武器増強を行いロシアの反発を招いたアメリカの軍事戦略と同様である。

アメリカは、西はロシアの境界線でNATOを拡大強化し、東は中国の境界線で、台湾と沖縄に軍と武器を増派させるという、ロシア・中国の封じ込め戦略をとっている。

さらに、メディアを最大限活用して、台湾有事の危険性をあおることで、世界の軍事化を進行させている。

中国の東シナ海・南シナ海における軍拡は、米英豪の軍の拡大と並行して行われている。しかし米英豪の戦艦がアジアの海峡に続々と集結することは「航行の自由」として肯定し、中国の航行を軍拡の危機とあおることは、分断を促進するばかりである。日本の報道の自由度ランキングは二〇二四年で七〇位まで落ち込んだ。G7中最下位である。自由と民主主義・人権の名の下に、中国・ロシアが一方的に批判され、経済連携や停戦要求までが非難される状況が生まれている。

バイデンがトランプを凌いでアメリカの大統領になった二〇二〇年一一月、「我々は分断のアメリカではなく、統合されたアメリカを作る」という勝利宣言は、アメリカだけでなく世界の心を揺さぶった。しかしその後のバイデンの行動は、アメリカの国益と内政・共和党に配慮したもので、外交的には友好国との同盟により敵対国を封じ込めるという新たな分断を生み出している。

それが二〇二一年六月のG7で表明された「価値の同盟」であり、二〇二一年一二月に呼び掛けられた「民主主義サミット」[14]であった。

欧州、日本、ASEANは、アメリカの中国批判、特に新疆ウイグルの人権批判により中国との連携分断の圧力と専制主義批判に一様に戸惑いを示した。

とりわけ中国と経済・政治関係を持つASEAN諸国は、米の側につくのか、中国との経済関係を維持するのかという、苦しい選択をせまられた。長期的にはＡＳＥＡＮ諸国は「選ばせるな」と、米中一方のみに与することを避け、双方と経済・政治関係を維持する賢明な政策を維持している。

また二〇二二年六月のＧ７会合での「民主主義対専制主義」批判に対し、七月のＧ20では明白に、アメリカの分断に対しロシアも巻き込む政策をとったが、アメリカの民主主義対専制主義の分断政策は、緊張を生み、バイデン政権は中間選挙で下院での共和党過半数を許した。「根底には米欧型民主主義の影響力が弱まっている事実がある……二一年時点で世界人口の七割にあたる五四億人が民主主義とは異なる体制下にある」[15]といわれる。

今や多極化時代である。米欧が「自由と民主主義、法の支配」でリードできる時代は終わった。では、なにをなすべきか？

「価値の同盟」・民主主義サミットによる中国の封じ込めには賛同しない国が多い。むしろ成長する中国やインドと連携し、中国の一帯一路戦略、インドの南アジア地域連合（ＳＡＡＲＣ）やＢＩＭＳＴＥＣと結び、経済、ＩＴ、ＡＩ、医療技術、ワクチンにおいて相互協力や支援を要求する。敵対国の封じ込めではなく、共同して新しい未来と繁栄を構想するという考え方が、米欧日「以外」の国々、ＡＳＥＡＮ、ＢＲＩＣＳ諸国、ラテンアメリカ、グローバル・サウスを掲げるアフリカ諸国、さらに欧州の東南部で広がっている。

それが一転して変化したのが、二〇二二年二月二四日に始まったロシアのウクライナ侵攻であった。

ロシアのウクライナ侵攻は、アメリカが旗を振れども、欧州・日本さえなかなか集結しえなかった「民主主義対専制主義」の図式を白日の下に明らかにし、専制ロシア排斥という動きが一挙に加速したのである。

3. ロシア・ウクライナ戦争と米中関係の変容

(1) ロシア・ウクライナ戦争とは何だったか?

アメリカ、欧州、日本の多くの学者たちは、二〇二二年二月二四日のロシアのウクライナ侵略で世界が一変した、世界秩序の転換点であるという。国際政治史学者としては、そうは思えない。むしろ長期的には、アメリカと欧州の衰退、アジアへの経済面での世界的重心の転換こそが、世界秩序の転換点であると考える。昨年欧米中日の研究者で出した『世界戦争一〇〇年と地域統合――いかなる新国際秩序を作るか?』は、大きな反響を呼んでいる（英文 *100 years of World Wars and Regional Collaboration: How to create New World Order?*, Springer Publisher, 2022)。

ウクライナ研究者松里公孝氏も指摘しているように、ウクライナ東部の戦争は、二〇一四年のマイダン革命[16]による内戦が、ロシア・ウクライナ戦争へと発展したものである。

火付け役は、西ウクライナ政府と東ウクライナ親ロシア派マイノリティによる内戦と、一万四〇〇〇人に及ぶ殺戮である。死者の多くは、東ウクライナのロシア系住民である。

突然ロシアが侵攻して戦争が始まったと言うのも、それほど人が殺されていない時点で、ロシアはナチと同様であるというのも、歴史的・現実的事実に反する。ロシアのウクライナ侵攻は突然ではなく、二〇一四年の戦争の継続ないし帰結であり、NATOの拡大と西側の武器流入の結果であった。

それまで国連によるSDGs「誰一人取り残さない」政策、多様性・客観性が強調されてきたのに対し、いとも簡単に、自由主義対専制主義、ロシア・プーチン＝ナチズム、ロシアの帝国性が、二一世紀のロシア・ウクライナ関係を史的に検証もしていない研究者たちによって口々に言われ始めた。

ロシアのウクライナ軍事侵攻と、特に首都キーウまで戦車で攻め上ったことはロシアの大いなる失態であり誤算であった。それが世界各国を驚かせ、中立国が次々とNATOに加盟していく結果を招いた。しかし戦争の歴史的背景も分析せず、一方の当事者だけを一〇〇％悪とするのは学問的にも現状分析としても正しくない。

一つには、一九八九年の冷戦終焉後のアメリカ主導によるNATOの東方拡大と旧社会主義国の民主化による取り込み、第二に、二〇一四年マイダン革命前後からのアメリカのウクライナへの政治関与と武器供与、第三に、その結果八年間に及ぶウクライナ内戦と東部ロシア人マイノリティの一万四〇〇〇人に及ぶ相互殺戮がある。第四に、ゼレンスキー政権後はアメリカの最新兵器やミサイル・ドローンの導入、ウクライナ軍への軍事訓練、アゾフ隊など極右戦闘部隊の政府軍への組み込みなど戦闘と武器流入が過激化していた。

これらが、ロシアが東部二州の独立承認後ウクライナに軍事侵攻するという思慮を欠いた軍事行動により、すべてが正当化されることになった。

(2) なぜロシアはウクライナに侵攻したのか？

二〇一四年に独立宣言したドネツク・ルハンスク二州をプーチンが八年後の二〇二二年に独立承認したのは、ロシア側によればNATOの武器の東部への拡大、東部ウクライナのロシア人マイノリティの虐殺とウクライナ政府・軍部の「ナチ化」であった。アメリカのプロパガンダの巧みさに対し、ロシアの説明はわかりにくく突っ込みどころ満載である。ゼレンスキーはアゾフ隊とは異なり当初はロシアに融和的ですらあった。ロシアの直接の脅威は、アメリカのミサイルやドローンさらに核兵器導入疑惑すらあったがそれについては触れておらず、むしろ西ウクライナ政府の方から、ロシアの核兵器使用・生物化学器使用・民間人の殺戮やレイプが語られた。

プーチンは、数日でウクライナ政府を転覆できると甘く考え、東ウクライナのみならず、首都キエフ近郊まで進軍したため、世界中を震撼させた。そして瞬く間に国際社会で孤立したのである。

なぜ首都キーウまで軍を侵攻したかについては、長い間謎とされてきた。戦略的にも最低の行為でありこれにより、ロシアは平和な時代に主権国家を武力で覆そうとしたと国際法違反のレッテルを張られた。

ただしこれについては、近年中東研究者たちから、アメリカも、二一世紀にアフガニスタン侵攻、イラク侵攻を行い、首都を制圧し、二〇年も軍事力で主権国家を制圧してきたが、それについては不問に帰し、ロシアだけを戦後最大の犯罪、ナチ・ドイツに匹敵する蛮行として非難するのは、二重基準である、という疑問が出されている(17)。

またいま一つの有力な証言として、アメリカCIAがプーチン側近に、ウクライナ政府はすぐ崩壊し亡命すると流したため、真に受けたプーチンがロシア軍を首都キーウに侵攻させたが、実際にはゼレンスキーは亡命せず、大量に配備されていたアメリカの武器で徹底抗戦に入ったため、初戦ロシアは大敗を喫した。

実際には、アメリカとウクライナで、亡命などしないことの合意ができていた可能性も高い。

ロシアは、二〇二〇年頃から繰り返しポーランドやバルト三国の国境で若者たちが軍事訓練をしていたこと、二〇一四年から八年間にわたりアメリカから数十億ドルの武器供与が行われていたことを情報としてつかんでいなかったのだろうか？

ウクライナ軍が強かったのではない。ロシア侵攻当初から、ウクライナは、アメリカの最新兵器でロシアと戦う戦争の準備ができていたのである。

ウクライナをアメリカとNATOの軍事力によって強化し、ロシアに侵攻させ、その上で侵入したロシア軍を、ウクライナ防衛として徹底的にアメリカとNATOの最新兵器で排除していく筋書であったとしたら、それに対してロシアはあまりにも時代遅れの、二〇世紀的な軍事侵攻で制圧できると考えた政治的にも思想的にも無防備な行動であったと言える。その背景には、二〇〇八年NATOのブカレスト・サミットでウクライナ、ジョージア（グルジア）のNATO拡大承認後に、ジョージアに侵攻し、NATO拡大計画をつぶすことができたという勝利経験があった。

現実問題として、アメリカとウクライナは密接に連携して、徹底的にロシアの弱体化と孤立を狙い、そしてそれは二〇二三年春までは成功したのである。

ロシア・ウクライナ戦争は、実際にはウクライナの領土内で、アメリカとNATOの最新兵器で、侵入してきた若いロシア兵とロシア司令官たちを「国家主権の蹂躙者」として容赦なく徹底的に殺害した。また戦闘で破壊された建物や殺された民間人はすべてロシアのせいとされ、戦争自体も「一〇〇％ロシアだけに責任がある」（バイデン、ゼレンスキー）とされた。ウクライナ政府の八年にわたる内戦と東部ウクライナ市民の殺害、アメリカの最新鋭の武器供与、東部ウクライナ人とロシア人の徹底殺害は、ロシアによる主権国の侵害というありえない軍事行動故に、「正当化」されたのである。

背景には、**東アジアで軍事挑発に乗らない中国**の存在があった。

香港や南シナ海、尖閣諸島でいくら中国を挑発しても中国は軍事行動に慎重で、香港も法律で制圧した。また経済面ではコロナ禍でも成長を続け、世銀、IMF、さらに英シンクタンクやOECDまでが、「中国経済はあと一〇年もたたないうちにアメリカを凌ぐ」と大々的に報じた。米金融機関ゴールドマン・サックスも二〇三五年には中国が世界一位となると分析している。アメリカは中国を軍事的挑発に乗せることができなかったのだ。

故にアメリカは戦略を転換させて、ロシアを孤立させる戦略に出た。ロシアをたたくことで、中国が専制国家として同じ穴の狢（ムジナ）であること、中国がロシアを非難できないことから、中国もロシアと同様、暴力的で主権を蹂躙する国家であると説明づけることに成功したのである。

⑶ロシア・ウクライナ戦争によるアメリカの威信回復

ロシア・ウクライナ戦争の結果は、アメリカを決定的に有利にした、と国際政治学の泰斗、ハーバード大学ケネディスクール元所長のジョセフ・ナイは、開戦一か月後の世界国際関係学会（ISA）の大会で述べている。

最も重要なのは、アメリカの威信回復であった。アメリカはトランプ政権の四年間により、政治・外交面での評価は地に落ち、経済面でも世界第一位の覇権国家の地位が危ぶまれつつあった。そうした中、軍事力により、侵攻してきたロシアをたたき、ウクライナを支援するという名目で、実際には二〇一四年からの武器供与を正当化するために、ロシアのウクライナ侵攻が不可欠であった。

こうしてロシアのウクライナ侵攻により、アメリカは全てを手に入れた。一つは、ウクライナへの四〇〇億ドルに及ぶ最新破壊兵器の武器供与、さらにロシアの侵攻に驚いた欧州と日本が、これまでの軍事費拡大への慎重姿勢を投げ捨てて、防衛費二%への増額決定を行うことにより、米の軍事産業は空前の儲けを手にしている。政治的には、トランプの失態とバイデンのアフガニスタン撤退に見る失態を超え、「民主主義の守り手」としてのアメリカの地位が復権された。トランプ政権を批判してきた欧州が、急速にアメリカの側につき軍備拡大とエネルギーのロシア離れが加速された。さらに経済制裁でロシアの石油に代わるアメリカのシェールガスの売り上げが急上昇した。

故に三月、ウクライナとロシアがトルコにより停戦に至ろうとした直後、ブチャの事件[18]が表面化し、アメリカは「この戦争は数年続く」として、戦争延長を支持し続けてきたのである。

繰り返す。「ロシア・ウクライナ戦争は、アメリカと西側諸国を決定的に有利にした。軍事：武器輸出、経済：制裁、政治：一国支配においてアメリカの威信は回復した。他方ロシアは、軍事・経済・政治において弱体化し、中国はソフトパワー（人権）、経済において弱体化した」（ジョセフ・ナイ）（グローバル国際関係研究所のホームページのビデオを参照のこと）。後半は必ずしもその通りにはいかなかったが、少なくとも二〇二二〜二三年の間、アメリカは大いに威信を回復したのである。

4. アメリカによる「中国封じ込め」の開始

(1) バイデンの「中国封じ込め」戦略と東アジアの局地戦争

バイデンの「中国封じ込め」戦略は、米国内における共和党の取り込みといわれる。しかしより大きな問題がある。

トランプは、二〇一七年一一月に北朝鮮が一万㎞に及ぶ大陸間弾道弾の開発に成功したとき、板門店に飛び、大陸間弾道弾の施設の爆破を約束させたとされる。しかしその後も北朝鮮は大陸間弾道弾の開発を放棄せず二〇二二年一一月には北朝鮮は一万五〇〇〇㎞に及ぶＩＣＢＭの打ち上げに成功した（米欧全土が射程に入る）。北朝鮮の核ミサイルの危機は去ってはいない。

トランプは他方で、二〇一八年一〇月にはロシアと中距離核戦力全廃条約の離脱を表明、軍拡に向かった。即ちアメリカに届かない形で、東アジアの地域紛争に核を用いる可能性を残したのである。

(2) 日本の地政学的位置

もし東アジアで戦争が起これば日本は最前線になる。アメリカが日本を守るのではない、日本がアメリカを守る構図になる（図２）[19]。

日本は、実は極めて重要な地政学的位置にある。これは富山県の「逆さ地図」で、西に90度倒した図である。日本は通常の地図で見るとアジア大陸の極東に存在する小さな島々であるが、90度西に倒

図２　東アジアにおける日本の地政学的位置

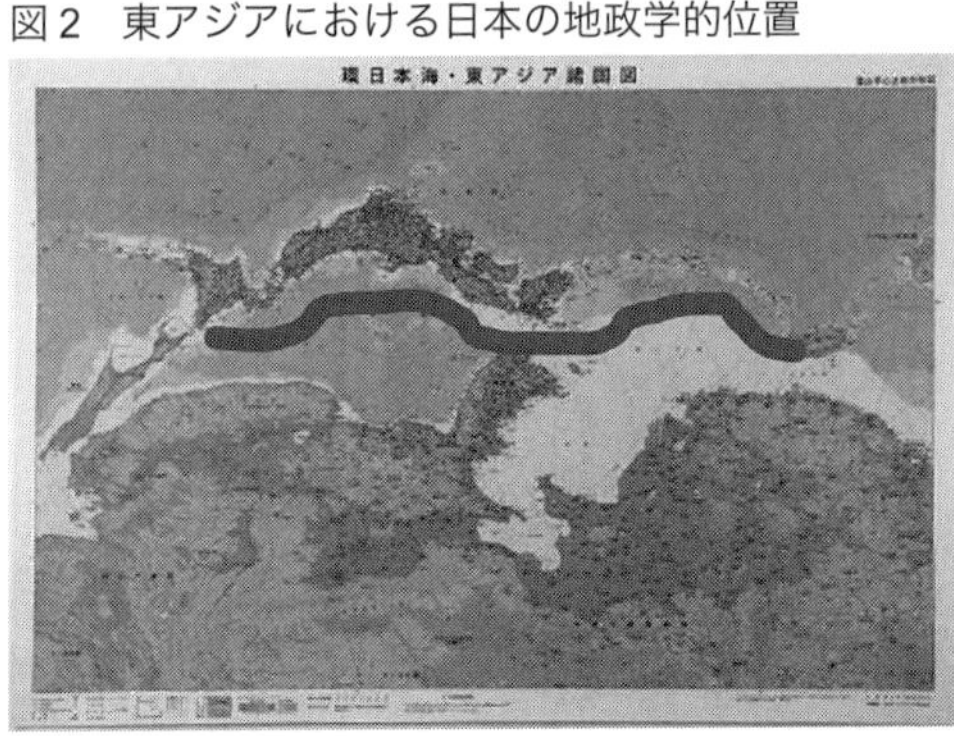

出典：富山県が作成した地図を転載したものであり、それをもとに作図した。

してみると、実は極めて重要な三〇〇〇kmにわたるアジア大陸封じ込めの自然要塞となることがわかる。

北海道から日本列島・沖縄・台湾の三〇〇〇kmの要塞は、アメリカにとってロシア・北朝鮮・中国が太平洋に出るのを阻み、ミサイルがアメリカ大陸に飛んでいくのを阻止する最良の要塞であり、前線基地となる。しかし日本はこの細腕で、ロシア・北朝鮮・中国三方からミサイルが飛んでくる際、果たして弁慶のように自分を犠牲にして、ミサイルがアメリカに飛んでいくのを守る要塞に進んで名乗りを上げるべきか？

日本の利益にも日本国民の利益にもまったくならない。

そうした役割は願い下げるに越したことはない。

アメリカの大学での沖縄米軍基地の研究会で、アメリカの研究者は、「北朝鮮の中距離ミサイルは、日本：東京が標的である。アメリカには届かない」と発言した。米中戦争は、ウクライナと同様、東アジアの代理戦争で行われる可能性が高い。その場合は、台湾と沖縄、日本列島が戦場になる。我々はアジア人同士の、中日韓国台湾の殺し合いを避けるべきである。

(3) アメリカのインド太平洋戦略とは？：ＱＵＡＤ、ＱＵＡＤプラス

バイデン政権は、安全保障面での「中国封じ込め」を積極的に促進してきた。それは四つの戦略で

ある。つまり、①QUAD、②QUADプラス、③AUKUS、④ファイブ・アイズである。

①QUAD（日米豪印四か国戦略対話）は、日・米・豪・印四か国のひし形で、物理的に中国を封じ込め、一帯一路の陸と海のルートにくさびを打ち込む構図である。これは、二〇〇六年に安倍首相が提唱、トランプ政権が実質化したとされるが[20]、インドに言わせると、「アメリカが望み、日本が言わせられたのだろう」と。GDPで中国が日本を追い抜き、中国がアメリカをPPPベースのGDPで追い抜いてから、二〇一九年九月アメリカで初の外相会談が開かれ[21]積極化した。

図3　アメリカのインド太平洋戦略

出典：ハンギョレ、2020年9月10日

QUADについて、ビーガン米国務副長官は、「東アジア版NATO[22]」を構想するとともに二〇二〇年八月には、②QUADプラスとして、韓国、ベトナム、ニュージーランドの四か国に圧力をかけた。ただしインドは必ずしも積極的ではなく、ロシアとの関係の強さからQUADには若干の距離を置いている。ASEAN諸国も同様に慎重である。

経済先進地域の東アジアを紛争地にすることは、欧州、日本の経済界も必ずしも肯んじているわけではない。背景には、コロナ禍で米欧日共に経済が悪化、安全保障と経済を分けて、中国と連携することにより、早期の経済回復を達成したいという思惑もある。

二〇二一年一二月に経団連が声明を出したように、中国経済との連携により東アジア経済を活性化したいという希望は、経団連、中小企業・日本商工会議所などの総合的要請でもある。

問題は、ロシア・ウクライナ戦争の中でのメディアのウクライナ擁護とロシア非難である。この間リベラルなメディアと国民も、ロシアの戦争犯罪を連日報道する中で、国民の多くはロシア・中国の極東での軍事化を警戒し始めている。二二年七月の安倍氏の銃撃暗殺事件[23]も絡み、参議院選挙の自民党圧勝後は、改憲と防衛費増額に向け大きく動いていった。

QUADが、インドの非積極性など盤石でない中、登場したのが、③AUKUS（米英豪）の軍事同盟である。これは明白にアングロサクソン米英豪の同盟であり、④ファイブ・アイズ（米加英豪NZ五か国諜報同盟）とともに、アジアの成長を牽制し、軍事諜報網によって中露北朝鮮の連携を分断し欧州・日本も諜報下に置こうとしている。

日本は幾重にも米英の中国包囲網に組み込まれ、その最前線にいるのである。

5. アジアの経済成長・地域協力と日本の取るべき道

米欧のロシア・ウクライナ戦争を契機とした「軍事化」に対し、アジアの新興国はどのような行動をとってきたのか。そして今どこに向かおうとしているのか。興味深いことにそれは新興国の軍事力拡大ではなく、「経済発展」であり、地域協力関係の進展である。むしろその結果として米欧の覇権の揺らぎという危惧があり、米欧からの軍事化が逆に新興国の軍事化を誘っているという方が順序として正確なのではないか。

その意味では、個々の二国間対応の事象ではなく、欧米近代の緩やかな衰退の中、アジアの成長を巻き込んだ新しいマルチラテラルな国際秩序がめざされるべきであろう（これについては、二〇二二年一二月に刊行した、『世界戦争一〇〇年と地域統合——いかなる新世界秩序を作るか？』を参照）[24]。

こうした状況を踏まえ、では日本はどうすべきか。

まず二〇二三年四月から五月にかけ、相次いで出されてきた経済統計からみてみよう。

二一〇〇年には、アジア・アフリカが世界人口の八割を占め、米欧は一割に過ぎなくなる、というデータを紹介した。

また、新興国の経済成長と人口成長の中、米欧は、東アジアで、①QUAD、②QUADプラス、③AUKUS、④ファイブアイズを形成し、二〇一〇年代以降、中国の「封じ込め」政策を幾重もの包囲網として強化してきた。

その背景には、米欧からアジアへと、二一世紀の一〇年以降、急速に拡大する、国際的な経済競争力の移行があったことは否めない。

(1)アンガス・マディソンの世界経済統計

二〇一〇年に出されたアンガス・マディソンAngus Maddisonの経済統計は、世界最速のメガコンピュータを駆使して世界各国のGDPを西暦〇年から二〇三〇年まで打ち出した経済長期波動の統計を次々と公表し、世界で評判となった[25]。これを河合正弘氏がグラフ化したものが次頁の図である（星は筆者）[26]。

「アンガス・マディソンの世界経済統計」という当時世界最速のメガコンピュータが打ち出した事実によれば、西暦〇年から一八二〇年まで一八〇〇年にわたり、中国とインドの二国で、世界経済のほぼ五〇％を超える時代が古代から近世まで続いていたこと、アジアの時代が続いていたことが明らかとなった（図4参照）。

ところが、一八二〇年以降、中国・インドの経済的豊かさは急速に落ち込み、二つの大戦を経て最低の経済力となる。

しかし一九五〇年頃から、再び中国およびインドは経済成長を始め二〇三〇年には中国はアメリカを抜くと予測している[27]。

図4　アンガス・マディソンの世界経済統計

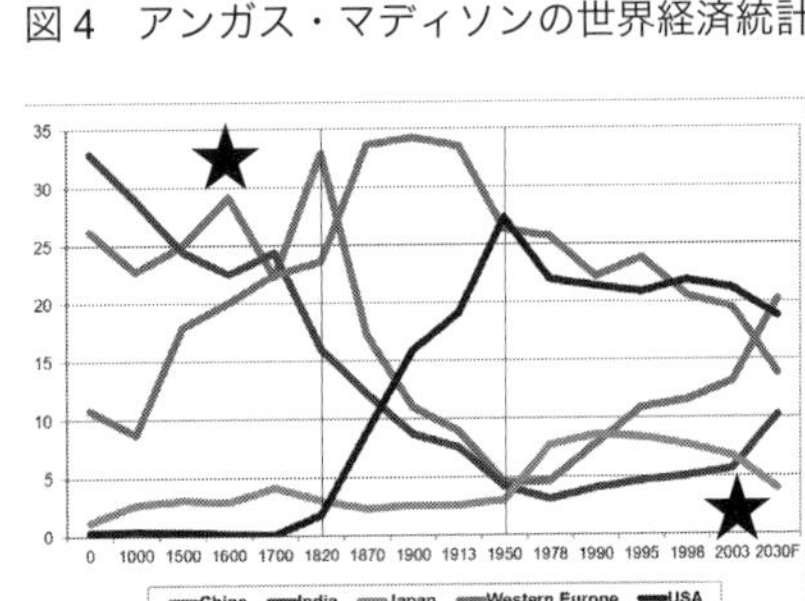

出典：Angus Maddison (2007)[26]

これをインドのSAARC大学で講演し、なぜこのような曲線が現れたかわかるかと問うと、インドに集っていたインド、アフガニスタン、ネパールの学生たちは口々に、自分たちの国の衰退は欧米の植民地化の結果である、戦後経済の再復興は植民地が解放されたからだ、と述べたのである[28]。

このメガコンピュータの試算がいかに個々の国を含めて正確なものであるかがわかる。これは二〇〇一年から二〇〇五年の統計計算、遅くとも二〇〇七年に出された一連の統計である（即ち二〇三〇年に中国がアメリカを抜く、はあくまで二〇年後の予測に過ぎなかった）。だが周知のように二〇二二年にはイギリスの経済統計シンクタンクが、中国がこのまま発展すれば、二〇二八年、六年後にはアメリカのGDPを抜くと試算したのだ[29]。

紀元〇年から一八二〇年に及ぶ一八〇〇年間のインドと中国の長期的経済発展に比べ、その後成長してきた近代欧米の時代は一八二〇年から二〇三〇年までのたった二〇〇年である。それも、中国・インドやラテンアメリカなど豊かであった各地域の文明国を「植民地化」した故の成功による富の集積であった。

その結果、第二次世界大戦後、植民地が米欧の支配から次々に開放される中、再び緩やかにアジアの成長があった。すなわち、日本、ＡＳＥＡＮ、そして二一世紀に入り中国・インド、ブラジルなどアジアとＢＲＩＣＳの時代が始まり、二〇三〇年にはまず中国が、米欧を超えることが予測されたのである。

アンガス・マディソンの経済統計表が出されたときには大センセーションとなった。

二〇三〇年を目前にし、軍事力による封じ込めや戦争がない限り、コロナ・パンデミックも、中国やインドの時代を押し戻すことはできない。むしろ米欧が、経済とコロナによる死者の増大で、抜き差しならない状況になっている。今年のＧＤＰもそれを正確に裏付けている。だからこその米英の焦りなのである。

二〇二三年四月に出た二〇二二年のＧＤＰ（名目ＧＤＰと購買力平価ベースのＧＤＰ）及び二〇二三年五月に出た米国最大の金融会社、ゴールドマンサックスの二〇五〇年、二〇七五年の経済統計を続けて見てみよう。

図5　世界名目 GDP（2022）　IMF/Eleminist

2028 年（6 年後）中国はアメリカを超える。（アジア・BRICS 網掛け）

順位	国名	単位：百万 USS
1 位	アメリカ合衆国★	25,346,805
2 位	中国　★　C	19,911,593　↑日本の４倍
3 位	日本	4,912,147　↓
4 位	ドイツ	4,256,540
5 位	インド　I	3,534,743
6 位	イギリス	3,346, 003
7 位	フランス	2,936,702
8 位	カナダ	2,221,218
9 位	イタリア	2,058,330
10 位	ブラジル　B	1,833,274
11 位	ロシア連邦　R	1,829,050
12 位	大韓民国	1,804,680

図6　PPP（購買力平価）ベースの GDP（2021）

すでに中国はアメリカを、インドは日本を超えている。

2021 年購買力平価 GDP（IMF 統計）（アジア・BRICS 網掛け）

順位	国名	単位：百万 USS	
1 位	中国　C	27,206,091	すでに中国はアメリカを抜く
2 位	アメリカ合衆国	22,996,075	
3 位	インド　I	10,193,541	
4 位	日本	5,606, 553	
5 位	ドイツ	4,888, 223	
6 位	ロシア連邦　R	4,494,223	
7 位	インドネシア	3,566,259	インドネシア、ブラジルはイギリスを抜く
8 位	ブラジル　B	3,435,874	
9 位	イギリス	3,402,740	
10 位	フランス	3,358,913	
11 位	トルコ	2,953,937	トルコはイタリアを抜く
12 位	イタリア	2,734,614	
13 位	メキシコ	2,669,061	メキシコ、韓国は、カナダを抜く
14 位	大韓民国	2,517,129	G7 は早晩、後発国に転落する。
15 位	カナダ	2,024,955	

Global Notes: 2022. IMF 統計

(2) 世界名目GDP（二〇二二年）二〇二三年四月[30]（IMF）

これによれば二〇一〇年に日本を抜いた中国のGDPは、その後一三年間で日本のほぼ四倍となりアメリカに迫り、またインドが世界第五位のGDP大国となってドイツと日本に迫りつつある。さらにブラジル、大韓民国がヨーロッパを凌ぎつつある。二〇二三年には、ドイツが日本を抜き、日本は四位に転落した。

(3) 購買力平価ベースのGDP（二〇二二年）二〇二三年四月

二〇二三年四月に出た購買力平価ベースのGDPはさらにドラスチックである。二〇一四年にアメリカを抜いた中国のPPPベースのGDPは既に二〇二二年末にはアメリカと日本を足した額になり、他方インドも日本を抜いてすでに日本の二倍近くとなっている。インドネシアとブラジルは、イギリス・フランス経済を抜き、トルコもイタリアを抜いてフランスに迫っている。欧米の時代がゆっくりと頭打ちに近づく中、IMFは、この購買力平価の数字が一〇年後、二〇年後の実質GDPとなるだろうと予測した。G7は既に、新興国に追い越されつつある。

(4) ゴールドマンサックスの世界経済予測[31]

さらに衝撃的なのは米国の金融大手、ゴールドマンサックスの、二〇二三年四月に出た統計である。これによれば、二〇七五年、あと五〇年で、米欧の時代は終わり、一位・二位が中国・インド、三位のアメリカを追い上げるのは、インドネシア、ナイジェリア、パキスタン、エジプト、ブラジルであ

図７　ゴールドマンサックスの世界経済統計

Goldman Sachs: 先進国が入れ替わる。

2050年、2075年には、中国、インド、米国、インドネシア、ナイジェリア、パキスタンア世界トップ6に。日本は12位に転落！

Exhibit 4: Our Projections Imply that China, the United States, India, Indonesia, and Germany Will be the World's Five Largest Economies in 2050

World's largest economies (measured in USD)

Ranking	1980	2000	2022	2050	★ 2075
1	United States	United States	United States	China	China
2	Japan	Japan	China	United States	India
3	Germany	Germany	Japan	India	United States
4	France	United Kingdom	Germany	Indonesia	Indonesia
5	United Kingdom	France	India	Germany	Nigeria
6	Italy	China	United kingdom	Japan	Pakistan
7	China	Italy	France	United Kingdom	Egypt
8	Canada	Canada	Canada	Brazil	Brazil
9	Argentina	Mexico	Russia	France	Germany
10	Spain	Brazil	Italy	Russia	United Kingdom
11	Mexico	Spain	Brazil	Mexico	Mexico
12	Netherlands	Korea	Korea	Egypt	Japan
13	India	India	Australia	Saudi Arabia	Russia
14	Saudi Arabia	Netherland	Mexico	Canada	Philippines
15	Australia	Australia	Spain	Nigeria	France

Source: Goldman Sachs Global Investment Research

る。日本はドイツ・イギリス・メキシコにも抜かれ、一二位に転落している（図7参照）。我々の息子、孫の世代である。時代は急速に転換しつつある。

だからこそ、アメリカは、「軍事力とIT情報網」でこれを封じ込め、覇権を維持しようとしている。

他方、欧米にとっては、中国を排除しては経済的に自国が回復できないということも事実である。そうした中、二〇二三年にはフランスのマクロン大統領がまず中国を訪問、ドイツの首相ショルツ[32]も中国を訪問して経済関係を結ぶ中、六月にはアメリカのブリンケン国務長官[33]も習近平に会いに出かけている[34]。経済的には米欧も、中国の経済力を無視できないということである。

他方で米は、日本に対して中国に半導体の材料を売らないよう圧力をかけ輸出規制が始まっている。(35)ウクライナ戦争における、エネルギーや経済制裁、武器輸出や防衛軍事費二倍化と同様、アメリカは欧州と日本の同盟国に圧力をかけつつ、中国・ロシアを牽制しアメリカの覇権を回復しようとしている。コロナ・パンデミックとロシア・ウクライナ戦争の結果、経済・エネルギー問題や貿易においても盤石ではない欧州は、アメリカの軍拡に従いつつも中国との経済関係は無視できない。それは日本も同様である。しかしアメリカの圧力は、ウクライナへの武器輸出やロシアへのエネルギー制裁に加え、今後の発展に最も影響を与える中国へのIT半導体への圧力に及んできているのである。

では、新興国はアメリカと同様、軍事力の強化に力を入れようとしているのであろうか。

次に、新興国における地域協力の拡大という興味深い事実を確認しておきたい。

6. 新興国の地域協力・経済協力

興味深いことに、米欧の軍事力強化とロシア・中国への経済制裁などに対し、新興国の特徴はより経済地域協力重視である。また中国やインドは一四億を超える人口大国であるにもかかわらず、周辺国との地域協力に力を注いでいる。

(1) 中国の一帯一路政策、一〇年

中国では一〇〇〇年のインフラ投資計画として一帯一路の地域協力構想が二〇一三年に始まり地球半

周をまたいで進んで一〇年目である。

これも、アメリカによる強い警戒を受けつつ、投資（Investment）とインフラ（Infrastructure）という繁栄の二手段を掲げ、コロナ・パンデミックの中でも着実に世界を半周する地域協力を促進している。発想の根底には万里の長城や西安から発するシルクロードの歴史がある。[36] 中国はたとえ現中国が滅んでも道路とインフラは残るという思想の下、鉄道・道路整備とＡＩＩＢなど投資計画を実行している

図８　中国の一帯一路政策

米英：QUAD, AUKUS への対抗：経済と安全保障で。
米英軍事共同　vs　中国の経済拡大・地域協力：
中国百年インフラ投資計画：一帯一路（陸、海、北極圏－３連の首飾り）

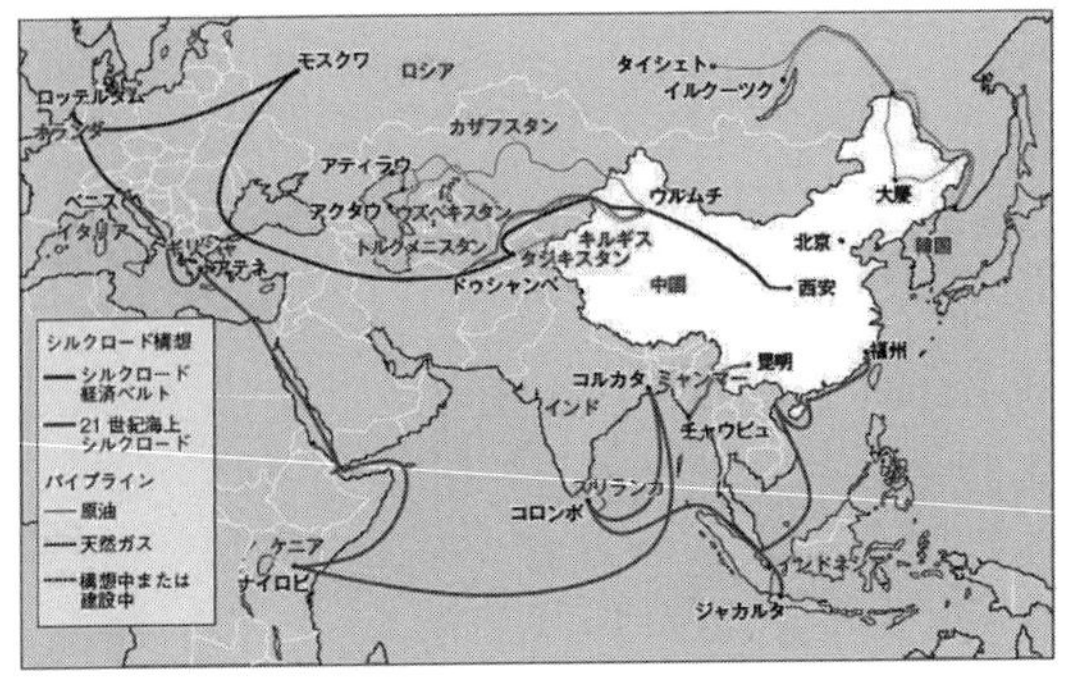

図９　ロシアのスラヴ・ユーラシア地域協力

ロシアも同様の地域構想：ユーラシア大陸に。
スラブ・ユーラシア連合（北極圏含む）―地球を組織化。
アメリカ、欧州、経済制裁で対抗 Nord Stream を中断させる。
欧州とロシアを断ち切る。

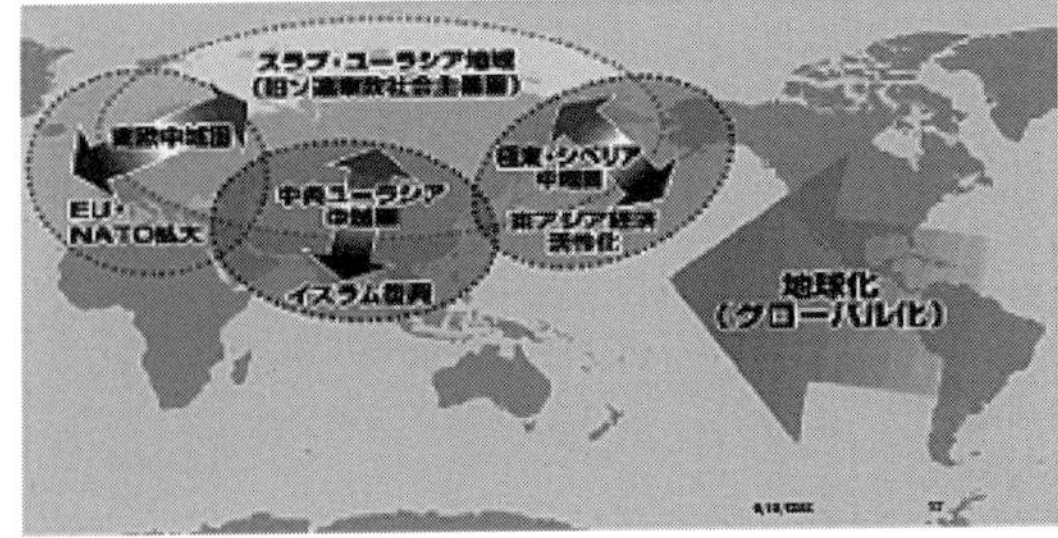

ところは、思想哲学の大きさを感じる。特に西の貧しい地域、カンボジア、ラオス、スリランカ、中央アジアなどに投資とインフラ整備を進め、グローバルサウスの国々の感謝と期待を集めることとなった。

東アジアでも、RCEP、TPP／CPTPPが進み、これに対してアメリカはIPEF[37]という新たな組織を確立して対抗している。しかし地域経済統合への関心は中国・インドにおける地域協力・地域共同の動きがより強いと見える。

(2) ロシアのスラヴ・ユーラシア地域協力

ロシアでも九一年のソ連邦の崩壊以降、旧ソ連諸国を繋ぐ目的もあり、スラヴ・ユーラシア地域協力が、十分うまく機能していないものの存在する。欧州のノルドストリーム2の石油・天然ガス・パイプライン計画はその重要な一環として進んできたが、これはウクライナ戦争のさなか、二〇二二年九月に爆破されて以降、欧州とのパイプが、文字通り破壊された。しかし、フランスのマクロン、南のトルコ、アジアの中国やインドネシアなどが中心となり、ロシアの孤立化による欧州の緊張を懸念して十分とは言えないものの、ネットワークを再編しようとしている。

(3) インドの地域経済協力：SAARC（サーク）

さらにQUADに懐疑的だったインドも、周辺諸国との地域協力として、SAARC（南アジア地域協力連合）、BIMSTEC（ベンガル湾多分野技術経済協力イニシアチブ）を進行させている。

図 10　インドの地域経済協力（SAARC）（SAARC 大学提供）

インドも周辺諸国と地域協力 1
SAARC（南アジア地域協力連合）

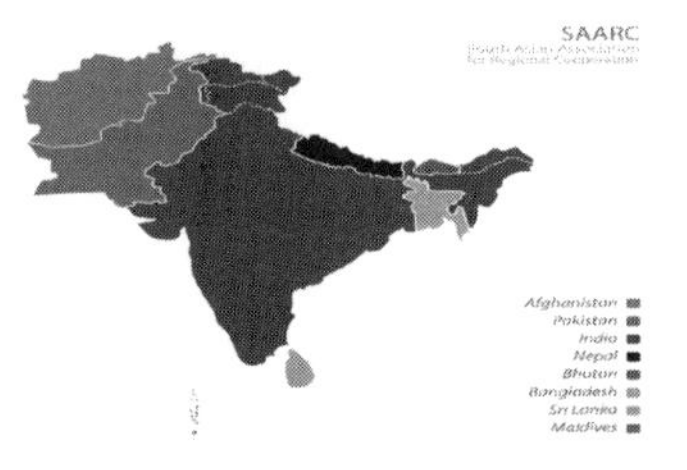

出典：Pradeep Chauman, SAARC University

図 11　インドの地域協力（BIMSTEC）

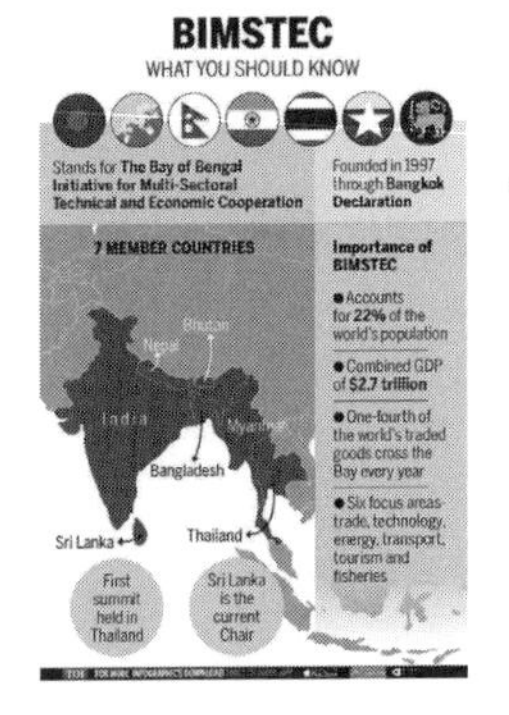

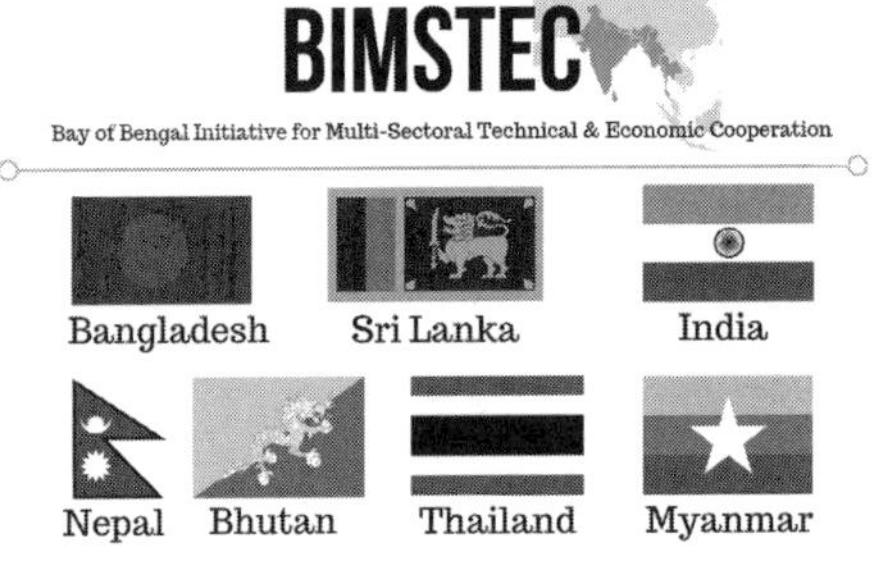

出典：Pradeep Chauman, SAARC University

図 12　ASEAN の地域協力

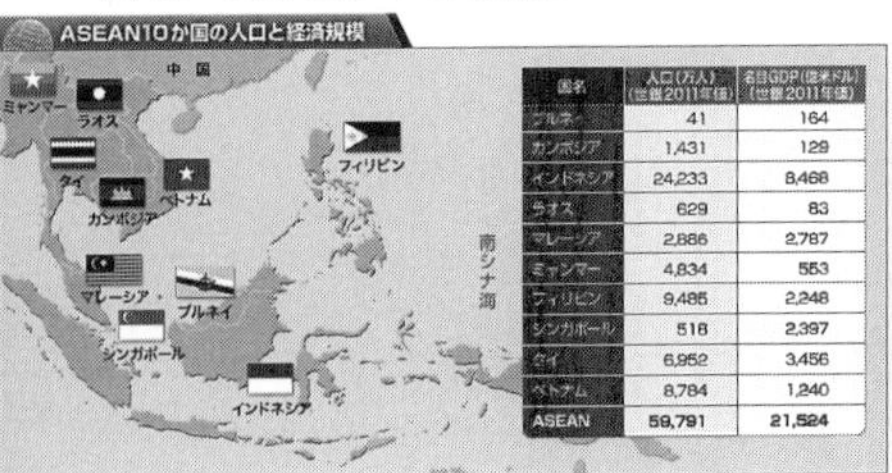

国名	人口(万人)(世銀2011年値)	名目GDP(億米ドル)(世銀2011年値)
ブルネイ	41	164
カンボジア	1,431	129
インドネシア	24,233	8,468
ラオス	629	83
マレーシア	2,886	2,787
ミャンマー	4,834	553
フィリピン	9,485	2,248
シンガポール	518	2,397
タイ	6,952	3,456
ベトナム	8,784	1,240
ASEAN	59,791	21,524

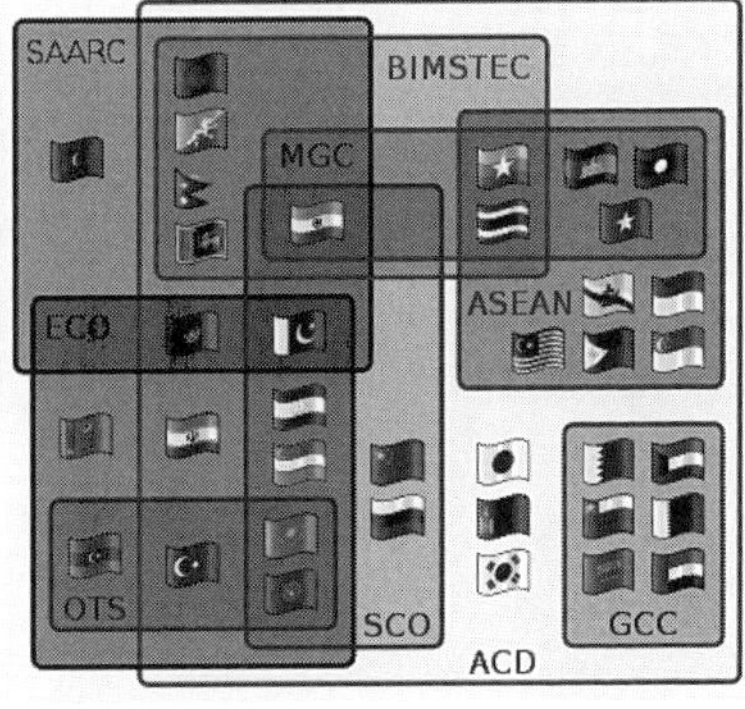

出典：ASEAN Homepage

インドはSAARC大学を設立し、近隣国の若者を呼び、大学および大学院で無料で教育し、自国に返すなど、本来各国政府がやるべき若者教育も周辺の貧しい国と連携し自負心をもって受けいれている。筆者は二三年二月にSAARC大学を訪問し講演と討議を行ったが、周辺の貧しい国の若者を受け入れて無料で教育を行う姿勢は、ガンジー主義・ネルー主義の「非同盟」、現在のグローバルサウスの成長に繋がる重要な理念である。インドの周辺国との地域共同は注視していきたい。

インドの今一つの東との地域協力は、BIMSTEC（ビムステック）であり、より経済的に成功している。タイやバングラデシュ、ネパールを含み、ともに着実な経済発展を果たしている。

新興国は、緊張を高め軍事力を拡大する米欧日と異なり、経済共同地域共同が目立つ。政治軍事をめぐる二国間対立をさけ、中印は、むしろ地域の経済協力を軸として発展しようとしているのである。

(4) ASEANのグッドガバナンス（優れた統治）

その最良のモデルはASEANのグッドガバナンスであろう。

経済協力を基礎に、政治や安全保障問題などでアメリカ一辺倒にならないためにも、環境・教育・社会保障・海賊対策や食やエネルギーの共同など非伝統的安全保障を含め、外交的にも一極に偏らないバランスの取れた地域協力関係を進めている。日本も学ぶべき点は多い。

7．米中戦争のシナリオはありうるのか？

こうした中、「米中核戦争のシナリオ」はありうるのだろうか？　軍事的緊張は一年前の方が大きかったようにも思われる。アメリカは「六年以内に中国が台湾に侵攻する」と、繰り返し中国の台湾侵攻を煽ってきたが、ロシアのウクライナ侵攻と孤立化を目前で見ている中国は、平和五原則を堅持し、台湾が独立を宣言しない限り、台湾に軍事侵攻することはないと言い続けている。

しかしそれでは東アジアにおける中国の「封じ込め」が実行できないと考えるアメリカは、ＩＴや半導体を手始めに予想もできない巧妙手段で、中国を挑発する可能性がある。アメリカの戦略を甘く見ず、東アジアで緊張を高めないためにも相互に慎重に対処する必要があろう。

(1)米中核戦争のシナリオ：現実化困難か

アメリカのＮＡＴＯ欧州軍の元最高司令官スタヴリディスは、『２０３４・米中戦争』という、米中核戦争をテーマとしたリアル小説を書いて戦争を予見している。(38)

そこには、三つのレッドラインが示されている。

①尖閣諸島、②南シナ海、③台湾である。この順番で緊張が進み、現在では台湾をめぐる対立の可能性が一番高い。他方で台湾人のほとんどは現状維持を望み中国も台湾が独立しない限り武力攻撃はない（当面は現状維持）としている。

今やＡＵＫＵＳの米・英・豪の軍事力の拡大があり、対抗して中国の軍拡が進み、現在軍事力比較では米が一位、中国が二位につけており軍事的緊張が高まっているのは事実である。

しかし報道では、中国による「台湾有事」の危険性が語られるが、ウクライナ戦争と同様、軍艦や潜水艦を中国の境界線上に多大に派遣し軍事演習を行っているのはアメリカである。

米海軍は「自由航行を守る」、「価値の同盟：民主主義の同盟」と称し、また「米中戦争を回避するため」と称して、アメリカから一万キロ離れた東シナ海、南シナ海上に、米英豪の軍事力を配備して、東アジアにおけるアメリカの覇権を主張し、中国を刺激している。

『2034・米中戦争』には次のように書かれている。

①中国が勝てると思わないよう、米英豪の軍事力を維持・拡大する。

②中国には同盟国がない。アメリカには日本・オセアニア・ASEAN／インドの同盟がある

（ただ実際にはインドは乗り気ではない）。

③台湾・尖閣を攻撃すれば大規模な経済制裁を行う（これによって、中国経済のデカップリングを行い、ロシアと同様、金融を含む広範な経済封じ込めにより中国経済にブレーキを掛けようとしている）。

これを見るとアメリカはアジアで拡大する広範な地域協力を、軍事・経済制裁・政治同盟で分断しようとしている。それでもインフレは進み、コロナからの回復は十分ではなく、同盟も盤石ではない。QUAD、AUKUS、IPEF（インド太平洋経済枠組み）におけるアメリカのリーダーシップで、RCEP、CPTPPに対抗し、経済でも、中国封じ込めの経済同盟を準備している。

日本政府も昨年一二月に安保三文書[39]を閣議決定し「反撃能力」を明記した。[40]さらに一月には、2＋2のアメリカでの会合で、従来の矛と盾（専守防衛）を、矛と矛とし、ともに攻撃する姿勢を示した。

明らかに違憲であるが憲法書き換えなしに、敵基地攻撃を可能にする戦略転換だ。

しかし現状では、ロシアと欧州の分断とは異なり、アジアの諸国、特にＡＳＥＡＮや中央アジア諸国、アフリカは中国の締め出しには極めて慎重である。ドイツとロシア、日本と中国、台湾と中国を、対立させ Divide and Rule（分断統治）戦略を取るアメリカは成功するだろうか。今のところ、中国との関係は経済的メリットもあり、欧州もＡＳＥＡＮなど近隣諸国も、ロシア・ウクライナ戦争のようにはアジアの分断や中国の締め出しを実現することは困難に思える。

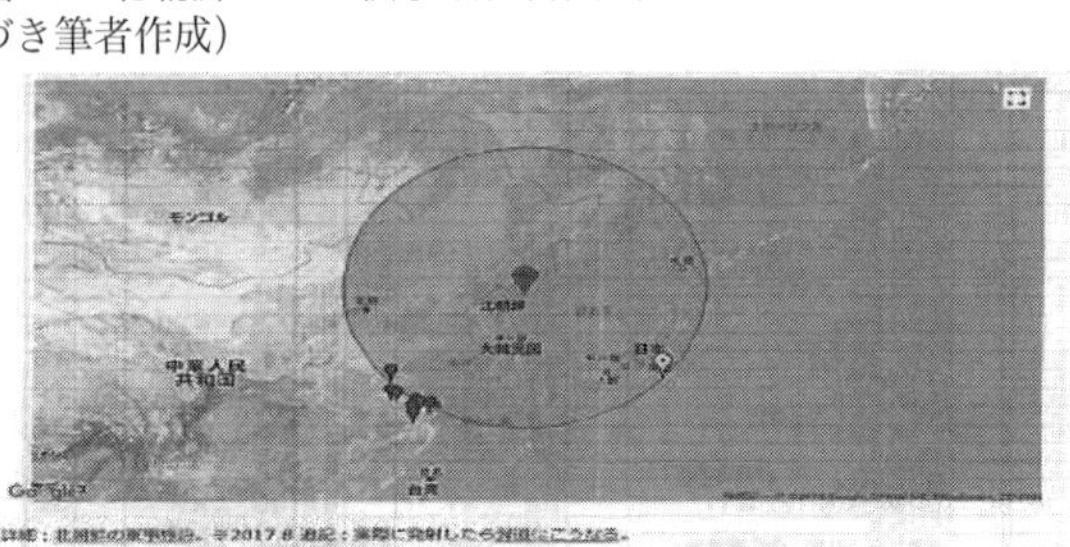

図13　北朝鮮からの核事故影響圏（スウェーデンの調査に基づき筆者作成）

(2)東アジアでの核爆発の可能性

狭い地域に人口が密集している東アジアで、万一戦争ないし核爆発が起きたらどうなるか？

北朝鮮の核施設の爆破を想定するだけで、東アジアはほぼ全域に危機が広がる。

ノルウェーとスウェーデンの調査によれば、トナカイの放牧をするサーミ人[41]とトナカイへの影響について観測が行われており、チェルノブイリ原発事故からほぼ三〇年を超えた時期においてもチェルノブイリから一二〇〇㎞～一五〇〇㎞離れた野生のトナカイの肉に高濃度の放射線が出たこと、またそれを放牧するサーミ人の身体にも影響がみられたことが判明した。それはチェルノブイリからの放射能が気流で流れ込んだところに生えたキノコをトナカイが食べたことによる影響とされ、福島大学やノルウェー放射能防護庁の記録では、一度原発事故が起これば長期にわたり元の生活には戻れないという状況が判明した[42]。

この調査に従って、北朝鮮の核格納庫ニョンビョン（寧辺）で、チェルノブイリ級の核爆発の「事故」が起こった場合、核施設ニョンビョンを軸として一二〇〇キロの円を描いてみた（図13、筆者作成）。それによれば、ロシア極東、朝鮮半島、北京、上海、中国の沿海州、および日本全域がほぼすべて入ってしまう。

もちろん気流や海流の関係でこのような円状に影響があると思われないが、蓋然性としては、北朝鮮、あるいは日本の原発のどこかが攻撃されたり、事故が起こったりするだけで、農業・工業・経済が発展している「東アジア経済圏」は、少なくとも三〇年以上にわたって高濃度に汚染され、人体にも環境にも大きな影響を及ぼす、ということが明らかになった。そのようなリスクを、経済発展地域たるアジアで互いに侵して、近隣国と戦争をすべきであろうか。いかに愚かなことかが明らかであろう。

狭い東アジアに高い人口密度と経済の集中が存在する東アジアにおいては、地域の共同と共存こそが、平和と繁栄の道なのである。

8. 広島サミットに見る日本の方向性

我々は、東アジアの緊張と不安定化に対し、何をなすべきだろうか？　安保三文書を掲げ、沖縄や九州、さらに青森にまでミサイル基地を設け、アジア大陸：中国、北朝鮮、ロシアという核ミサイル大国に対し、アメリカと自由主義・民主主義を守るために敵対し戦うべきだろうか？

既に沖縄石垣島だけで、今年に入りミサイル二〇〇発が運び込まれ、与那国島、宮古島にも配備のための準備が進んでいる。[43] 歴史的に見ても一度も攻撃や侵略を受けたことのない中国、ミサイルを二〇〇〇基以上も持っている中国や数千基以上の核ミサイルを持っているロシアに対して、数百基のミサイルを構えて「先制攻撃」する「国益」が果たしてあるだろうか。沖縄の議員によれば中国に対抗し、二〇〇〇発のミサイル配備が予定されているという。「先制攻撃」すれば、その後沖縄が、さらに日本列島がハチの巣になるのは目に見えている。

沖縄は琉球王国時代に四〇〇年にわたり冊封体制として中国と友好関係を続けてきた。にもかかわらず、中国に向けて、ミサイルや地下司令塔を準備する意味がどこにあるのか。今後二〇二四年までに、自衛隊基地の一〇か所に、地下司令塔を設けなければならない、という政府・防衛省からの要請は、「地上が戦闘で荒廃しても地下から指令を出せるように[44]」とされ、国民の犠牲を前提としている。国民を守る体制になっていない。国会でも議論がなされておらず、自治体でも議会で賛否も問われないまま、国民ではなく誰を守るために、ミサイル配備や地下司令塔の要請が出されているのか。民主主義の根幹が実行されていないうえ、専守防衛を超えたミサイル配備や地下司令塔は明らかに憲法違反である。

住民は不安に思い反対しているのに、何故マスメディアは防衛推進の記事を書き続けるのだろうか。批判すれば叩かれ攻撃されるからだ。

二〇二三年日本はＧ７の議長国であった。会場と定められた広島サミットでは、「核なき世界、核廃絶」が被爆者や県民から強く岸田文雄首相に訴えられていた。しかし現実には、「核なき世界」は遠い将来の目標となり、アメリカによる二度の、市民の生活の上に落とされた原爆投下には一切触れられず、繰り返しロシアの核使用の危機が強調され、むしろ「核抑止」が強調される結果となった[45]。
はじめてG7首脳がともに訪れたとされる原爆資料館には、アメリカから見せるべきではない細かい資料の指示があり、バイデンは核のボタンを押すスーツケースを持ったまま入り、何を見たかも明らかにされなかった。最後の日にはウクライナからゼレンスキー大統領が駆けつけ、ロシア非難、戦争支援と武器供与の拡大[46]が引き続き訴えられた。

⑴ 英米の劣化ウラン弾、クラスター爆弾の供与

二〇二三年の四月からはイギリスが、放射能を含む劣化ウラン弾とそれを搭載する戦車をウクライナに供与した。劣化ウラン弾は半減期四五億年というウランによる爆弾で、イラク戦争、湾岸戦争、コソヴォ紛争で使われ、その後現地住民、特に子供たちに奇形や障害が出ている[47]。被爆者らが国際法で禁じられている毒物破壊兵器であるとして強く使用撤回を迫ったが、イギリスはこれまでも使われてきた「通常兵器」だとし、撤回しておらず、求められた広島サミットでの撤回要請は全く触れられなかった。

さらにその後アメリカは、早期戦争終結に向けて、国際法で禁じられ戦後も住民に被害を及ぼすクラスター爆弾を大量にウクライナ東部に投下した[48]。広範に爆発する映像が流されたが、それを流したTBSがネトウヨやそれに乗じる人々によって攻撃の対象とされている。つい数年前まで「二度と過ちは繰り返しませんから」と言っていた日本と日本国民の声は封じられている。戦争前状況になれば

平和を語ることさえできなくなる社会となることを憂う。

原爆投下を謝罪せず、今でも使用は正しかったと考えるアメリカに依拠して、ウクライナ東部に劣化ウラン弾やクラスター爆弾が投下されるのを容認していると、おそらく東アジアで戦闘が起こった時、当然のように劣化ウラン弾やクラスター爆弾が使われる可能性がある。

米英がこれらの破壊兵器・毒物兵器を使うのは、「カラード」及びスラブの地域だからである。劣化ウラン弾をセルビアで使い、イタリア兵が被爆したとき、EU（欧州連合）は「欧州で劣化ウラン弾を使うのか」と強く抗議し、アメリカは謝罪した。しかしイラクやアフガニスタン、湾岸戦争での使用については謝罪していない。今回ウクライナ東部に使用されるに及んでEUも反対を表明していない。「ロシアの核使用の脅威（まだ使用されていない）」を盾に、国際法で禁じられている兵器がアメリカ・イギリスによって使われていることに対し、EUも批判できない状況を遺憾に思う。ウクライナ東部がロシアから回復される見込みがないことを見越してか、その後の地域住民と地球環境に大きな被害を与える劣化ウラン弾やクラスター爆弾の使用にウクライナ政府は反対していない。果たして国民を守る戦争なのか。アムネスティインタナショナルやユネスコも、子供や地域住民、食物や農業地球環境も含めての米英の禁止放射線毒物兵器・破壊兵器の使用に、禁止要請をするべきではないだろうか。

実は劣化ウラン弾は沖縄で既に使用されている。それも大量に。一九九五年から九六年、沖縄の久米島から二八㎞の無人島、鳥島に、アメリカは演習と称し、一五二〇発の劣化ウラン弾を射撃した。(49)かつて多くの貴重な生物が生存していたこの島は三八年経った今でも岩がむき出しの状態となったたまま草木も生えていない。沖縄タイムズでは誤射とされているが、一五二〇発も誤射するだろうか。また米軍は二五〇キロの爆弾を、別の島に「誤投下」している。これもG7のメンバーには入れながら、絶対にアメリカや欧州の島には行わないことを、日本・沖縄では実行し、日本政府はそれに抗議していないのである。「カラード」の格差は明らかに日本に対しても存在している。

こうした中、アメリカや欧州・アジアを含む多くの市民が、ウクライナ戦争の停止を求め、またクラスター爆弾や劣化ウラン弾の使用禁止を求めながら、大手メディアの規制によってなかなか情報が広がらない。広がっても叩かれるという、恐ろしいことが起こっている。

(2) 沖縄を平和のハブに!

二〇二三年、軍備増強され、美しいサンゴ礁の島々にミサイルを数百発運び込まれている沖縄で、南西諸島と沖縄を、ミサイル基地でなく、平和のセンターとする、対話と交流の場にしようとする動きが広がっている(50)。筆者はその共同代表を務めている。

米中の代理戦争を、日本、特に沖縄と台湾が請け負うのではなく、東アジアの発展する経済圏を守り、ミサイルや地下司令塔の配備ではなく、平和、安定、繁栄のセンターとすること、平和と安全保障の対話を、政府がやれないのなら、自治体、市民が、率先して民主主義を守って行くことをかかげ、平和運動が展開されている。

安保三文書に則り、敵基地攻撃能力を高め、地下司令塔を建設してアメリカの望むまま、国民被害には目を向けず戦う体制を、自治体や市民の議論もなされないまま継続していくことに、沖縄は強く

図 14　沖縄は歴史的に平和と交流のハブ、中国・韓国とは強い歴史関係、沖縄を基地・ミサイル配備ではなく、アジアの平和と市場のセンターに！（沖縄県庁）〈地域、若者、経済界、市民がリード！〉政府は国民と自治体を守る義務。

図 15　琉球王国時代の東南アジアとの交流関係

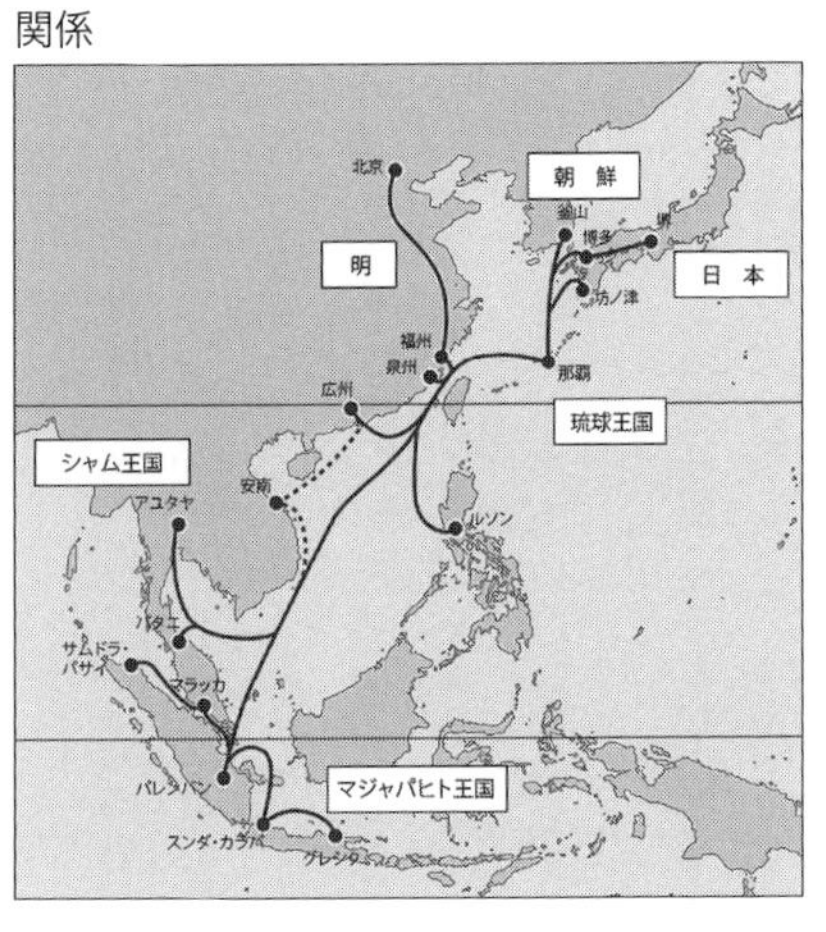

反対している。

東アジアで、中国と台湾、沖縄、朝鮮半島など複数の地域において、緊張が激化し、偶発的に武力衝突が起こる可能性はゼロではない。むしろますます高まっている。

アメリカの覇権を守るために、成長する中国を叩くことは日本の国益ではない。日本の貿易の四分の一を占め、歴史的に言語、文化、宗教、慣習など多くを学んできた中国や韓国と連携して、アジアから平和と繁栄の地域を作りリードしていくことが重要であろう。

戦争が始まってからではもう遅い。

そうした中、沖縄では平和と安定に向けて、自治体、市民とともに声を上げ、新しい構想を練りつつある。その一つが平和と対話・交流のハブである。特に図に見るような「二〇億人の巨大マーケットの中心」構想だ。中国、韓国、東南アジア、台湾、日本本土とむすび、歴史的な中国や東南アジアとの物流、交流も生かしながら、基地ではなく、経済発展と平和のセンターを目指そうとしている。

ロシア・ウクライナ戦争の「兄弟殺し」のような状況を、東アジアで作らないため、沖縄各自治体が交流とネットワークのパイプを強化しようとしている。

戦争は始まったらやめられない。疑心暗鬼が相互のフェイクニュースや残虐な殺し合いの連鎖を生み、アジア人同士の兄弟殺しの戦争を拡大させるのを断じて避ける必要がある。

一万キロ離れたアメリカの覇権を守り維持するために、アジアの日本が、近隣国の大国、中国、ロシア、北朝鮮の前に立ちはだかり、これら三国と戦争することは、全く日本の、日本国民の利益とならない。そうではなく、沖縄から、自治体から、東アジアの対話と連携が進められようとしている。

まとめ　日本の課題

我々がやるべきことは、まずは東アジアの特徴である、勤勉さ、自然の豊かさ、経済連携、平和と安定と繁栄により、周辺国と世界を豊かにするために貢献することである。また、それを実現するために、外交と対話のチャンネルを最大限利用し、意見や体制の違いを認めつつ、相互信頼と妥協の積み重ねにより、話し合いで問題を解決していくことである。軍事力で対決するような対立軸を作ることは極めて危うい。中国やインドが経済でトップに立っても、それを対立の軸とせず互いに経済協力をしながら、世界の安定と繁栄に尽力していくことが必要である。

世界の安定と繁栄にとって重要なことは、東アジアと日本に戦争の火種が拡大しないためにも近隣国である日中韓と、沖縄、台湾の連携、平和的安全保障の対話の恒久的継続が求められる。

欧州では冷戦のさなかに、中立国フィンランドのヘルシンキで、CSCE（全欧安保協力会議）が一九七五年に形成され、NGO、自治体、市民が参加し、「国境線の凍結」を掲げ、東西欧州の話し合いが、バチカンやモナコなどの地域や宗教国家も含めて始められた。そして象徴的なことにその一五年後に、冷戦は終焉したのである。

今軍備が増強されている境界線の地域でこそ市民の間で平和が望まれ、双方の対話と安定、繁栄を創り出していくことが重要である。中国・韓国・日本・沖縄・台湾・ロシアを結ぶ「恒常的」対話の組織を、まずは自治体と市民のレベルで確立していってはどうだろうか。

沖縄の玉城デニー知事は「地域外交室」を設け、自治体から、中国、韓国、台湾、アメリカに出かけ、ミサイル拡大への反対と平和拡大を訴え、沖縄を基地の島でなく、歴史的な、日中韓台湾、東南アジアを結ぶ交流と交易の島とすること、平和と交流のハブとして再生することを訴えている。

グローバルサウスと呼ばれる国々も今次々に、トルコや中国、インドネシア、フランス、ドイツなどと共にロシア・ウクライナ戦争、またイスラエルのガザ空爆の停戦要求を行う動きを支持し推進しつつある。

日本・沖縄は、中国・インド・ASEANと経済的に結びつつ、アジアの経済発展を支えリードする役割を果たすべきであろう。日本は、中国、韓国と共に東アジアが得意とする経済、勤勉、共同により平和と安定を実現していければと考える。すでに北東アジア六か国の八〇以上の自治体が参加する「北東アジア六か国自治体連合（ＮＥＡＲ）」も平和・環境・経済発展・若者育成・文化交流を目指し成長している。[51] ぜひ自治体、市民、若者からの平和と安定、交流と発展を実現していただきたい。日本・中国は、戦後の高度成長を担った勤勉さや技術的先進性で、世界を平和的にリードする。アジアの安全保障対話の実現が極めて重要かつ緊急である。局地核戦争は、東アジアに再び核の雨を降らせる。イージス艦、イージスアショアは、たとえ核ミサイルを打ち落としても核の残骸が広範に東アジアに振りまかれる。と学術会議の物理学者は言っていた。中距離核ミサイルは、アメリカにもヨーロッパにも届かない。アジアの美しい自然と人々の上に降り注ぐばかりである。東アジアのように人口密度の高い地域で核爆発があれば、数億人に影響が及ぶと言われる。私たちはそれで何の利益を得られるのだろうか。誰の利益のために我々は戦うのか。

アジアの経済協力、平和と安全保障による共同発展と繁栄により、東アジア、特に基地やミサイルで苦しむ沖縄や台湾など境界線の地域がリードし、世界の平和を回復させる。

それが東アジアに生きる私たちの、二一世紀第２四半世紀の課題であろう。

＊本稿は、科学研究費基盤研究Ｂ（代表、羽場久美子）「欧州とアジアの境界線をめぐる紛争緩和と格差是正——和解と共同発展に向けて」の研究支援を受けている。記して感謝したい。

参考文献

Kumiko Haba, Alfredo Canavero, Satoshi Mizobata（Eds）(2022.12), *100 years of World Wars and Regional Collaboration, How to create New World Order?* Springer.

Kumiko Haba (2010), Japan-China Reconciliation is key to Unified Asia, *International Herald Tribune (Herald Asahi)*, 16

January.

Angus Maddison (2007), *Contours of the world Economy, 1-2030 AD; Essays in Macroeconomic History*, Oxford University Press, September.

Angus Maddison (2007), *Chinese Economic Performance in the Long Run, 960-2030*, OECD, Paris, October.

Alvin Toffler (1990), *Power Shift; Knowledge, Wealth, and Violence at the Edge of the 21st century*, Bantam.

グレアム・アリソン（二〇一七）『米中戦争前夜——新旧大国を衝突させる歴史の法則と回避のシナリオ』ダイヤモンド社。

『学術の動向』特集「戦後アジアの地域再編と学術の共同」二〇二二年八月。

『学術の動向』特集1「アジア近隣諸国との対立を超えて」二〇二〇年九月。

羽場久美子（二〇二二）「中国がアメリカを抜いて「経済で世界一」になる前に、日本がとるべき路線—経済はアジア、政治はアメリカ—」講談社現代イスメディア、一月二四日。https://gendai.ismedia.jp/articles/-/91690

羽場久美子（二〇二二）最終講義「米欧中どこが世界をリードするか?:EUのレジリエンスと規範力」一月一四日。

羽場久美子（二〇二一）「コロナ後の国際政治と日本：経済競争から価値の同盟へ」『神奈川大学評論』七月号。

羽場久美子（二〇二〇）『学術の動向』特集1、「アジア近隣諸国との対立を超えて」九月号。

羽場久美子（二〇一九）編著『二一世紀　大転換期の国際社会——いま何が起こっているのか?』法律文化社。

羽場久美子（二〇一七〜一八）編著『アジアの地域統合を考える——戦争をさけるために』、『アジアの地域協力——危機をどう乗り切るか』、『アジアの地域共同——未来のために』明石書店。

羽場久美子（二〇一六）『ヨーロッパの分断と統合—拡大ＥＵのナショナリズムと境界線——包摂か排除か』中央公論新社。

羽場久美子（二〇一四）『拡大ヨーロッパの挑戦』中公新書。

羽場久美子（二〇一四）「パワーシフト——国家不安、領土紛争とゼノフォビア」『学術の動向』一月号。

羽場久美子（二〇一二）『グローバル時代のアジア地域統合』岩波書店、２（中国語翻訳『全球化時代的亜州区域聯合』中央編峰社、二〇一三年）。

松里公孝（二〇二三）『ウクライナ動乱』ちくま新書。

和田春樹（二〇二三）『ウクライナ戦争即時停戦論』平凡社新書。

注

(1) 羽場久美子「中国がアメリカを抜いて「経済で世界一」になる前に日本がとるべき路線」講談社、現代イスメディア／オンライン二〇二三年一月二四日。https://gendai.ismedia.jp/articles/-/91690
(2) https://www.joicfp.or.jp/jpn/2019/08/13/42989/
(3) Thomas Woodrow Wilson（一八五六〜一九二四）。第二八代アメリカ合衆国大統領。
(4) 一九一八年一月八日、アメリカ連邦議会での演説中に発表。Fourteen Points。
(5) Franklin Delano Roosevelt（一八八二〜一九四五）。第三二代アメリカ合衆国大統領。
(6) 一九四一年一月六日、一般教書演説で表明。Four Freedoms。
(7) Harry S. Truman（一八八四〜一九七二）。第三三代アメリカ合衆国大統領。
(8) Joe Biden（一九四二〜）。第四六代アメリカ合衆国大統領。
(9) G7サミットの資料。羽場久美子「コロナ後の国際政治と日本：経済競争から「価値の同盟」へ――新世界秩序の構築化、あるいは新冷戦か？」『神奈川大学評論』二〇二一年七月、九五〜一〇六頁。
(10) 二〇二一年六月一一〜一三日、イギリスのコーンウォールで開催。
(11) ノルドストリームは、バルト海の下をロシアからドイツまで伸びる天然ガス・パイプラインシステム。そのうち、ノルドストリーム2は、ロシアのウスチ・ルーガからルブミンまでの二本をいう。二〇二二年九月二六日、バルト海ボーンホルム島付近でパイプラインの爆破と破損が発見される。当初はロシアが、次にアメリカが、二〇二三年一月にはウクライナがかかわったとワシントン・ポストは訂正し、報じた。
(12) Emmanuel Jean-Michel Frédéric Macron（一九七七〜）。第二五代フランス大統領。
(13) 羽場久美子「「反中国」ムードを強めるフランスが、「アジア太平洋進出」を画策している事情」現代イスメディア、二〇二三年二月二〇日。
(14) バイデン大統領が提唱。二〇二一年一二月九〜一〇日、オンラインで開催。中華人民共和国とロシア連邦は招待されなかった。
(15) 「対強権主義、価値観超え結束　民主主義の影響力に陰り――岐路に立つG7（上）」日本経済新聞、二〇二二年六月三〇日。
(16) 二〇一四年二月、EUとの連合協定への署名をヤヌコヴィッチ大統領（当時）が最終的に拒否した結果、ウクライナで政府側とデモ参加者が衝突。この結果、大統領がロシアに亡命。松里公孝『ウクライナ動乱』ちくま新書、二〇二三年。

（17）酒井啓子「色褪せた規範のゴミを紛争地に捨てるな」『現代思想』二〇二二年五月、栗田伸子「〈資料と解説〉異なる視点――第三世界とウクライナ危機」『世界』二〇二二年五月。
（18）二〇二二年三月、首都キーウ近郊ブチャで、ロシア軍が行ったと見られているウクライナ民間人虐殺。
（19）日本の地政学的位置（西に倒してみると）：三〇〇〇㎞に渡り大陸を封じ込める自然要塞「環日本海逆さ地図」（富山県）に作図。
（20）インド社会科学院、SAARC大学講演の際のインドの教授の言、二〇二三年二月一四日。
（21）二〇一九年九月、ニューヨークで四か国の第一回外相会合が行われた。https://www.nhk.or.jp/kaisetsu-blog/400/454918.html 参照。
（22）キル・ユンヒョン「米国「東アジア版NATO」を加速化――「クアッド・プラス」への圧力、韓国の選択は」ハンギョレ新聞、二〇二〇年九月一〇日。
（23）二〇二二年七月八日、奈良・近鉄大和西大寺駅での選挙応援中に銃撃され死亡した事件。
（24）*100 years of World Wars and Regional Collaboration- How to create New World Order?*, Ed by Kumiko Haba, Alfredo Canavero, Satoshi Mizobata, Springer, 2022.12.
（25）Angus Maddison, *The World Economy, Historical Statistics*, Academic Foundation, 2007, 654p.
（26）Angus Maddison, *ibid.*, 河合正弘作図。
（27）Angus Maddison, *ibid.*
（28）二〇二三年二月一五日、インド・SAARC大学での講演とインド・西アジア地域の学生たちとの討論（インド社会科学院、日本学術会議の学術共同による学術振興会の二国間学術共同。二〇一九〜二〇二三年）。
（29）「中国、「二〇二八年までにアメリカ追い抜き」世界最大の経済大国に＝英シンクタンク」BBC、二〇二〇年一二月二七日。「英シンクタンク「経済ビジネス・リサーチ・センター」（CEBR）は二六日、中国が当初予測よりも五年早い二〇二八年までに、アメリカを抜いて世界最大の経済大国になるとの報告書を発表した。」
（30）世界の名目GDP 国別ランキング・推移（IMF）データ更新日二〇二三年四月一四日。Global Note。https://www.globalnote.jp/post-1409.html
（31）Goldman Sachs, Global Economics Paper The Path to 2075 – Slower Global Growth, But Convergence Remains Intact, 5-6/45p　https://www.goldmansachs.com/intelligence/pages/gs-research/the-path-to-2075-slower-global-growth-but-convergence-remains-intact/report.pdf
（32）Olaf Scholz（一九五八〜）。第九代ドイツ連邦共和国首相。
（33）Antony John Blinken（一九六二〜）。第七一代アメリカ合衆国国務長官。

(34) ＪＥＴＲＯ「習国家主席がマクロン大統領と会談、ハイレベル対話継続など五一項目で協力」二〇二三年四月一一日。ロイター「焦点：ブリンケン氏訪問でわかった米中の深い溝、探り合う本音」二〇二三年六月二〇日 https://jp.reuters.com ? article
(35) ＮＨＫＷＥＢ「中国アメリカ半導体大手の製品調達禁止発表 輸出規制に対抗か」二〇二三年五月二二日。「中国半導体産業の現在地　日本の対中輸出規制が始まった先端半導体製造装置」遠藤誉、二〇二三年七月二五日。
(36) アジアインフラ投資銀行（Asian Infrastructure Investment Bank）。中華人民共和国が二〇一三年に提唱し、二〇一五年に発足。
(37) インド太平洋経済枠組み（Indo-Pacific Economic Framework）。バイデン大統領が二〇二一年東アジアサミットで提案、環太平洋パートナーシップ協定（ＴＰＰ）にかわる経済の枠組み。
(38)『２０３４米中戦争』エリオット・アッカーマン（著）、ジェイムズ・スタヴリディス（著）、熊谷千寿（翻訳）二見書房、二〇二一年。
(39) 安全保障に関する「国家安全保障戦略」「国家防衛戦略」「防衛力整備計画」をさす。
(40)「〝安保三文書〟きょう閣議決定へ「反撃能力」の保有明記」ＮＨＫ、二〇二二年一二月一六日。
(41) スカンジナビア半島北部、ロシア北部コラ半島に住む先住民族。
(42)「トナカイ肉の放射能濃度が急上昇、ノルウェー」AFP/BB News, 2014.10.10.『地域住民と原発事故の長期的影響　福島とチェルノブイリの教訓』ノルウェー放射線防護庁、福島大学・東京工業大学、公益財団法人地球環境戦略研究機関、二〇一六年一月。「スウェーデンにおけるチェルノブイリ事故の影響と放射能汚染対策」『畜産の研究＝Animal-husbandry』ISSN 00093874　佐藤吉宗、養賢堂、六六巻一号、一一七〜一二五頁、二〇一二年一月。
(43)「沖縄に無人ミサイル配備へ：日米２＋２、南西諸島の防衛強化」琉球新報、二〇二二年一月一三日、「盾（専守防衛）から矛（攻撃）へ！「戦闘になれば沖縄が標的に」ミサイル配備に反対うるま市」沖縄タイムズ、二〇二二年一二月二六日。
(44)「日本列島南部、南西諸島と沖縄石垣島に地下司令塔」赤旗日曜版、二〇二三年一月二二日。
(45)「核軍縮ビジョンをまとめながらも、２国間協議では核の抑止力を確認…広島サミットが閉幕」東京新聞二〇二三年五月二一日。「Ｇ７広島サミット、核抑止政策での結束は被爆地の蹂躙だ　ウクライナ侵攻を口実にするな」Asahi Shimbun Globe, 2023.5.18.
(46)「電撃訪問、歓迎と懸念　ゼレンスキー氏に被爆者ら」静岡新聞、二〇二三年五月二一日。
(47) 羽場久美子「Ｇ７広島サミット、新たな平和秩序の構築を」共同通信配信、沖縄タイムズ、山陽新聞他18新聞に掲載。

(48)「アメリカ、ウクライナにクラスター弾供与へ　批判も多く」BBC、二〇二三年七月八日。

(49)"US jets radioactive bullets near Okinawa" CNN 10 February 1997. Retrieved 23 May 2019.「文科省久米島」で住民説明会／鳥島射爆場米軍誤射」『琉球新報』(削除)、「米軍、被ばく恐れ環境調査せず。沖縄・鳥島の劣化ウラン弾誤射、政府の説明と矛盾」『沖縄タイムス』二〇一九年五月八日、https://www.okinawatimes.co.jp/articles/-/417133

(50)「沖縄を平和のハブに！」二〇二二年八月八日、二〇二三年六月二四日、毎年継続中。

(51) 六カ国北東アジア自治体連合：北東アジア六ヵ国の地方政府の草の根交流を先導する地方政府間交流プラットフォームNEAR (The Association of Northeast Asia Regional Governments, www.neargov.org NEAR International Forum 2023-The 14th Subcommittee on Economy and Humanities Exchange, 2023.12.7. 2023NEAR 国際フォーラム——専門家セッション「北東アジアの情勢変化に伴う地方政府間の交流と協力法案」コーディネーター：中鳳吉(シン・ボンギル) 韓国外交協会会長、招聘講演　羽場久美子(世界国際関係学会ＩＳＡアジア太平洋会長)「東アジアを平和と発展のセンターに！地域と市民こそ平和と繁栄の担い手」。

および、第一回東北アジア未来国際フォーラム「東北アジアの未来構築——地政学と国際協力」二〇二三年八月二日　主催：東北アジア共同体文化財団(韓国)、東北アジア未来構想研究所(日本)、基調講演　申鳳吉：韓国外交協会会長「韓中日三国協力メカニズムを活性化しなければならない」。基調講演　羽場久美子：北東アジア未来構想研究所(ＩＮＡＦ)副理事長「日中韓沖縄・済州島、平和と発展の地域協力」自治体と市民こそ平和と安定・発展の担い手と説いた。

2. 米中、米ロ対立における日本の役割と東アジアの共同

鳩山 由紀夫

羽場：鳩山由紀夫先生は、東京大学工学部御卒業、スタンフォード大学院でPhDをとられ、東京工業大学に就職されたあと、自由民主党から政治家として立たれ、民主党が政権をとった時、第九三代内閣総理大臣となられました。沖縄普天間基地移設問題や中国・韓国との協力に尽力され『東アジア共同体構想』を打ち出されました。祖父鳩山一郎氏の家訓でもあったグーテンホーフ＝カレルギー博士の友愛精神をかかげ、現在も積極的に近隣諸国との協同を訴え世界をかけめぐっておられます。

本日は神奈川大学においで下さり、学生の皆さんとも交流して下さり、心より感謝申し上げます。どうぞよろしくお願い申し上げます。

＊＊＊

鳩山：この度は、羽場久美子先生に、神奈川大学にお呼び頂き、皆さんにお話しできることを大変感謝しております。小熊誠学長先生や、斎藤勁副理事長（元民主党内閣官房長官）にもお会いさせて頂き、美味しいお寿司も頂きました。大学でこんなにおいしいお寿司を頂いたのは初めてです。

また、本日はたくさんの学生さんたちが参加して下さり、ありがとうございます。

表　日本の貿易相手国の推移（単位：%）

	米国	中国	大中華圏	ロ
1990年	27.4	3.5	13.7	1.1
2010年	12.7	20.7	31.1	1.6
2021年	14.1	22.9	32.9	1.4

（大中華圏とは、中国、香港、澳門、台湾、シンガポール）

今日は、今話題になっている、「米中・米ロ対立における日本の役割、及び東アジアの共同」というテーマで話をさせて頂きたいと思います。どうぞよろしくお願いいたします。

はじめに——世界における日本の立ち位置と実体経済

まず、世界における日本の立ち位置と実体経済のお話をします。

世界GDPにおける日本のシェアは、この間大きく下がっています。一九九四年に一七・九%だったのが、二〇二一年には五・七%、他方、中国は一九九四年二・〇%だったのが、二〇二一年には、一七・九%です。

国連分担金のシェアは、日本は、二〇〇〇年には二〇・六%だったのが、二〇二一年には八・六%まで下がりました。対する中国は、一九九四年一・〇%だったのが、二〇二一年一二・〇%です。

産業動向について、二〇〇〇年と二〇二〇年比で見ると、日本の落ち込みはさらに大きい。粗鋼生産が、マイナス二一・九%、国内自動車生産がマイナス二〇・四%、一次エネルギー供給がマイナス二一%と、ほぼ二割以上落ちています。

国民生活も周りの国々が急速に成長している中、日本はこの二〇年で下落しています。現金給与総額は、二〇〇〇年で五九三・八万円だったのが、二〇二〇年で五四三・五万円。全世帯消費支出が、二〇〇〇年で一月当たり三一・七万円だったところ、二〇二一年は一月当たり二七・九万円になっております。

日本の貿易相手国のシェアの推移をみると、表のようになっています。アメリカがどんどん落ち込んでゆき、中国、また特に大中華圏の占める割合が急激に伸びていることがわかります。

1．米ロ対立――ロシアのウクライナ侵攻に対する日本の立場

次に、米ロ対立、特にロシアのウクライナ侵攻への日本の立場を見てみたいと思います。

「ロシアによるウクライナ侵攻は許せない」「あらゆる戦争を非難する」というのが、ゼレンスキー大統領の国会での演説(1)でした。

それに対し、日本政府は、欧米からの情報を鵜呑みにし、「ロシアが悪、ウクライナは善」の二項対立を大手メディアを通じ報道しています。戦争のときこそ、歴史の真実を知ることは重要です。

この戦争は、ウクライナを舞台とするロシアvs米国＋NATOの戦いということができます。いわゆる代理戦争です。

戦争が始まる前、ロシアは安全保障の確約に関する協約案の提出を二〇二一年一二月一七日にアメリカに出しました(2)。そこでウクライナのNATO加盟中止と東欧における米軍・NATOの軍事活動の停止を訴えました。しかし米国は協約案をはねつけ交渉しませんでした。その結果、ロシアはウクライナに侵攻したのです。

歴史的経緯として、第二次世界大戦ではナチスの敗北後、欧米諸国はソ連の拡大阻止のために一九四九年、NATOを作りました。対抗してソ連はワルシャワ条約機構を五五年に作りました。六

年もあとのことです。

また、冷戦終焉の時、ドイツ統一の際のゴルバチョフvsベーカー国務長官[3]の会談で、ベーカー氏は、「もし我々がNATOの一部となるドイツに留まるなら、NATO軍は一インチたりとも東方に拡大しない」と約束しました。

にもかかわらず冷戦終結後、ワルシャワ条約機構は解体し、ゴルバチョフはNATOも解体を期待したが解体せずむしろ拡大していったのです。

NATOの東方拡大は続き、二〇〇八年のブカレスト首脳会議でウクライナとグルジアは将来NATOの加盟国となるべきとの文言が出されました。これにロシアは激怒しました。破ったのはいつも西側だったのです。

二〇一五年には、ドイツのメルケル首相[4]らの主導により、ドネツク・ルガンスクの自治を認めるミンスク合意が締結されました。これに対し、二〇一九年に大統領に着いたゼレンスキー大統領は、ミンスク合意が締結されていたにもかかわらず、「ドネツク・ルガンスクの代表はテロリストだから会わない」と発言しミンスク合意を反故にしたのです。

フランスのマクロン大統領は、ミンスク合意が「平和と政治的解決につながる唯一の道」であるとしたが、ゼレンスキーは頑なに拒否して交渉のテーブルにつかなかったのです。

これに対し、ロシアは、ウクライナ東部のロシア系住民の民族自決権に基づき「ドネツク人民共和国」「ルガンスク人民共和国」の独立を承認してミンスク合意を破棄し、集団的自衛権で軍事作戦を発動したのです。

二〇一四年でも、クリミアでは、住民投票が行われた結果、ウクライナから分離独立宣言をしました。これに対し、ウクライナ政府は東部に強圧的差別的な統治を行った結果、ロシア系住民の一部が抵抗運動を起こしたため、内戦が始まったのです。

その結果、二〇一四年以後ウクライナ東部では一万四千人（政府軍四千人超）の死者が出ましたが、その多くは親ロ派の武装勢力とロシア系住民でした。

また内戦の中で、ネオナチ的な武装集団やアゾフ連隊が出現し、ウクライナで国軍とも協力してロシア系住民を虐殺しました。ウクライナ東部のロシア人地域に対するテロは、ロシアにとってナチスに蹂躙された記憶を蘇らせたと言えます。故にロシア政府はこれに強く反発し、軍事侵攻の素地が築かれたのです。

しかし、短期間で軍事制圧できると考えたロシアの思惑に反して、ウクライナの抵抗は激化し強力なものでした。それは米国などからジャベリンなどの武器が大量に供与されていたからです。

その後、ウクライナ戦争の長期化、泥沼化が続きました。米国は長期化することでプーチン政権を倒せる可能性が高まることと、軍産複合体の利益から、戦争の長期化を望んだのです。

日本政府は、ロシアに経済制裁し、プーチンに個人制裁し、完全にウクライナ側、米国側に立った結果、北方領土問題解決の道筋は消えました。ロシア外務省は、「日本との平和条約交渉を継続するつもりはない」と述べて、交渉を中断しました。

ロシアに対する日本の国益は、本来、北方領土問題の解決、平和条約の締結、エネルギーの安定供給であるはずです。戦争は拒否しながら、ウクライナ側（米国側）一方に立つのではなく、早期停戦のためにウクライナの中立化（ＮＡＴＯ加盟せず）、ミンスク合意の再履行（自治権）の方向に協力すべきだと思います。軍事衝突で放射能汚染の脅威にさらされたチェルノブイリなどに鑑み、広島、長崎の被爆および原発事故の経験者として、和平交渉および脱原発を早急に推進すべきであると思います。

2．米中対立と日本の戦略的役割

次に米中対立と日本の役割についてみてみたいと思います。

時代認識として、米中の力の接近を背景に米中対立は長期化してきています。

トランプ政権からバイデン政権に変わっても対中基本方針は引き継がれたままです。対立の根本的な原因は所謂「トゥキディデスの罠」[5]と言われるものです。

米中対立の激化は、東アジアの平和と繁栄を毀損するものであり、傍観はできません。

米中対立の制御へのヒントと日本が果たすべき役割とは何でしょうか。

ここで私は、米バイデン政権へ、三つの注文を出したいと思います。

ひとつは、「民主主義外交の罠」です。

外交には、「米国型民主主義」を含めて特定の価値観を持ち込み過ぎるべきではありません。さもないと、世界に分断が生じるからです。

米国が民主主義、人権など価値観外交を強調すればするほど、米中対立は先鋭化します。ＱＵＡＤやＦＯＩＰ[6]のように価値観を基準にして中国を囲い込もうとすれば、中国は威圧的と受け止めて、屈することなく反発を強めると思われます。

二〇一九年時点で、〈完全な独裁主義国家〉と〈選挙を通じた独裁主義国家〉の合計は九二か国。人口比では五四％を占める。これらの国が中国、ロシアと繋がりを強めれば、結果的に、バイデン政権に困難を与えることになります。

そもそも、価値観の異なる国同士がいかにうまく付き合っていくかを求めるのが外交であって、価値の違いで世界を分断するべきではありません。

二〇二一年の四月一六日の日米首脳共同声明で、日本は初めて台湾に言及しました。しかし「台湾」が文書に現れた事実自体が、北京政府に非生産的なメッセージを送っていることを懸念しています。

次に同盟のジレンマ、と言われる問題を見てみましょう。

バイデン政権は対中戦略で同盟国やパートナー国を動員すると公言していますが、同盟国のジレンマをもっと理解すべきです。同盟国といえども、米国か中国のどちらかを選び、他方を捨てるという選択肢はないはずです。米ソ冷戦の時とは違うはずです。

日本の貿易は、一九八五年の際には、対米は二九・八％にたいし、対ソは一・六％にすぎませんでした。しかし、二〇二〇年には対米は一四・七％に対し、対中は二六・五％と成長し、中国人の訪日人数はアメリカ人の七倍に達しました。コロナ禍の前です。

米中軍事衝突の可能性は、台湾有事を生み出します。ただ、台湾独立のために在日米軍基地が使用されたり、日本が中国と戦ったりすることを好む日本人は少ないはずです。

米中対立の狭間で複雑な利害関係の調整に苦しむ同盟国、ＡＳＥＡＮ、パートナー国の声に耳を傾ける必要があると思います。ＡＳＥＡＮは、どちらかを選ばせるな、と言っているからです。

次に、中国に対する「再関与」政策を見たいと思います。

米国は中国に対して再関与政策を行うべきです。

トランプ政権が歴代の対中関与政策をこっぴどく批判したため、関与を口にすると中国に弱腰と見られがちになってしまいました。しかし、関与政策が完全に失敗したわけではなかったのです。気候変動問題に関する中国の態度の変化がその一つです。まずは温暖化問題やパンデミックなど、協力できる分野で協力を深めることが重要と思われます。

片手で棍棒を握りながら、もう片手で握手を求める、というような状態を生み出すべきではありません。

3. 中国への注文

次に中国への注文を申し上げたいと思います。

米中対立を適切に処理するため中国は大国の責任を果たすべきでしょう。

大国になった中国は、それを恐れる米国の不安とフラストレーションを理解していないといえます。

また、中国が大国になれたのは、米国が第二次世界大戦以降に作り上げた世界システムの恩恵によるところが大きいと思います。　中国が世界貿易機関（WTO）の「特別かつ異なる待遇（S&D）[7]」を自発的に返上することで、世界は中国が「責任ある大国」となる決意を表明したと受け止めるでしょう。

人間性を疑わせるような言葉遣いを行った「戦狼外交[8]」も国際社会で中国のソフトパワーを大きく損ないました。国内で国威を発揚した面と、世界の多くの場所で中国が敵を増やしたことを天秤にかければ、中国はこの間、失ったもののほうがはるかに大きかったといえます。

対外関係で言えば、まず米中協力の道と日本の役割です。

米国と中国は情報通信分野で共存を目指すべきです。

トランプ政権が情報通信分野で中国企業を市場から締め出しましたが、バイデン政権がこの道を進むのは非常に危ういことと思います。習近平政権は「双循環」[9]という経済戦略を打ち出しています。米国がデカップリングをさらに進めれば、中国はハイテク産業の内製化を進めていくでしょう。

これが進むと、情報通信分野で中国製と米国製の技術標準が並び立ち、ブロック化が進み、他の産業分野にも飛び火して我々の住む世界がブロックに分かれて、大きく不安定化することになります。日本や同盟国にとっても大きな被害を被ることでしょう。

重要なことは、ハイテク通信分野の技術標準やサイバーセキュリティに関して統一的な世界基準を作ること、合意した基準が守られているかを監視する国際的な制度を作ること、情報通信分野で相応の技術力と生産力を持つ日韓欧などのミドルパワーには、国際合意の達成に向けて、ともに米中双方の背中を押す必要があると思われます。

米中と日本は東アジアでも、ミサイル軍縮・軍備管理体制を構築すべきでしょう。

ＩＮＦ条約[10]で米ロが中距離核戦力を全廃している間に、中国は同種ミサイルを配備して米国を圧倒しました。米国は二〇一九年にＩＮＦ条約を離脱してから、中国に対抗すべく東アジアに中距離ミサイルを配備しようとしています。しかし、米国が多数配備しようとすれば、当然中国も負けてはいないでしょう。ロシアも加わるかもしれません。東アジアが将来世界の火薬庫になることは絶対に避けなければなりません。

米中ロでINF条約に類するミサイル削減条約が締結されればよいですが、戦略核の分野で米国に圧倒されている中国が、自らの中距離ミサイルを一方的に削減することは、台湾問題が緊迫している中で無理でしょう。

ここに日本の出番があります。米国が地上発射式の中距離ミサイルを開発しても、中国に対抗するために配備するのは第一列島線(11)上でしかありません。米国としては東アジアの他の国は無理として、日本に期待していると思います。ここで日本政府は米軍によるミサイル持ち込みに対して明確な反対の意思表示をし、米国に協議を申し入れれば、米国も無視できません。この立場を利用して、アジア版INF条約を締結するように米中に迫る必要があります。

日本政府は米中や必要に応じてロシアにも働きかけるべきでしょう。また、韓国やASEAN諸国と連携すれば、米中に対するレバレッジは格段に大きくなります。ロシアを考慮に入れれば、欧州のミドルパワーとも連携すべきでしょう。

次に、尖閣諸島問題です。

尖閣での衝突の可能性は高まっています。海警局による尖閣諸島周辺への領海侵犯は減少する気配がありません。一方で、日本では尖閣で建造物を作るべきとの声の高まりがありますが、衝突の原因の除去についても検討すべきでしょう。尖閣諸島について、領土問題が存在することを日本政府が認めて、日中双方が領土問題を再び棚上げしたうえで、両国が尖閣諸島周辺の領海および接続水域に相互に入らないことを取り決めるべきです。

最後に、台湾有事問題です。

「台湾有事─戦争前夜の危機」は、意識的に外側から創作されたものです。

台湾人の八九％は現状維持派、五％が独立派です。

バイデンvs習近平がオンライン会談を行った際、バイデン大統領は、「一つの中国政策を維持する」、「一方的な現状変更をしないことが必要」と言い、習近平主席は、「台湾独立勢力が挑発を重ねて一線を越えれば断固たる措置を取らねばならない」と言ったと。アメリカも中国も、互いに挑発するのでなく、現状維持を心がけねばならないのです。

国交正常化の共同声明（一九七二）では、日本政府は、「中国の『一つの中国政策』の立場を理解し尊重する」と述べました[12]。日本が台湾を支援することは憲法九八条違反になります[13]。

安倍晋三元首相は、「台湾有事は日本有事で日米同盟有事であり、習近平主席は断じて見誤るべきではない」と述べました。それはまさにその通りですが、見誤ってはならないのは習近平主席でなく安倍元首相の方です。

「日本有事」、つまり台湾の独立を日本が支援するということは、宮古島など南西諸島の自衛隊のミサイル基地が中国のミサイルの的となり、日本は大きな被害を蒙りかねない。それを肝に銘じておく必要があります。「日米同盟有事」とは、台湾の独立を米国が支援し、日本が協力する、ということです。想定として、中国のミサイルが嘉手納基地など米軍基地を攻撃、米国以上に日本が被害を蒙るというパターンになります。

「台湾有事」を絶対に招かないことが日本にとって死活的に重要です。そのためには、韓国など周辺諸国や欧州のミドルパワーと協力して米中の対立激化を和らげる必要があります。

日本は「中国の立場を理解・尊重する」という態度を堅持し、台湾との政治的関係を変更する行動をとらないようにする必要があります。

日米は専守防衛的な拒否的抑止に限定すべきです。日本は敵基地攻撃能力の保有はしてはなりません。日本は、歴史問題などの懸案を解決するために努力すべきであり、日中、日韓関係の改善が早急に必要だと思います。

それには「東アジア共同体」構想を前進させることが重要です。あらゆる問題を議論する場の設置が必要なのです。


我々の目標として、「東アジア共同体」の構築の必要性を述べて、まとめとしたいと思います。
1 東アジアを二度と戦争の起こらない不戦共同体にしたい
2 クーデンホーフ・カレルギー[14]の友愛思想に学び、自由と平等の懸け橋としての友愛、汎ヨーロッパ主義、欧州石炭鉄鋼共同体によって、EUは、欧州に不戦共同体を作った。
3 欧州でできて東洋でできないはずはない。「和を以て貴しと為す」を掲げて、「共同の場」を作る。
4 日本、中国、韓国、ASEAN一〇か国を核にすべての国にオープンにすることが重要。
5 経済、財政、金融、貿易、環境、エネルギー、教育、文化、スポーツ、医療、介護、福祉、安全保障などあらゆる分野の議論の場を作る。
6 常設の議会を、できれば沖縄に設置する。
7 将来的にはEU議会、EU委員会並みの議会、委員会を設置する。

最後に、今こそ友愛の社会を創らなければならない、と協調して、終わりにしたいと思います。

いま、民主主義の荒廃がはじまっているといえます。バイデンvsトランプの対立関係が、分断される米国社会を作っています。嘘や隠蔽のまかり通る日本の行政・立法・司法を立て直す必要があります。さらに経済の低迷があります。日本は、一人当たりGDPで韓国に追い越されました。人間の業に影響を受ける地球：人新世を生きることを考えなければなりません。

そのために、友愛の考え方、つまり、相互尊重・相互理解・相互扶助、自立と共生、自己の自由と尊厳の尊重と同時に他者の自由と尊厳の尊重が重要です。

人と人、人権の受容性。部落解放運動、難民問題、非正規雇用、アイヌ、移民など解決しなければならない人権の問題は多いのです。国と国の関係で言えば、EU、東アジア共同体を、人類の運命共同体とし、支え合っていかねばなりません。人と自然、自然との共生、地球環境問題、脱原発などがきわめて受容です。

ボヘミアの貴族であり、母が日本人の青山光子である、欧州建国の父、クーデンホーフ・カレルギー伯は、「すべての偉大な歴史的出来事は、ユートピアとして始まり、現実として終わった」と述べました。 それを東アジア共同体でもぜひ実現したいと思います。皆さんもアジアの友人をひとりでも多く作って下さい。それが平和の基礎となります。

注

（1）二〇二二年三月二三日。https://www3.nhk.or.jp/news/html/20220324/k10013548461000.html
（2）https://www.nikkei.com/article/DGXZQOGR17DWA0X11C21A2000000/ など参照。
（3）James Addison Baker。一九三〇年生まれ。ジョージ・H・W・ブッシュ政権で第六七代アメリカ合衆国国務長官。
（4）Angela Dorothea Merkel。一九五四年生まれ。第八代ドイツ連邦首相。
（5）従来の派遣国家と抬頭する新興国家が、戦争が不可避な状態にまで衝突する現象を指す。
（6）「自由で開かれたインド太平洋（Free and Open Indo-Pacific）」の略。
（7）Special and Differential treatment。ＷＴＯ協定で、途上国やＬＤＣ諸国に対し「特別」または「（先進国とは）異なる」待遇を認めていること。https://www.mofa.go.jp/mofaj/gaiko/wto/yogo.html 参照。
（8）二一世紀以後の中華人民共和国外交官が採用したとされる攻撃的な外交スタイル。中国のアクション映画『戦狼2』よりの造語とされる。
（9）二〇二〇年五月一四日、中国共産党中央政治局常務委員会において初めて提起された。
https://www.rieti.go.jp/users/china-tr/jp/ssqs/201013ssqs.html など参照のこと。
（10）中距離核戦略全廃条約（Intermediate-Range Nuclear Forces Treaty）。一九八七年一二月八日、アメリカ合衆国とソビエト社会主義共和国連邦の間で調印。その後、ソ連からロシア連邦に引き継がれたが、二〇一九年二月一日、アメリカは破棄を通告。その六か月後、失効した。
（11）中国が海洋上に独自に設定した軍事的防衛ライン。
https://www.nikkei.com/article/DGXZQOCB276740X20C22A7000000/ など参照のこと。
（12）「日本国政府と中華人民共和国政府の共同声明」（https://www.mofa.go.jp/mofaj/area/china/nc_seimei.html）参照。
（13）「第98条【最高法規、条約及び国際法規の順守】
第1項 この憲法は、国の最高法規であって、その条規に反する法律、命令、詔勅及び国務に関するその他の行為の全部又は一部は、その効力を有しない。
第2項 日本国が締結した条約及び確立された国際法規は、これを誠実に遵守することを必要とする。」
（14）Richard Nikolaus Eijiro Coudenhove-Kalergi、日本名は青山栄次郎、一八九四～一九七二年。日本生まれのオーストリアの国際的政治活動家。母親は、青山光子（みつ、クーデンホーフ＝カレルギー・光子）。

3. 現代国際関係論――変わらぬロシア、変わるアメリカ、悩める中国

藤崎一郎

羽場：本日は、日米協会の会長でありアメリカの駐米特命全権大使の職に就いておられた藤崎一郎氏に、アメリカを中心とする国際情勢についてお話いただきます。

藤崎氏は、国際情勢について広範に研究をされており、英語能力に非常に長けておられる方であります。ハーバード大学でジョセフ・ナイと共にご講演をお願いしましたが、アメリカ人に対しても笑いを取ることができるほど、素晴らしい英語力を持っておられる方です。

また、藤崎氏は、国際的な地位におられると共に日米の架け橋でもある方です。

さらに藤崎氏は、伊藤博文公の玄孫でいらっしゃり、日本を背負って立ってこられた外交官のご家庭に生まれた方です。

それに、私が尊敬していることとしては、とても温かい心を持っておられることであり、常にどんな方（特に学生）にも寄り添ってくれる方として尊敬しています。藤崎氏は、日本の学生を世界に羽ばたかせるために、大変尽力を尽くしていらっしゃる素晴らしい方です。

本日は、皆さんにとって分かりやすい話や本質的な話についても話して下さいます。したがって、

本日は楽しみに藤崎氏の講義を聞いて頂けたら幸いです。

＊＊＊

藤崎：只今、羽場先生から過分な紹介していただいた藤崎です。私は、羽場先生がハーバード大学におられた時から存じてあげており、その後も羽場先生が青山学院大学にいらっしゃる時にも呼んで頂いて講演等を行わせて頂きました。神奈川大学においても二回目の講演であると思います。

本日は、ロシア・ウクライナの問題、アメリカ・中国の問題などのお話をさせて頂こうと考えています。ただし、本日は一般的な見方でお話をするよりは私なりの見方で講演をさせて頂きたいと思います。皆様方が思っていることとは違っているかもしれません。まずは、資料から始めたいと思っています。

＊

本日の講義では、「変わらぬロシア、変わる米国、悩める中国」というテーマに沿って話をさせて頂きます。まず、国際情勢を話しするときに「深い森のようなものである」という例えをすることがあります。大変見通しが難しいからです。

そこで、学者の方やジャーナリストの方は、これらのテーマについて大変困難であるという話をされます。確かに、難しいテーマということで様々な方の研究対象になりますが、ある意味ではシンプルにも見ることができるのではないかと、実務家としての私は考えます。

この森というものには、たとえば、アメリカという木、サウジアラビアという木、北朝鮮という木などが含まれています。それぞれの国が軍事、金融、エネルギーなどのような様々な枝を持っています。このテーマを細かく情報を見ていけば極めて難しく、訳が分からなくなってしまい兼ねないことがあります。

いま現在で考えると、「マリウポリ」や「アゾフスタリ製鉄所」などのように細かい場所に焦点を当ててしまうとかえって全体の状況が把握しにくくなります。そこで、この「森」をドローンによって上から見るのです。この場合、ドローンは双眼鏡で二つのレンズは歴史と心理です。

まず一つは心理です。指導者の心理や国民の心理がどのように動いているのか、自分自身、たとえばプーチンの立場に立って考える、中国国民の立場に立ったならどのように考えるのかという問いを立ててみます。歴史の観点では、過去三〇年間でどのような経緯があったのかを見ます。大学受験で覚えたメソポタミアや元・宋などの知識は関係なく長くて百年間、短くて三〇年間というようなスパンでその国の過去の経緯を見てみるのです。

1. 変わらぬロシア

その中から、今回、ロシアはどうであるのか見てみましょう。まず、ウクライナでは二〇〇〇年から五年刻みで異なる大統領になっており、現在の大統領はゼレンスキー大統領です。そこでは、過去にユシチェンコ→ヤヌコーヴィチ→ポロシェンコ→ゼレンスキーときています。

次に、ロシアでは、若きプーチンから老いたプーチンに至るまで二〇年間ずっと変わらず同じ大統領で国を統治してきました。

約二〇年の間では、プーチンが首相になり大統領に代わってメドベージェフ大統領がロシアの政権を取って代わったことが数年間ありました。しかし、プーチンが首相となり大統領の後ろ盾としてロシアの政治を操っていました。

そして、ベラルーシに関しては全く変わることはなく、ルカシェンコ大統領という人物が国の政治を操ってきました。

一方でこの間、日本ではどうであったのか。日本では、森→小泉→安倍→福田→麻生→鳩山→菅(かん)→野田→安倍→菅(すが)→岸田などというように国民が今、言うことのできないほど頻繁に変化してきました。日本のように変わり過ぎる国は、国民に対して良くないことであるかもしれないが、一方、変わり続けないことによる影響はどういうものかと考えると、結論としては「独裁者」になってしまう傾向があります。ここから読み取れることとして、ロシア・ベラルーシとウクライナの二か国間では対照的な図式であり、上段がゼレンスキー大統領です。これは、宣伝もあるかもしれないが、彼は自国の兵士と共にご飯を食べるなど距離の近さを示しています。

他方で、プーチンは、各閣僚とさえも距離を置いています。一時的には閣僚と近くになることもあったが、コロナウイルスによる影響なのか、テロに対する恐怖があるのか、大統領と閣僚との距離を置いています。リーダーが変わらないと、その人たち自身が行う政策自体も変わりません。プーチンのような方が長期間政権を掌握してしまうと、同じような行為を繰り返し兼ねません。結論として「力で君臨する」ということになります。

また、ソ連から続く心理は、「力」の信奉です。力＝手段は自分以外の他者に使うものであり、しらく経つと既成事実化するという読みです。

歴史を見てみましょう。力＝手段を使用し、ロシアは一九四五年に北方領土を占拠し返還しません。その後七九年には、アフガン紛争が起こり、力を使った争いに負けてしまうとその土地から撤退しました。そして八三年には、大韓航空撃墜事件が起きました。これは、約二六二名搭乗していたと民間航空機をソ連軍が撃墜した案件です。この時、大韓航空撃墜事件に対して当時ソ連のグロムイコ外相は、「世界は、いずれこの事件を忘れるだろう」と言いました。この発言の過程には、「結局非難したところで時が経過すれば忘れてしまう」というメッセージ性が含まれていると考えられる。制裁という行為は、どうせ「なし崩し」になると考えています。

たとえば中国では、一九八九年には天安門事件が起きました。この事件では、大砲や戦車を自国民に向けたことにより、先進国は中国に対して制裁を行いましたが、その一二年後にはＷＴＯ（World Trade Organization：世界貿易機関）に加入を認めました。印パ両国が一九九八年に核実験を行い、国際社会の制裁を受けました。

九年後には米印間で原子力協定が結ばれました。アメリカが率先してインド・パキスタンに対して制裁を与えることを主張した。ところが、その時アメリカにおいて、二国間援助と経済協力についてインド・パキスタンに対しては一切行っていませんでした。しかし、インドが受けていた二国間の経済援助の六九％が日本からであり、パキスタンに至っては、約八五％が日本からでした。したがって、これらの援助を受けないので、インド・パキスタンは大打撃を受けました。

ヨーロッパやアメリカは、強いことを言っても実際はどうかなと常に注意を払いつつ見ておかなければなりません。もう一つは、歴史を見ることで、五六年にハンガリー動乱、六八年にチェコの「プラハの春」の押しつぶし、そして、チェチェン、ジョージア、クリミアなどずっと力で押しつぶすことがわかります。

ロシアはソ連時代から同じようなことを行っているということです。実は、中国も同様です。中国も力は使い、既成事実化していく。前述の天安門事件も当てはまる。また、南シナ海の三つの人工島を作った際も世界中が非難しましたが、中国は、「どうせ時の経過と共に忘れるだろう」という感覚で何も対応を変えませんでした。

たしかに、現在世界はウクライナのことばかり心配し、南シナ海の人工島の話などはほとんどしていません。これは、既成事実化に関しては、中国も同様です。一九七九年にベトナムに戦争を仕掛けましたが、負けて撤退しました。そして、五〇年、五八年、六〇年、九五年と台湾海峡危機、国内問題とはいえ、チベットの締め付け、香港・ウイグルなど、力を使っていうことをきかせてきています。ソ連、ロシア、中国全てにおいて同じことです。

東西冷戦が四五年間行われたことはご存じでしょうか。その際、ソ連と七か国がワルシャワ条約機構を結び、また、アフリカなどソ連側についた国々が東側となりました。西側は、NATO（North Atlantic Treaty Organization：北大西洋条約機構、以下NATOで表す）の一六か国で、EUでは一二か国でした。NATOとEUはかなり重複しています。現在、冷戦終結三〇年が経過し、結果を見ると、西側が圧勝し、ソ連は崩壊して一五か国に分裂してしまった。そのうち、一番大きい国がロシアで、ウクライナもその時独立しました。そして、東側の国はこぞってEUやNATOに行った。その結果、NAT

Oでは一六か国であったものが現在では三〇か国まで成長し、EUでは一二か国であったものが二七か国まで成長した。

つまり、東側国がほとんど西側に移行してしまい、ロシアは「孤立化の一途」を辿ります。これに対して、アメリカの封じ込め政策の立案者であったジョージ・ケナン氏[1]は、「東方拡大は危険である」と言いました。

駐ロシアのアメリカ大使で現在のCIA長官であるウィリアム・バーンズ氏[2]は、二年前に出版した『バックチャンネル』[3]という本において、二〇〇八年にプーチン大統領がバーンズ氏に対して「ロシアの指導者は、誰もNATO加盟に対して傍観することはない。ロシアに対する敵対行為であり、我々はあらゆる手段を使って阻止する」と言い放ちました。

この発言には、ウクライナのNATO加盟は、ロシアははじめから止めて下さいというメッセージ性を含ませていた訳です。もともとのNATOがあり、その後に加入した国が、ポーランド、チェコ、ハンガリーであり、さらに後となって旧ソ連であったエストニア、ラトビア、リトアニアが加入し、そこに続けてルーマニアやブルガリア、モンテネグロまでも加入するなど格段と勢力を増加させていく。ソ連の立場に立って心理を考えてみると、NATOというアメリカ側の安全保障機構が押し寄せてくる形になっている。NATO加盟国を攻撃すると他の同盟国から攻撃されてしまいます。残っていたのがベラルーシとウクライナです。

また、オーストリア、スイス、フィンランドやスウェーデンが残されています。そこで、国連憲章第二条では、「全ての国際紛争は、平和的に解決しなければいけない。武力による威嚇や武力の行使はしてはいけない」ということが書かれています。ウクライナ侵攻は行ってはいけない行為です。それでは、なぜ禁止行為を行ってしまったのでしょうか。一つには、ウクライナがＮＡＴＯに一旦加入してしまうとウクライナに対して手を出せなくなってしまうからです。この同盟では、一国が攻撃されると、アメリカ、ドイツ、さらには全ての国に参戦義務があるため、ウクライナがＮＡＴＯに加入していない間を狙ったのでしょう。

二〇〇八年、ブッシュ大統領は、ＮＡＴＯに加入させようとしたが、フランスやドイツは、それがロシアを刺激し過ぎてしまうと危惧しました。そこでＮＡＴＯはウクライナの加入を歓迎すると言っただけであって、実際のところ、加入に関する手続きなどは一切取りませんでした。そのため、約一四年間もの間宙に浮いたままの状態になっていた国がウクライナなのです。

二つ目としては、ゼレンスキー大統領が反ロシアであり、支持率が約四〇％で低かったことを挙げることが出来ます。たとえば、ウクライナは「ミンスク合意」という停戦合意を遵守しない姿勢を採ってきました。米欧はロシアと軍事的に争う気はなく、支援で対応しており、実際のところ一番直近のところである四月一四日から二八日のワシントンポストやＡＢＣテレビにおける世論調査においても、アメリカ国民は「支援」という行為に対して約七三％が賛成という立場です。

他方で、約七二％が軍事介入に対して反対でした。過去における経験から戦争を起こしたくないという多数の国民がいるのが現実です。しかしながら、ウクライナを見放すことはできない。そこで、アメリカは「支援」という姿勢を採っているわけです。バイデン大統領は、ウクライナにアメリア軍を派兵しないと二〇二一年一二月九日にも発言しており、二〇二二年二月二四日・ロシアがウクライナに攻撃を開始した日においても発言しています。したがって、プーチン大統領の視点から見ると、ロシアが手を出したとしても結局アメリカは、ロシアに対して何も手を出さないことをあらかじめ承知していたわけです。ヨーロッパは、アメリカ以上に後ろ向きでロシアを刺激しないようにという姿勢を採ってきました。

三月四日と五月二日の図で比較すると驚くほど進捗状況は小さいことが見て取れます。二か月経っても、北の地域においてはほとんど取られていない。一方で、南の地域に集中しているにも関わらず南も取ることまでは至っていません。

そして、南に位置しているルハンスクとドネツクという州は、二つの州を合わせてドンバス地方と呼ばれていますが、地域の大きさとしては日本の四国ほどです。四国と同様の大きさの州を二か月経過してもロシアは取れなかったということに世界的に驚きました。ウクライナの奮闘でロシアは予想外にも苦戦を強いられることになりました。そして、キーウにおいて撤退を余儀なくされたのです。そして先ほど提示した四国ほどの大きさである東部二州に対して時間を使ってしまい、ロシア軍人の死亡は、イギリス政府の推計では一万五千人で、ロシア側の戦車装甲車の損害は、五百四十台や千六百台という見方もあるが、実際のところは五百台から千台であるとも言われています。

それと同時に、アメリカの軍備供与が大きく、「スティンガー」と呼ばれる対空ミサイルは飛行機などを追尾することができるので、たとえ航路を変えたとしても追いかけられてしまうという特徴を持っている。あるいはジャベリン対戦車砲という武器を与え、それを相手国に飛ばし、戦車などを追尾することが可能となった。このようなものを五千五百も供与しており、その他にも銃などを供与しています。

長期的に見ると、ロシアは孤立化し歴史の汚点になってしまうと考えられています。また、スウェーデンやフィンランドにおいてもNATOに加盟するということを明言しています。仮にNATO加盟国に入ると自国が攻撃を受けた場合、他国が一緒に守ってくれるということが約束されています。スウェーデンやフィンランドがNATOなどのような組織に加盟を希望しているということは、自国が危険であるということを危惧しているのではないかと考えられる。

＊

現在の状況は、「プーチンの火遊び」と例えられており、ウクライナという風船にタバコの火を押し付けていると見られています。そして、先ほどの短期戦においては意外に弱いことを露呈し、長期的にもマイナスの影響が大きいと思われます。しかし、実際のところウクライナよりロシアの軍事力の方が圧倒的に強く、軍事力で考えると四・五倍であり、運用の車両は五倍程度と圧倒的な格差が両国間で現れている。そして、軍用機に関しては一〇倍であることから、実際にはウクライナは大変な状況に陥っているということが分かるでしょう。今後、中期一〜二か月をしのぐことができるのかどうかである。

ウクライナ軍の戦死者は不明なことが多く、ウクライナ政府は四月時点で三千人、ロシア政府は一万四千人であったと言っている。

現在の三千という数字は少ないように見えます。ウクライナを敵にしないように各国は推計を出さないのですが、総合的に考えると約一万人はいると考えられます。また、ロシア人が一万五千人程度死者を出しているのであれば、民間人も多数殺されたと言えるでしょう。約一万人〜二万五千人と捉えられています。東京大空襲の際は一晩で約一〇万人もの人々が殺されたことと比較すると、だいぶ遅い進行であると思われます。

*

ウクライナにとっての選択肢は、降伏するか徹底抗戦するかのどちらかしかない。現在ウクライナは徹底抗戦しているが、もし仮にこれが続かなかった時、どうなるのか。

現時点ですでに約五百万人がポーランドに移り住んでいます。移住した人々は祖国に早く帰りたいという想いを持って生活をその土地で余儀なくされています。このまま外国に滞在しても子供の教育はできず、仕事もできないで暮らすことはできないということになり、だんだん徹底抗戦に対する圧力が変わってくるだろうと考えられます。もしウクライナが抗戦を止めると言ったら、降伏を受け入れられるのか。これは、ウクライナ側ではなくロシア側が決定することです。現在のゼレンスキー大統領の支持率は、四割だったのが九割まで上昇してきていることから相当支持は固いものと考えることができるでしょう。

ウクライナ政府にとって非常に苦しい状況です。それに対してロシアはいつでも攻撃を止めることができる。その理由として、自国からの先制攻撃であることが挙げられる。これは、ロシアにとっては簡単にやめられる。プーチン大統領に関しても、他国は支持率が低下していると言うが、これは、マスコミ側が西側の国民が聞きたいことを言う傾向にあることを念頭におくべきです。プーチン大統領の支持率は約八割あり、この数字が少しインフレであるという人もいるが、高いことは間違いないでしょう。

現在の状態ではロシアがガブリよりしており、ウクライナに関しては剣が峰に詰まって押されて、寄り切られてしまう可能性がある。だからといって、ロシアとウクライナの交渉に任せるのではなく、製鉄所からの人道的退避だけを要求しているのではなく今こそ国連の出番でしょう。

私がよく存じあげているグテーレス事務総長は、ジュネーブで一緒でした。彼らには、停戦交渉への本格的な会議をしてもらわなければならない時期である。これが、なぜできないのかというと、ロシアが反対しているからです。もう一つには「制裁」は、長い目では効くが、我慢比べです。ロシアは早く外貨を得たいと考えています。他方、欧米諸国では、早く石油／ガスエネルギーを得たいと思っています。ドイツを含めたＥＵが石油の輸入禁止に踏み切ることを五月八日のＧ７共同声明で言っている。これは、どこまでできるのでしょうか。

また、ハンガリー・チェコが抜け穴にならないかどうかの懸念材料になっています。ハンガリー・チェコは、猶予期間をもらって従うという格好になるが、実際のところこれはそう簡単なことではない。それは、ＥＵは輸入の中の対ロシア依存度は石油が二六・九％、天然ガスが四一・一％、石炭は四六・七％です。これだけロシアに依存しています。それで、一番依存度が少ない石油をカットすることにしたのです。

一方で、アメリカはだいぶ前に天然ガスを全部ゼロにすると言いました。しかし、見て下さい。そもそも天然ガスを輸入していません。これを止めるということはなかなか上手な外交のやり方でしょう。

日本はヨーロッパに比べてぐっと依存率は低くなっている。各国は、これらを上昇させないように注意するべきです。今のウクライナを日本の歴史に例えると、大坂冬の陣・夏の陣である。

これは、一六一四年、一六一五年に起きた。秀頼やそのお母さんである淀君や彼らの家臣が大阪城に立て籠もる争乱です。これらの人を助ける者は全国の浪人約十万人です。そして、徳川家康がこの周りを囲む。これが約二〇万人いて、大砲を打ち込む。淀君と秀頼が降参します。その結果、和議という停戦交渉が行われました。

交渉により、内堀のみ残してはいいものの、その他の堀は全部埋め立てさせられた。今まではその堀のおかげで攻めあぐねていたことからそれを埋めさせて、さらに二の丸・三の丸という城においても壊され、その結果、本丸のみにされてしまい、大阪城は内堀のみで囲んでいる状態にされてしまう。そしてそれから三か月後に浪人が京の街や大阪の街で悪さをしていると言って、大阪城に攻撃を再度行います。そして、五月には大坂夏の陣で敗れてしまい、秀頼と淀君は自殺へと追い込まれてしまう。

つまり、今回一回和議をしても、国連やアメリカが仲介に入っても、その条件はかなり厳しいもので、「NATOには入るな」と約束をさせられてしまう。数か月後には再び攻められてしまう可能性が出てきてしまう。結果、ウクライナは中々楽観視できない状態が続いています。これは、一般の見方とは相当異なっています。一般の見方は、「ウクライナは頑張っている。ロシアを追い込められている」という見方であるが、私にとってこれは単純すぎないかと疑問に思っています。なぜかというと、西側は先ほども言ったように、この争乱に関わりたくない。そして、自国の兵隊を出さずに援助のみで済ませようとしているからです。

アメリカ、フランスやドイツなども同じように全ての国がその関係性には関わりたくないと考えている。それに対しロシアはこのあたりをよくわかっているため、この線から西側諸国が出てくることにはならないと理解している。これが怖い状況であると思って見ています。

2. 変わるアメリカ

次に、アメリカです。後に紹介しますが、私は本を書いて三か月前に出しています(4)。これを見て頂きたいのですが、そこに「パワーポイントの極意」が書いてあると思う(5)。パワーポイントを作る／使う秘訣は、一見すると見やすく、分かりにくく作れと書いています。例えば、この数字を見ると、何のことか分からないと思います。そうするとみんなが聞かなければいけないと思い、聞いて頂くのです。この全部の説明がついてしまうと写真を撮ってお終いになってしまうことでしょう。

一九五〇年の九〇という数字はアメリカにおける白人人口です。二〇二〇年の六九、これはアメリカにおける白人人口が六〇％になってしまうことを表現している。このように有色人種が増えています。次に、一九六五年の九、二〇一五年の四五の単位は百万人です。一九六五年には、外国生まれ人口がアメリカ全体で約九百万人でした。二〇一五年には四千五百万になり、これは日本に例えれば、現在日本の外国生まれ人口が三百万、それが、五〇年後には五倍の千五百万人になるということを意味します。一二〇〇万人が入ってくるというのは、東京都と同じ数の人が外国から入ってくることを意味していることになります。アメリカは壮大な実験の途中で、今まで歴史上で行っていないことを初めて行っているわけです。この結果は、アメリカがあと二〇年ほどで白人が少数派になると言われています。

最後の数字は、製造業人口です。一九九八年、アメリカで製造業に従事した人が千八百万人であった。二〇一一年までに、製造業人口は全体で千百万人まで減少しました。たった一三年間で三分の一も減ってしまった。なぜこのようなことが起きたのか。一つにはもちろん、製造業からサービス産業に行った人もいます。しかし、それだけではない。二〇〇一年に中国がＷＴＯ（世界貿易機関）に加入した。中国も他国と区別なく輸出や輸入の扱いを受けることができるようになりました。そこで、中国がアメリカの様々な部品、例えば鉄鋼や自動車に限定的ではなく、むしろ軽工業、鉛筆や消しゴムなどを始めとして細かいものを取り扱うようになり、さらには洋服までも作るようになった。ここから、中国は大生産工場へと発展を遂げていく。これが影響していると考えます。

そしてこれらを上手にアピールした人物がトランプ前大統領でした。国民の立場で考えてみると、これは、「蜘蛛の糸」に登場するカンダタの心境になるでしょう。これは、どのような心理かというと。カンダタという罪人が、地獄で苦しんでいるとお釈迦様が天国から糸を垂らし、その糸をカンダタが登ってきて気が付くと、ゾロゾロと血の池にいた他の罪人がたくさんついてきている。そこで、「みんな降りろ」とカンダタが言った瞬間にカンダタの上で糸が切れ、全員池に落ちてしまい、また血の池で鬼にいたぶられながら暮らすという芥川龍之介の小説です。

これはどのような意味を含んでいるのか。これは、全員が移民の国ですが、自分が入る時は良いが、後からどんどん外国から流入ししてくることに嫌悪感を抱いてしまうことに繋がってしまう。これが実際、アメリカの三〇年間で起きた大きな変化であると言えます。

ここ地図があります。左側には、一九九六年における大統領選挙地図を示しており、右側には、二〇二〇年の大統領選挙の地図を示している。アメリカは五十州あり、それぞれの州において選挙人がいるが、ここでは、五〇州ではなく三千の郡に分けてみます。民主党が取ったところを青、共和党が取ったところを赤として見ると、一九九六年今から二五年前においてはほぼ同数であり、クリントン氏が千五百の郡を取りました。ところが、バイデン大統領は三千のうちおよそ五百しか取れなかった。しかし、そこには大人口が暮らしている。したがって、票数の面では勝てていた。しかし、面積の面ではアメリカの中部から南部と大半を共和党とるようになっていっていた。これは、既得権益を守ってほしいという気持ちがあったのではないかと考えられます。

さて、二〇二〇年の大統領選挙を見ると、バイデン氏が八千万票であることに対し、トランプ氏が七千四百万票でした。過去のアメリカにおける大統領選挙においても七千万票を取った人物はこの二人が初めてであり、一番人気のあったオバマ大統領でさえ六千八百万票。つまり、今回が過去最大級で大変な選挙でした。また、この二人の票差は七百六万票であった。我々から見ると、トランプ大統領が後から選挙で邪魔されたと言っています。こんな大差があったのにおかしいのではないかという気がするが、実際のところ、アメリカの大統領選挙において得票数は関係なく、何人選挙人を取ったのかが大事な要素で、選挙では五百三十八のうち二百七十人を取った方が勝ちです。

＊

そのように考えると、接戦であった州は四州でした。それは、ジョージア州、アリゾナ州、ウィスコンシン州とネバダ州。ジョージア州では一六人の選挙人がいました。ここでの両者の得票は二四七万対二四六万で、アリゾナは一六七対一六六、ウィスコンシンでは一六三万対一六一万、ネバダでは七〇万対六七万と、僅差でした。この四州において、逆に動いてしまうと、トランプ氏の勝利になってしまう。この四州での二人の得票数の差の合計は八万人ですが、このうち半分の四万人が逆に投票していたのであれば、トランプはこの四三人の選挙人を獲得し、同氏の勝利に繋がったのです。この四万人は全投票者の〇・〇二%にしかなりません。票を読むことはほとんど困難です。これらの事実を念頭に置いて考えていただきたい。また、アメリカの政治を見る方が、これらの選挙について「トランプ旋風が吹いている」とか「ラストベルトがどうである」などと言うが、詳細なことまでは分からないはずです。

ここで、一億四千万人、一億五万五千万人が投票をすることにより、そのうちの四万人がどちらの党へ投票に行くのかなど分かるはずがない。しかも、全体の合計が〇・〇二%であることからもそのように言えるでしょう。現在、バイデン大統領の好感度が四三・六であり、不満度が五二・一である。これらの数字は、ウクライナとの争いが始まってからバイデン大統領の人気が出てきたと言えるでしょう。一方で、ハリス氏はあまり人気が上がっていない。バイデン氏の人気よりも低い結果である。トランプ氏はどうであるのか、これを見てください。ほとんどバイデン氏と同様であることが分かるでしょう。好感度も不満も二つ申し上げるが、この世論調査を見る際に一つ一つの世論調査はバイアスがかかり過ぎている状態にあることからあまり信用できない仕組みになっている。

そこで、ここには「リアルクリアポリティクス」と書いてあるサイトがある。このサイトを開けてみてください。これだけ見てみると、ここには、11世論調査や7世論調査の平均値が書いてある。そして、最近までの世論調査の平均値を出しているが、この値が一番よく分かりやすいものとなっている。もう一つ言いたいことは、バイデン氏とトランプ氏は、実際のところこれだけ拮抗しているという結果がついている。現在、バイデン氏は五〇区もの選挙区を持っている。一つはアフガン戦争の撤退です。そして、インフレ、民主党内における内輪もめ、さらにはエイジングがある。そして、今日までで一番年配であった大統領は七七歳でその座を退いたレーガンだけであった。そして、バイデン氏は七八歳で大統領になった。彼は、今年〔二〇二一年〕一一月をもって八〇歳になる。そこから、周囲の人々が真綿にくるむように、あまりバイデン氏に無理をさせないようにしているのではないかと考えられている。今回提示したバイデン氏の五重苦という言葉は、私が分かりやすく考えた言葉のため、みなさんが覚えて頂く必要はありません。しかしながら、アフガン紛争、インフレ、内輪もめ、エイジング、そしてオミクロンを頭文字であいうえおと覚えて頂きたいです。

3．悩める中国

最後に、「悩める中国」です。一九九〇年におけるGDPを1Aとすると、二〇年後に当たる二〇二〇年には一円から三〇年後には1・6AというGDPに上昇していることになる。また、防衛費は1Bから1・16Bとなっている。このように考えると、ほとんど変化が見られないことが分かると思う。一方で、アメリカにおける三〇年間のGDPは、日本を1AとするとGDPは1・8A程度であった。また、防衛費は日本を1Bとすると米国では15・4B程度であった。これが二〇二〇年、米国においておよそ三倍／四倍以上になっていると言えるでしょう。そして、防衛費に関しては若干増えています。一方で、一番多く増加傾向を示していた国が中国です。

そこで、日本のGDPの一五％しかなかったGDPが、二〇二〇年には日本の三〜四倍に膨れ上がっている。そして、防衛費に関しては日本の半分であったものが、事実上日本の四倍にまで増加している。これを一言で表現すると、「失われた三〇年」と世間的にはよく呼ばれている。そして、アメリカも成長し、中国も大きく成長し、日本はほとんど変わっていない現状があるということが分かる。この事実を頭に入れていただくと、みなさんが中国に対して心配している理由が浮かび上がってくると思います。

しかし、実際には中国にも問題があります。その一つの要素が「格差社会」です。中国では、不満が鬱積しているだろうと考えられる。皆さん、中国を見ている学者の方は、人の心理を見て、「中国は去年より六％も成長を遂げている」と言い、また、「去年より良いものを食べて、欲しいものを着ていることから、中国人はあまり不満を講じないのではないか」とも言っているが、人の心理は垂直的ではなく水平的なものだと考えるべきではないでしょうか。中国では、同じような格好をしていた貧しかった同志が急に金持ちになり、妻が香港において宝石商売し、息子はハーバードに行くと言うような人が出てきてしまった。そこで、一人当たりGDPを比較してみると上海では一五万元となっている。これは、約三百万円です。また、ミャンマーに近く一番南の方角に位置している貴州ではどのようになっているのか。たとえば、貴州では四万元になり、貴州の農村部では一万元になってしまう。これは上海の一五分の一です。

*

二番目の問題として挙げられることは「高齢社会」です。全人口の七%から一四%を高齢化社会と呼びます。一四%から二一%が高齢社会となっており、二一%以上が超高齢社会と言われます。そこで、日本の場合、二六%以上を占めていることから超高齢社会です。ところが、中国においても同様のことが生じつつあります。中国では、二〇一六年までの一人っ子政策の影響により出生率が一・三と日本よりも低い値である。この数値が二〇二一年より一四%超えに入ってきたことで高齢社会に入ってしまいました。この数値は徐々に上がってきています。現在では、三人子奨励政策が行われているが、この政策では解決するために多くの時間を擁してしまう。つまり、この人口一四億人の高齢社会をどのように支えていけるのかという問題がこれからにおける大きな不安になってきています。

最後に、中国は二〇〇一年にＷＴＯに加入してから徐々に世界中の国へ輸出をし、その結果金持ちになってきている。そして、そのお金で「軍拡」を行っている。その軍拡と経済により国自体が強くなってきている。以前は、鄧小平の時代において「韜光養晦」と言い、可能な限り大きく宣伝をすることはせずに、自分の姿を小さく丸め、大した出来事ではないことを見せようとしてきました。しかしながら、習近平氏は、「中国が強い」ということを言い始めてしまいました。これは、国内における不満を抑えるため愛国心をあおるのが有効なので、中国は強いということを国内に向けて発信することが必要だったからでしょう。ここから、米欧が後悔を始めているということである。

そしてまず、私は、中国の姿をイメージする時に、「象の体にキリンの足」と例えている。四本の細い脚があることを表現している。前述したように、大きな体というわりには、格差問題、表現の自由、高齢化、欧米との対立という四つです。

ここから中国は、一本調子に強大化するのかと私は疑問に思っています。また、「中華民族の再興二〇四九」など様々な表現をするが、これは国内向けに発せられている言葉であると考えている。つまり、中国には本当に弱い部分がかなりの数が存在しています。このようなことは指導者はよく理解しており何とか国にほころびが出ないように一生懸命なのでしょう。同じ国の中において格差がある、表現の自由が一切認められていない、選挙も何もない、高齢化が進むことや欧米との対立が進むという状況が国内に生じていることはかなり難しい現実であると考えられる。中国は、本当に争いをする力はないと思います。米国は中国への対抗を利用して自らのインフラを整える必要性を強調しております。

私が「三大奇書」と言っている、エズラ・ヴォーゲル氏は、羽場先生もよくご存知の通りハーバード大学の教師をしていた方ですが、『Japan as No.1』、フランシス・フクヤマ氏の『歴史の終わり』、政治学者グレアム・アリソン氏の『トゥキュディデスの罠』などは目立つ書名をつけて物事を割り切りすぎます。『Japan as No.1』は、約五十年前に出された本であるが、ここには、「これからは日本の時代であり、アメリカではない。日本が世界第一の国になる。」と書かれている。

しかし考えてみてください。アメリカほど資源が豊富で土地も広く農業もあり、石油も石炭も多数保有しているような国に勝ち目などあるはずがない。しかし、このようなことを当時の日本に言って日本人は元気づけられ信じていた。また、『歴史の終わり』では、フランシス・フクヤマ氏が、ソ連が潰れたタイミングにおいて世界は自由民主主義になり、その結果、戦争も終わり、ある意味で退屈な時代が到来すると言われていた。しかし、実際にはフクヤマ氏が言っていたことはまったく逆でした。今日までに戦争はあるゆる場所で多数生じてしまっている。むしろ重しが取れてしまっている。そして各国は、順番に民族主義を主張し始めてきた。そしてトゥキュディデスの罠は、ハーバード大学の教授であるグレアム・アリソン氏が、スパルタとアテネのうちスパルタの覇権に対してアテネが挑戦した時から十八回覇権国と挑戦国との争いが生じ、そのうち十五回が戦争になっていると言う。つまり、米中間においても戦争になる可能性があると書きます。これは、核の同盟など捨象した割り切った議論です。このような本を書くと分かりやすく、国民が興味・関心を次々と示す。

イアン・ブレマー氏(6)が言っていることなどにすぐに影響されるのではなく、皆さんにとって大事なことは、誰かが言っていることや書いていることを鵜呑みにせず、自分の頭で考えていくことが大事です。

また、日本の外交は、イラン、ミャンマー、キューバやアメリカと比較しても全く異なる外交を行ってきている。アメリカはかねてより制裁を行ってきたが、日本は長らく外交関係をイラン、ミャンマーやキューバと続けてきています。日本は人権などの考えについてはアメリカと同じであり、民主主義においても同様です。しかし、制裁を下すことについてはもう少し丁寧に進めています。あまりアメリカのお先棒を担がないということで良いと考えています。

ただし、企業については要注意です。ここでは、「前門の虎」「後門の狼」と考えます。たとえば、片やアメリカの国防授権法、香港人権民主主義法があり、他方には中国の反外国制裁法が挙げられる。したがって、中国は、アメリカの言うことを聞く国は中国が制裁を加えるという体制を取っています。

ここで重要なことは、米中貿易も実際には増加傾向にあり、また、「赤信号みんなで渡れば怖くない」という部分もあるが、中国の法律の解釈やアメリカの法律の解釈などよく業界団体について日本政府やJETROが企業の相談相手になっていく必要があるだろうと考えている。

＊

「台湾有事」という話をします。時間はどちらの側に付いているのかというのが大事です。中国であるのかそれとも台湾であるのか。このままで行くと台湾の方が有利になるのかそれとも中国の方が有利になるのかということです。外交関係では、毎年一、二の国が中国の圧力もしくは餌食となり、台湾と断交してきました。現在、台湾が国交を持っている国は世界中で一四の国しかない（二〇二四年一月一五日現在は一二か国となっている）。台湾が持っている国は、ほとんど聞いたことのないような小さい国ばかりです。その中で有名な国としては、パラグアイとバチカン市国くらいである。

したがって、台湾は現在外交的にかなり追い込まれており、かつ孤立している状態にいます。もう一つは、近代的戦闘機の数です。この青いバーが、中国の戦闘機であり、赤いバーが台湾となっている。赤いバーはほとんど一定の状態で変化は見られないが、中国の戦闘機は格段と増加傾向にある。このように見ると、中国はどんどん軍事的に強くなっており、外交的にも強くなっています。このように考えると、今中国が手を出す必要があるのだろうか。

もし現在の状況で台湾が「独立する」と言ったのなら中国側も見逃すことはできないでしょう。しかし、アメリカもこれは認めないと考えていることからあまり可能性がない。そして中国としては、熟柿を待つようにゆっくりとことを運んだ方が得なのではないかと考えられます。現在、習近平氏は、いわゆる「戦狼外交」を行い、世界の多くの国から距離感を持たれている。そこで中国は、敬され愛される国を目指そうと始めました。

そこで、私は、頭の体操と用意は必要であるが、日中関係を考慮して冷静に考えていく必要があると考えています。これが、中国の視点によって中国を下にして上に太平洋があると考えると、中国は上に行こうとする。すると日本列島によって阻まれる。そして、日本列島の中において、左側が沖縄本島であり、右側が尖閣諸島です。尖閣諸島に際して台湾はもちろん、尖閣諸島の右に位置しているため重要ではあるが、尖閣諸島や沖縄周辺を中国が押さえると太平洋に出やすくなる。そして、現在日本が押さえている状態であるため、中国はこの周辺を取りたいと考えている。前述した時間の例で見ると、北方領土はソ連が押さえており、竹島は韓国が押さえている。そしてそこでは、実効支配が長引いてくる。そうすると、実際には相手国の立場の方が強くなってきてしまう。

したがって、安倍内閣の時に北方領土問題を解決しようとしたことの裏側にはこのような背景があったと思います。ところが、尖閣諸島だけは日本がまだ所有しているのであって、中国や台湾にも取られてないため、このまま実効支配が長期化すると日本にとってますます有利になってきます。しかしながら、日本は、野田内閣の際に尖閣諸島を日本政府として購入している。いわゆる「国有化」ではなく、単に購入したのです。国有化というと、法律でその土地を国に編入したように見えるが、今回に関してはそのようなことではない。約二三億円で国による購入をしました。しかし、それを中国は口実にし、現在月に三回程度日本の領海に入ってきている。そして、毎日のように接続水域という領域に侵入してきている。私が一番心配しているのは尖閣が無人島だからです。なぜなら、無人島は、抵抗なく戦果を上げることができる可能性が高いからです。尖閣諸島にヘリ部隊で侵入してくるあるいは飛行機から落下傘で落とすとどうなるのか。もし朝、ニュースをつけて見た時に中国の武器を持った「私人」の集団が日中友好の旗を振っているとなるとどうするのかということが一番大きな問題ではないかと思って見ている。

駆け足になりましたが大体以上が私の講義です。

＊

最後に、日本外交の人にとって現在は千載一遇のチャンスです。それはなぜか。従来路線、日本の政府、自民党が言っていた日米安保などを堅持することは正しい選択であった。もし日米安保が存在しなかったら、ロシアがいつの日か入ってきたかもしれない。また、北朝鮮でさえも日本にミサイルを撃ってきたかもしれない。しかし、アメリカが怖く同盟が怖いということで、中国や北朝鮮は手を出さなかった。そして、Ｇ７（Group of Seven）に関してフランスのマクロン大統領が時代遅れであると言っていたが、今回は全てＧ７において議論しています。

防衛強化をしていくことにアメリカも支持しています。

これは、今皆さんから見ると当たり前のように見えるが、五、六年前に安保法制を行おうとした際には大反対が生じました。

国のリーダーは少し先を見て物事を進めていく必要があると考えている。安保法制はまさにこれです。日韓関係の改善はいいことです。尹錫悦氏が大統領になった際、以前彼らの代表団に一度私も食事をしながらお話をしました。もちろん歴史問題は簡単に片付くことではないが、日本側においてももう少し改善するべき点はあると考えている。私は、いくつかの問題について、政府各省庁の人間が少し内閣総理大臣に対して忖度し過ぎていたのではないかと思います。

最後に、QUAD（クアドルプル：日米豪印戦略対話）という会議において、バイデン氏も参加し、豪州、インド、アメリカ、日本の四者が集まり対中向けとまでは言えないが、中国を意識した政治安全保障体制をどこまで実現することができるのかということが焦点になっています。これは、政治的に中国にメッセージを送るという名目の下で私は重要だと思います。しかし、インドが日本に何らかの攻撃された時に助けてくれることはあり得ない話で、インドをどこまで中国側に行かず西側に引き寄せられるのかが今後の鍵であると考えている。以上が私の紙芝居です。

最後に、これは私が三か月程度前に書いた本です。今皆さんがこれを撮っていただいて構いません。上のＨＴＴＰは、この本の紹介を私が自分で書いたものです。そして、下にはAmazonで購入される人向けのＵＲＬとなっています。こちらはしばらくこのまま出しておきます。もし関心のある時には、こちらのテーマについての学習をお願いしたいです。以上が、私の全てのプレゼンテーションです。羽場先生、残り二〇分弱ありますが、一応これで私の講義／説明は終えたいと思います。

＊＊＊

羽場：藤崎大使／藤崎日米協会会長、本当にありがとうございました。最近のロシア―ウクライナ戦争、それから中国の動向、台湾の新政権も含めて、非常に広い視点から見た大変深い洞察をしていただきました。そして最後に先生の今ベストセラーになっている本を紹介していただきました。これは皆さんお読みになって、藤崎大使のお考えを深く学んでいただければと思います。ありがとうございました。皆さんからいろいろ質問を受けたいと思っていますが、おそらくそんなにすぐ質問が二〇分間できるかというようなところもあるかもしれませんので、最初に一・二個こちらから伺ってみたいと思います。

まず、先生がちょうど日米協会の会長を務めておられる時、トランプ政権からバイデン政権へと変わり、そしてそのバイデン政権がワクチンによってコロナウイルスを抑えつつ、その後ロシアのウクライナ侵攻という流れが起こった。このように非常に大きな変動の時期に立たされたのが現在のバイデン政権であると思う。そこで、私は外交面と内政面においてその評価方法が全く異なっていると聞いていますが、実際にアメリカでバイデン政権がどのように評価されており、期待されているのかという部分をもう少し伺えないでしょうか。前述では、パーセンテージを示されていましたが、トランプ政権とはほとんど変わらず拮抗していたと思います。

藤崎：バイデン氏は元々強い大統領候補ではなかったため、一番大きい問題としては年齢を挙げることが出来ると思う。八〇歳を超えてしまうと世界中を飛び回り、かつ朝から晩まで政治を行うということは非常に大変です。例えば、飛行機を降りる時に大変な想いをされているようです。私たちが飛行場に行く時、タラップを使わずに全員そのまま飛行機に乗り込むことが出来るが、リーダーの方々は、マスコミの写真のためにタラップを乗り降りしなければいけない。リーダーは写真のためだけに飛行場／国に着いたというメッセージを込めるためだけにタラップを降りるという行為を行っている。例えば、オバマ大統領に関しては、必ずあの階段を駆け下りていた。この行動の意味としては、自分のことを他者/他国に対して若いことにより世界に渡って動くことが出来るというメッセージを含ませたかったのではないかと考えている。他方で、バイデン大統領が大変なことは、もしタラップの手すりに寄りかかってしまった場合、世界中の人々がタラップの手すりに寄りかかったと世間の批判の的として言われてしまう。したがって、バイデン大統領はタラップなどの手すりには寄りかかることができなくなっている。これは、高齢の方にとって考えてみると非常に危ない行為である。落ちてしまう可能性もあることから危険であることと年齢的に体力が衰えてくることから大変危険な行動選択となっている。八〇歳という高齢になって階段を軽く降りることは非常に体力面で負荷がかかってしまうため、階段を軽く降りるようなことはしていない。そのため、一段ごとにゆっくりと降りている。また、世界中の首相クラスの方で考えてみても同じことであり、岸田首相でさえも素早く降りるようなことはしていない。

横の手すりを使うことが、してはいけないものではない。ただ、国民からは「年を取っている」などのイメージが付くと共に各種様々なネガティブな発言が広がってしまう。そのように考えると大変であることが分かるでしょう。今度、各国の首相が来日した際にその様子をご覧になってみて下さい。どのような雰囲気で降りられているのかを確かめてみて下さい。また、バイデン氏にとって重要なことは前述した通り五重苦があります。

特に、二〇二二年一一月には八〇歳になると同時に、次回の大統領選挙では、八二歳になってしまうことにより次回の選挙に出馬するのかという疑問が浮かび上がってきます。そのため、どこかのタイミングで誰が跡を継ぐのか、それとも継がないのかという議論がなされてくるでしょう。しかし、現在のハリス副大統領においても人気がないということが現実である。

ハリス副大統領の人気はトランプ氏やバイデン氏よりも少なくなっている傾向にある。一時期、大統領の座がハリス氏に途中から変わるかもしれないという議論もされてきたが、この情報は一部のマスコミが書いただけであり、実際にはそのようなことは全くないだろうと考えられる。したがって、このような発言を言った瞬間にナンバー2という位は潰されてしまう。ナンバー1やその側近にしてみると、ナンバー2という存在は常に上位の座を狙ってくるのではないかという不信感を抱いてしまう。このような経緯を踏まえ、ナンバー2に対しては大きな権限を与えられていない。

しかし、副大統領として唯一大きな権限を与えられた人物がバイデン氏であり、他にはチェイニー氏にも権限が与えられた。それはなぜなのか。当時、チェイニー氏はすでに年を取っていたが、ブッシュ大統領の際に、自分のライバルにはならないことに気付いていた。そして、オバマ大統領の際にバイデン氏は、七〇代であることからオバマ大統領のライバルになることはないと思われており、その結果、次回の選挙にも出馬しないと思っていたため、かなり大きな仕事／権限を与えられたのではないかと考えられる。しかし、そのような状況でない時に、副大統領は大統領の周りの人間と距離を置かれ、重要な仕事は行わせなかった。ナンバー2は、一番警戒されている人物であり、現在ではそこに仕掛けられたトラップにはまっているのではないかと考えられます。

＊

羽場：もう一つ驚いたこととして、ロシアとウクライナの戦争の中において、初期の段階では長期化してしまうと、ロシアは戦争の中に袋小路となってしまうのではないかと考えられていた。先ほど藤崎氏が言われたウクライナの方が危ういのではないかという見方は当初は非常に少ない見方であると捉えられるがどうか。

藤崎：マスメディアでは、このようなことを言わないのだが、考えてみるとプーチンは「戦争を止める」ということを明日にでも言うことができてしまう。実際に、ここで我が国は南部を抑えたこと、ドンバス地方を抑えたことで目的を達したということを言うことができてしまう。そこで、最終的に「これでとりあえずは打ち方を止める」ということを言えてしまう。根本的に攻めている方はもっぱらプーチン氏の方である。

しかしながら、ゼレンスキー大統領の方は「戦争をやめます。」とは言うことができない。なぜなら、ウクライナが攻めているのではなくウクライナが守備をしているため「戦争を止める」とは言う事が出来ないのである。また、ロシアに取られてしまった地域を取り返す必要もある。よって、ゼレンスキー氏には「戦争を止める」という選択肢が出来なくなってしまっている。

前述したことを踏まえると、どちらかというとプーチン氏の方が圧倒的に私は有利であると考えているが、西側諸国においてなぜそのようなことを言わないのかというと二つの理由がある。もしゼレンスキー氏が弱いと言うと、今以上に「介入して欲しい」」、「もう少し飛行機に関しても、渡してほしい」と言い、また「ＭＩＧの飛行機も全然渡していないではないか」という論争になり、今以上に支援が必要となってくるでしょう。このようなことを言うと不都合と感じられるかもしれないが、日本の今回の支援は三億ドルの借款です。湾岸戦争の場合で百三十億ドルを出していたことになる。それも借款ではなく供与で出していた。実際のところ、いかに各国が小出ししているのかということが読み取れるだろう。しかしそれを、どの政府も多く行っているかのように言っている。アメリカは供与であり、飛行機を渡しているのかと問われると実際には渡していないのである。また、兵隊も絶対的に送り込むということはしない。

それは例えば、「プーチンが核兵器を使用して核戦争した場合どうなると思いますか。一般的には、「許せるはずがない。」というように批判的な意見を言うが、実際にアメリカは核兵器をロシアに対して使うことが出来るのか。もし使用してしまうと戦争へと発展することになり兼ねない。よって、アメリカは絶対的に使うことが出来ない。アメリカのみならず全ての国が使えないのに、プーチン氏のみが使えてしまう。

その結果、圧倒的にプーチンの方が有利であると私は考えている。このような議論には、様々な意見があるが、大体私の意見は極めて少数の意見に分類されるでしょう。ほとんどの方は私と異なる意見であると思う。また、私はこのような意見においてはほとんどの人間が自分の支持している方を有利であると捉えてしまう傾向があると考えている。これの類似点としては、第二次大戦時においても戦いの最後まで日本では自国の方を有利であると言っていたところ、簡単に負けてしまったかのような雰囲気を醸し出している。

羽場：先生が言っていることは非常に深い話であると思います。実際のところ、戦争が始まって一か月目の二〇二二年三月にＩＳＡ（世界国際関係学会）の会合において、ジョセフ・ナイ氏に話をして頂いた。その時彼が言っていたことを簡単に言うと、今回のウクライナ―ロシア間の戦争において、アメリカは軍事力においても、経済力においても、そして世界におけるトップの座を回復するという政治的な点においても、全てにおいてアメリカは有利に立ったと捉えられていた。一方でロシア側はその三点において、全て弱体化したということを言われていた。そこで、アメリカの意図としてのウクライナ戦争の意義を理解することが出来ました。実際のところ、初戦においては、おそらくロシアは苦戦したと考えられる。また結果としてスウェーデン、フィンランドなどの国は全てＮＡＴＯに加入してしまう。しかし、ロシアは制裁を受けることによりロシア経済は崩れていくと思われたがそうはならなかった。ここで問題となるのは、アメリカの思惑ははずれたということかもしれない。今やどこまでゼレンスキー政権がもつのかというところに問題があると考えられるかもしれません。

藤崎：ここで考えてみると、現在の人口が四千万人であり、そのうち八分の一に当たる五百万人がポーランドに難民として暮らしている現実がある。一方で、日本に来たベトナム難民の数は約一万人です。また、ドイツがシリア難民を受け入れた時には約百万人でした。約五百万人の方が、自国とは異なる環境下において、仕事もなく、さらには病気の保険の手当についても正当には受けられず、子供は学校にも行くことが出来ない。また、電気や住む場所まで確保しなければならない環境下において、このような生活を延々と続けることはなかなか大変であると考えられる。ロシアの人は今のまま生活を続けており、子供も今まで通り学校にも行けて、病院にも行けるが、ウクライナではこのような環境は整備されていない。私は、おそらくウクライナは苦しいのではないかと考えられる。そこから日経新聞において、直近二か月間における経済的なウクライナの損失は年間ＧＤＰの三年分に相当するとされている。

今日でさえ欧州の中においては最貧国に近い方に数えられてしまうが、この損失では一〇年経過したとしても回復することは困難であると考えられている。そして、現在でさえ毎日のように民間の方が亡くなられている現実がある。一方で、ロシアにおける民間の方はほとんど亡くならずに今もなお元気に暮らしている。ロシア側は兵士に関しては、一万五千人の死者が出ているが、民間の方はそうではない。アフガン―イラクにおけるアメリカ人兵隊の死者数が七千人である。これは、二十年間における損失の数であり、これらを「人」というカテゴリーで比較するといかに大きな損失であるのか。いかに大変な戦争であるのかについて気付くことが出来るだろう。そして、ウクライナの民間の方は毎日のように死者が出ている現実がある。これは、非常に大変なことであると考えられる。

これらは通常、国境線で行われるべきものであるが、ウクライナにおいては、ウクライナ国内だけで戦闘が進んでいることから、そこにミサイルなどを次々に打ち込まれてしまうと、次々にダメージが加わり壊滅的状況に陥ってしまい兼ねない。ロシアの方にはほとんどミサイルなどは飛来しないことから、どちらが長期的に我慢できるのかという耐久ゲームになってしまうとなかなか大変な部分があると考えられる。

羽場：藤崎大使のおっしゃる通りであると存じます。可能な限り早期に戦争を終え、これ以上犠牲が出ないことを切望いたします。ご講義ありがとうございました。

注

(1) ジョージ・ケナン (George Frost Kennan)、一九〇四～二〇〇五年。アメリカの外交官、政治学者。

(2) ウイリアム・バーンズ (William Joseph Burns)、一九五六年生まれ。二〇二一年三月より中央情報局 (ＣＩＡ) 長官。二〇〇五～二〇〇八年駐ロシア大使。

(3) *The Back Channel: A Memoir of American Diplomacy and the Case for Its Renewal* (Random House, 2019)

（4）『まだ間に合う――元駐米大使の置き土産』（講談社現代新書、二〇二二年）。
（5）同上書、二五六ページ、「44・講演―パワポは見やすく一見わかりにくく」参照。
（6）イアン・ブレマー（Ian Bremmer）、一九六九年〜。アメリカの政治学者。

4．国際連合の歴史と役割

明石　康

羽場：明石康氏は秋田ご出身で東京大学卒業後、タフツ大学博士課程在学中に国連に就職され、国連の日本代表部大使を経て事務次長に就任されました。カンボジア、ボスニアでも事務総長特別代表として活躍され、国連を退任されてからも大学で平和学と国連の役割について学生さんに講義をつづけられています。本日は「国際連合の歴史と役割」というテーマでお話しいただきます。
明石先生、どうぞよろしくお願い申し上げます。

はじめに

今日は神奈川大学の学生の皆様方と一緒に、世界が直面している色々な問題について考えたいと思います。特にウクライナとロシアの戦争に関連して、一体、国際連合は何をしているのですか、という声もあるようです。国連の七十何年かにわたる歴史の、最も重要だと思われる点をいくつか皆さんと一緒に辿り、国連が何をやっているのか、やるべきであったのにやれなかったことはどういうことなのか。そして現在の状況に鑑みて、これから国連に期待できること、またウクライナの問題についても、例えば停戦とか、平和の構築ということに関して、どういうことが期待できるであろうかというようなことを一緒に考えてみたいと思います。

私は、国連に約四〇年間にわたり、奉職し、その内の約一八年間は事務総長に次ぐ事務次長というポストにあり、また、カンボジア紛争の解決とか、ユーゴスラビア問題の解決にも奔走した経験があります。

私自身の体験したこと、国連がやれたこと、やれなかったこと、国連の山と谷、その両方について、今日はざっくばらんに話してみたいと考えております。

1．国連の歴史

アメリカとソ連の対立

国連は初めの四五年間にわたって、いわゆる冷たい戦争、冷戦時代を経験することになりました。これは英語でいうとCold Warという表現になります。国連が発足したのが一九四五年。その四五年からアメリカと当時のソ連との間には非常に激しい対立関係がもう吹き出しておりました。

国連憲章には大変立派なことがたくさん書いてあるのですが、国連憲章の中でも大変重要だと思われる第七章には、国連による平和をどうやったら作れるだろうかということについての「強制措置」が書かれています。

国連憲章の第四五条に書いてある国連が平和を確立するためにどういう兵力を持つべきか、そのための特別協定を国連のメンバー国、特に安全保障理事会の常任理事国である国々との間に結ぶことになっているのですが、これがアメリカとソ連との対立とのために、冒頭から難しい状態になっていったという現実があります。

国連は一九四五年、サンフランシスコで開催された会議で発足することになりました。当初の加盟国は五一か国でした。二年目あたりに国連憲章に従って、特に常任理事国であるアメリカとかソ連はお互いに、どれだけ兵力を平和のために出すか、特別の協定を作ることになっていました。一年あまりたって、一九四七年頃になると、大きな暗礁に乗り上げてしまって、作らなければいけない協定もできませんでした。

アメリカはかなり大きな兵力を国連は必要とすると主張したのですが、ソ連はそれに対して、いや待てよ、国連の常任理事国であるアメリカとかソ連はお互いに戦争することもないだろうから、そんな大きな兵力を一体必要とするのかとソ連は疑問を出しました。そんなことで、作れるはずの特別協定さえも、冒頭から作れなかったという現実があります。

その翌年あたり、中東地域においては、出来たばかりの新しい国イスラエルとその周辺に存在したアラブ諸国との間に戦争が勃発することになり、国連はそれをなんとか止めさせる休戦協定を作る作業に従事しました。それが一九四八年です。国連は特別代表が現地に赴いて、ともかく対立の双方、イスラエル側とアラブ諸国との間に休戦協定を作って、そのための休戦監視団が休戦が破られないように虎視眈々と監視することにし、その結果を国連本部と安保理事会に報告することになっていたので、それにアラブ側とイスラエル側を従わせました。

これは実は四八年から現在まで名前は変わっても、現地のアラブ諸国とイスラエルとの中間地帯に国連によって配備されて現在まで続いていることは注目すべきだと思います。そして中東だけではなく、戦後になって南部アジアでイギリスの植民地から独立したインドとパキスタンの両国がカシミール地域をめぐってこれまた戦争を始めました。ここで休戦を結ぶのは非常に難しかったのですが、パキスタン・インドとの間にも国連の小規模な平和維持活動が展開することになり、これまたそのときから現在まで七〇年以上続いています。

中東地域においても、インド・パキスタン地域においても、実際に兵士が何十か現地に配備されており、この人たちが、止むことなく休戦を中立的、客観的な立場から監視している訳で、戦うための軍隊ではありません。

私はそれを「古典的なＰＫＯ」と呼んでいますが、実際には非武装に近い、せいぜいピストルからライフルぐらいは持っているかも知れませんが、戦うための軍隊ではなく、休戦がきちんと守られているかどうかを監視するための国連の目ともいうべき存在です。このような人たちが現在の中東地域と、インド・パキスタンの中間の地域にも配備されて、結構役に立っています。戦争が再発していないという意味では実に役立っています。

その後一九五〇年には北朝鮮が突如として朝鮮半島の南の韓国に侵入してきて安全保障理事会がそれを取り扱うことになりました。実はその当時、ソ連はあやまって安全保障理事会をボイコットしていたのです。それをよいことにアメリカが中心となって朝鮮半島の北から攻めて来た北朝鮮に対して、急遽、安全保障理事会に問題が提起され、本格的な戦う軍隊を国連として南から北朝鮮との国境地域に派遣することになりました。これはさっき申し上げた国境地帯、ないしは休戦している状況の所でそれを監視するための「古典的なＰＫＯ」とは全く違う、実際に戦う軍隊を派遣することになり、特にその中でも一番強力だったのはアメリカの軍隊でした。約一四万位の実戦部隊をアメリカが派遣し、それに協力する他の各国が参加しました。

他の国々はほとんど名目的な小型部隊を派遣しました。そんなことでアメリカ中心のいわゆる「国連軍」が派遣されましたが、国連旗の使用は許されたものの、国連の軍ではなく、アメリカ中心の「多国籍軍」であると私は名付けています。

国連旗の使用は許されましたが、あくまでも「国連軍」と名付けるべきものは当時存在せず、アメリカ中心の「多国籍軍」が急遽つくられて、朝鮮半島に派遣されたのでした。

スエズ危機

一九五六年の秋にスエズ危機[1]というのがありました。エジプトのナセル[2]という指導者がスエズ運河を国有化しました。そのことで西側諸国、特にイギリス、フランスが慌て、また中東地域のイスラエルもそれに同調して、エジプト国有のスエズ運河地域に三か国が兵力を派遣しました。アメリカも慌てましたし、世界の他の国々もびっくりして、国連では安保理で問題が審議されました。安保理においては、イギリスとフランスが中心となって拒否権を行使したので、理事会が何もできないようになりました。

しかし、この問題は緊急特別の総会に持ち出されることになりました。二〇二二年のウクライナとロシアとの問題でも、安保理で拒否権が行使されて理事会が動けなくなった時に、それは国連総会に持ち出され、それが多数で採択されたのです。これが国連で最初に行われたのは一九五六年のスエズ危機の時でした。その中心となったのは、当時のハマーショルド[3]国連事務総長とカナダのピアソン[4]外相二人による見事な協力でした。ともかく国連はすでにスエズ運河の近くにいた国連緊急軍を急遽、現地に派遣し、約五千名のインターナショナルな軍隊がスエズ運河地域に配備され、イギリス・フランス・イスラエルはエジプトに侵攻している理由が無くなったのです。現地から撤去せざるを得なかった。存在しなかった緊急軍を急遽特別総会にかけてつくったのは、事務総長ハマーショルドと、彼と緊密に協力しながら、彼と同調したカナダの当時の外務大臣のピアソンの二人でした。

この二人はこの危機に際して今まで無かった国連緊急部隊をスエズ運河地域に派遣することによって、たった五千名の多国籍部隊が、英・仏・イスラエルに対して、おまえたちがここに居続けている意味がなくなった。国連がその代わりをやるのだという心意気を示して、問題の解決に大きく貢献したわけです。

国連がこのような平和維持活動を危機状態地域に派遣したのは一九五六年が初めてであったということが言えます。

これが平和を回復するのに大きな貢献をしたと言えます。それによって、一九五六年のスエズ危機はなんとか無くなり、世界中がほっと胸をなで下ろしました。

ハンガリー動乱

スエズ危機と前後して、東ヨーロッパのハンガリーは当時ソ連と一緒になってワルシャワ条約機構[5]に属していましたが、ハンガリー国民、特に若年層が共産主義体制に反感を持ち、結局ワルシャワ条約機構から脱退すると言い出しました。

慌てた当時のソ連はハンガリーに大軍を投入し、しかも二度にわたって侵入し、民族的反乱を止めました[6]。そのため、このハンガリー問題も国連に持ち出されました。

この際も緊急特別総会に持ち込まれたのですが、残念ながら、当時のソ連は緊急特別総会であっても安保理であってもそのいずれも無視されたと言えましょう。国連としては、五六年の秋にスエズ運河と、ハンガリーにおいての二つの大きなチャレンジに直面して、スエズ危機に関してはそれらしい政治的な成果を上げることができましたが、ハンガリーでは泣き寝入りとなりました。そこに国連の二つの顔があります。スエズでは栄光の瞬間を迎えることができた一方、ハンガリーでは悲惨な状況に終わったのですが、ハンガリーの場合にも、総会が決議を採択し、事務総長による長文の調査報告を総会に提出することになったのでした。国連にとっては二つの対照的な結果となりました。

植民地独立

その後も元植民地であった国々が、アフリカであってもラテンアメリカであってもカリブ海地域であっても、また大きい国、小さい国の違いがあっても、次から次と植民地であった国が独立して国連に入ってくる状態となり、国連は今までどうしても白人が中心になって活動する国際機構であったのですが、六〇年代を境として、アジア、アフリカ諸国が国連に入ってきて、六〇年代の終わりには国連の加盟国が倍くらいになり、しかもその中心は非白人の発展途上国がほとんどである状況になりました。

一九七〇年代になりますとこれらの途上国が、国連に入って独立国として行動できるようになったのに、先進国にはとてもかなわないような生活水準を不満に思い、アジアであっても、アフリカであってもカリブ海地域であっても、結束して先進国に勝るような勢いで国連内外において次から次に経済的貧困の問題、開発の問題を烈しくアピールする状況になっていきました。

国連加盟国数の半分以上がこうした国々であるという、国連の基本的な問題意識が六〇年代、七〇年代を経て変わってきたと言えると思います。次にポスト冷戦期の国連について話を進めたいと思います。最初の四五年間は冷戦期であって、さきほども申し上げた通りその後は途上国の数は増え続け、国連で取り上げられる問題も、戦争と平和の問題というより、どちらかと言えば、貧困の問題、開発の問題、それから環境の問題などを大きく取り上げる国連に脱皮していった時期であります。

ポスト冷戦

一九八九年から九〇年あたりはもうポスト冷戦期となります。冷戦期が終わって、その後の時期が始まったと言えると思います。

その中にあって、エジプト出身のブトロス・ブトロス＝ガリという人、[7]この人は学者でもあり、外交官でもあった有能な我の強い人でしたけれども、この人が九二年の一月一日から国連事務総長になりました。彼はいろいろな構想を打ち出し、国連場裡でそれを一つ一つ実現していきました。

実現できなかったこともありますが、ブトロス・ガリは自分が掲げている平和への色々な課題を彼は次々に発表して、「俺はこういうような問題について国連を変えていく」と表明しました。

その中では平和の問題が中核的でした。

国連は平和をつくる上でも中心的な役割を果たせるはずであるとガリ総長は主張し、国連自体が武力を持って、押しつけることさえできるのではないかという問題意識を彼は発表しました。

残念ながら、国際政治の現実の前に、国連は実際にそういう戦争をやって平和を自ら創り上げる能力はなかなか持つことはできないことが判明しました。

二年半くらい経ってから、補遺、サプリメントという英語の訳ですが、サプリメントの中で、ガリは国連はそこまではできないのだと多少修正していきました。

一九九二年の元日に事務総長となったガリは、早速、一月の終わり頃に、安保理事会の首脳レベル会合というのを始めて招集しました。日本はたまたまそのとき安保理事会の非常任理事国に選出されていました。

日本から、宮沢総理[8]が時差で眠そうな顔をしていたのを私は覚えていますが、彼は安保理に出席し、日本の抱負をはっきりと悪びれずに述べるシーンがありました。一九九二年の一月、二月は私にとっても忘れられない記憶があります。当時としては、国連にとって一番大きな平和維持活動が東南アジアのカンボジアで展開されることになったので、私はブトロス・ガリ事務総長が九二年一月就任する前日、つまり、九一年の大晦日に、彼の泊まっていたニューヨークのウォルドルフ・アストリアホテルに来てくれと言われ、私はそこに行きました。そこで、国連にとって今まで無かったような大規模なカンボジアにおける平和維持活動――総数は、軍人、警察官、文民の人達を足すと、二万二千人を超える――そのＰＫＯの総指揮者としてやってみる気はないかとガリ氏から聞かれ、びっくりしてしましました。

まいました。一週間ほど待って欲しいと言って、即答を避けましたが、三日後に私は受けることにしました。

カンボジアPKOという大規模な平和維持活動は、一九九二年三月から九三年の九月まで一年半にわたって展開され、私はカンボジア国内の四つの派閥と色々交渉しながら、仕事をしました。

その内の一つ、ポル・ポト派[9]というのが、国連の言うことを聞かない頑強で非協力的な態度を取り、抵抗しました。

私はポル・ポト派の抵抗にあっても他の三派との協力を成し遂げ、カンボジアの君主であったシハヌーク殿下と密接に協力して、国連中心の民主選挙を九三年の五月にカンボジア有権者の八九％以上の投票率で実施することができました。ポル・ポト派はそれに対してあくまでも抵抗し続けました。世界中の新聞とかテレビでは、「国連はポル・ポト派の武力抵抗で、失敗するに違いない、選挙はできないだろう」という悲観論が盛んでした。

我々はともかくやれるだけの力でもって、カンボジアの有権者の圧倒的に参加する民主選挙を成功させようとして、見事に成功しました。

カンボジアの有権者のほぼ九〇％がこの選挙に参加してくれました。我々は関係者として本当に涙が出るように嬉しかった。女性の場合は自分の一番の晴れ着を着て、男女にかかわらず、ポル・ポト派の武力抵抗も顧みず、自分たちの民主選挙の権利を行使してくれたのでした。

このように、カンボジアPKOは一年半で任務を遂行し、我々はカンボジアを離れることができました。アフリカにおいても、規模はカンボジアほど大きくはなかったですが、モザンビークでは国連中心のＰＫＯを成功させることができました。

ラテンアメリカのエルサルバドルは小さな国ですが、そこでも開発と民主主義への変化を成し遂げ世界に影響を及ぼしました。ですので、九〇年代前半は国連にとって各地において順風が吹いていて、難しい任務を一つ一つ達成することができたと言えます。

そんなことで九〇年前半では国連にとって良いニュースが色々ありました。

ソマリアとルワンダ

後半になって、もっと難しいＰＫＯが国連に委ねられました。

その一つが、アフリカ南部におけるソマリアです。

ここでは部族間の衝突などで、政府ができても、それがスムーズな形で秩序を整え、開発を成し遂げるのが難しく、アイディード[10]という部族の長が、国連に抵抗して仕事をやらせないようにし、国連と協力していたアメリカ海兵隊十数名が、大変無残な形で殺される事件がありました。その他にも、パキスタンから国連に協力していた兵士二十数名も無残な形で殺害されました。結局、国連のまとまったＰＫＯが派遣されていればなんとかなったかも知れないのですが、国連に協力する形で、やや半分独立した形でアメリカやパキスタンの軍隊が協力してくれました。しかし内部の統制が取れなかったこともあって、ソマリアＰＫＯは結局上手くいかず撤退せざるを得なかったのです。

同じくアフリカの中部地域にあるルワンダという小さな国は、フツ族とツチ族という二つの部族の、その中で少数派であるツチ族が、フツ族によって計画的に無残な形で殺されることがありました。

究極的にツチ族中心の政府がつくられ、フツ族との民族融和がともかく達成され、友好関係が回復して平和が取り戻されています。

約七〇万人のツチ族が無残な形で殺されることになり、数百人のＰＫＯが現地にいましたが、部族間の大規模殺害を抑えることは国連の手によってはできませんでした。

ユーゴスラビア紛争

ヨーロッパの片隅にあるバルカン半島にユーゴスラビアという国があって、チトー[11]がかなり独裁的でもあるが、賢い、英明な非同盟諸国のリーダーとしても行動していました。

ユーゴスラビアには六つの共和国があり、その中のボスニアを見ますと、人口の四四％がイスラム教徒です。それから三三％がキリスト教の古い形のセルビア正教の信者です。それから二〇％近くがローマを中心とするカトリック教徒。つまり、三つ巴、四つ巴の民族対立のために非常に厳しい状況が生まれました。

チトーがいなくなり、カリスマ的なリーダーが不在になって、三民族がバラバラな形で対立する、殺し合う状況が生まれました。実は国連は、国と国とが戦争する、対立する時に出かけていって、それぞれの民族を引き分け、それぞれの境界と共存に基づく平和を確立することが、本来の国連がつくられた理由でした。

しかし、一九九〇年代あたりを境にして、民族問題や宗教問題が、平和を乱す大きな要因になっていきました。

このことは国連にとっても新しい経験であり、難しく複雑な問題がポスト冷戦期に出てきたことで、特に旧ユーゴスラビアでは問題が六つの共和国で違った形で吹き出してきました。

安保理事会も色々と試みたのですが、複雑な状況に直面して非力でした。

まず安保理事会は、「安全地域」、その中に入っていれば、違う民族、違う部族から攻撃されることはないだろうと、「安全地域」を六つほどつくってみました。しかしその地域を守るに十分な国連の平和維持兵力を安保理は与えませんでした。

そのようことで、国連の実力に余る任務が与えられて、無法的な状況の前で、安保理は立ちすくんで良い仕事ができませんでした。

特にボスニアのスレブニッツァという、首都サラエボから離れた所ですが、そこにおいては、セルビア系の軍とイスラム系の軍の間で対立があり、一九九五年七月に捕まったイスラム教徒の人たちが約七千人以上無残な形で虐殺される事件が起きました。

国連はＰＫＯを派遣し、かなり兵力は大きかったのですが、ボスニアの中に六つある「安全地域」すべてをきちんと監視し、これを守ることは国連の手には余ることでした。

国連事務総長と安全保障理事会との間の意志の疎通が上手くいかず、安保理は安易な妥協に走りがちな傾向がありました。

事務総長は、警告したにもかかわらず、安保理はそれを決議の形で通してしまうことが次から次に起きました。

「安全地域」の実現には与えられた兵力は極めて少なかったし、その倍以上が実際には必要なことを事務総長は安保理に言いましたが、安保理は、それだけの兵力を与えてくれませんでした。
したがって、いわゆる「安全地域」は決して安全ではなかったのです。スレブレニツァも例にもれず、大変悲惨な結果になりました。特に、大国アメリカが地上軍を国連PKOに出さず、NATO（北大西洋条約機構）による空爆に頼ってしまう傾向のために悲惨な結果を招いたと私たちは考えております。

確かにNATOは、空軍力は十分に提供していましたが、地上軍を派遣してくれませんでした。NATOの空軍力は国連に協力することでしたが、NATOが空軍力を発動する一つのキーを持たされ、また、国連の方のキーは実は事務総長代表である私の手に委ねられたのですが、この二つのキーがぴったり合えば空軍力が発動されますが、空軍力を発動するといっても我々国連としては国連軍側が本当に生命の危機に面しているときに限り、NATOの空軍力を使わせて貰うということだったのです。

それ以外のことに空軍力を使ってしまうと、人道支援をやっている国連のトラックに対して攻撃を受けるので、NATOは初期のボーダー米海軍司令官[12]の時を除くと、NATOと国連の二つのキーがぴったり合うという事態がなかなかありませんでした。

それで、「安全地域」はとても安全とは言えず、安保理が期待感を盛り上げても、国連としては平和の維持はできません。

こうして九〇年代の後半には国連は次から次と色々なチャレンジに直面し、当初の目的を達成できないことが出てきました。

しかし、すべてにおいて失敗したわけではなく、インドネシアに近い東チモールはポルトガル人が多かった小さな島なのですが、国連ＰＫＯが派遣されて、インドネシアからの独立を国連の助けを得て見事に達成できました。

東ヨーロッパにおいても、ボスニアに近いコソボという所で、国連の暫定行政ミッションがそこに派遣され、コソボはユーゴスラビアの大きな政治単位から独立国として独り立ちできました。

二〇〇〇年の八月にブラヒミ[13]という国連の世界各地におけるＰＫＯの長として良い仕事をしたアルジェリアの元外務大臣が、「国連は良い仕事もするけれども、時にユーゴスラビアのように、最近は南アフリカのように、失敗する状況が出てきている、どうすれば国連はもっと良い仕事を、成功的な仕事ができるだろうか」と真剣に考え、二〇〇〇年の八月に「ブラヒミ・レポート[14]」を国連総会と安保理事会に提出しました。

ブラヒミは私にとっても親しい尊敬する友人でしたけれども、とても冷静に、事態をきちんと見て、何が国連にとっての挫折とか失敗の原因だったかについて真剣に考えた人です。

簡単に言いますと、「国連にはできることがたくさんある、しかし、できないこともいろいろ出てきている。せめてできることは全力を挙げてそれに没頭すべきだ。しかし、できないことにいたずらに手を出してはいけない」と忠告しました。

しかし、国連の実態は易しいことばかりではなく、特にアフリカにおいては、大変大きな事業、大きな問題に次から次に取り組むことになりました。

小型から中型のＰＫＯ活動であれば国連も経験があるし、成功の可能性もあるわけですが、コンゴ民主共和国、ないしはスーダンという国は、西ヨーロッパ地域がすっぽり入ってしまうような大きな国でもあり、飛行機で飛ぶしか一国を全部回われないような巨大な国がアフリカには多いのです。

在来型の小さな、もしくは中型のPKO以外のもっと「強力な」、「強力」ということは英語で「Robust（ロバスト）」とも言うので、「ロバストPKO」がアフリカに展開するようになりました。

これは予算もかかるし、陣容も少なく見積もっても十万人近く派遣しないと全国をカバーすることはできません。

「ロバストPKO」に国連はどうしたらいいのか。また、国連はいつも戦っている勢力に対して中立なスタンスを守るということでいいのか。

そうではなく、国連が守るべきなのは、中立なスタンスを守る「中立性」というより、国連憲章に従って、また国連の決議に従って、国連が偏らない「不偏性」ということです。

また国連の任務は無辜の市民の生命をきちんと保護するという「市民の保護」が非常に大事になってきているという新しいスタンスを必要とするように変わって来ていると思います。

ロシア・ウクライナ戦争

ところで皆さん、よく知っておられる通り、国連がいま対面している問題の最大のものは東ヨーロッパにおけるウクライナとロシアとの戦争と、中東地域のイスラエルとパレスチナの平和的共存の問題だと思います。

二〇二二年二月二四日にかつてロシアの一部であった東ヨーロッパの一角にあるウクライナにロシ

アが侵攻を開始しました。ロシアとウクライナとの戦いはいまでも続いております。ウクライナがロシアと戦うことになり、アメリカをはじめ、また西ヨーロッパ諸国がウクライナ側に立って、できるだけ戦争を止めさせると、加えてウクライナに対し人道的支援とか経済的援助を惜しみなく行うことにしています。

ともかくそういう道を通じて、ウクライナとロシアとの戦争をできるだけ早く、しかも両者にフェアな形で終えることはできないかと、日々世界中のメディアもこうした問題を取り上げています。残念ながら、今の段階ではまだ戦争が続行している状況にあります。神奈川大学の羽場先生もいろいろな有識者と相談して、国連に対して停戦とか講和のための提案をしてみたらどうだろう、国連にも進言しようではないかということを日夜考えています。

ただなかなかしぶとい戦争の関係者には耳を傾けてもらえません。ゼレンスキー大統領もウクライナの代表として世界中を駆け巡っておりますし、アメリカのバイデン大統領も西ヨーロッパの人と組みながら、またアジアの色々な国々と組みながら停戦と講和への道を懸命に探っているというのが現状です。

手探りの状態は続いています。そろそろ第三者が、その筆頭には国連がありますが、中に入って、ウクライナにもロシアにとっても信頼される第三者として安定的な停戦と講和の道をつくることはできないだろうかというのが現在における世界の大きな問題であると思います。その中において一体国連は何をしているのか、何ができるのか、何もできないのかという批判的な意見も聞かれる現状です。

2. 国連の役割

おわりに、国連の持つ役割は一体何だろうかということを皆さんと一緒に辿りたいと思います。私は、㈠世界的な意見表明のひのき舞台として、㈡国際的規範作りの最良の場として、㈢多国間交渉の最高の場として、㈣現場での平和構築の最後の手段として、といった四つが上げられると思います。

一つは、国連総会が毎年九月にニューヨークの国連本部で開催されます。世界中の首相とか、大統領がそこに集まってきます。集まるだけではなくて、国際問題についてのそれぞれ自国の意見を述べます。これが各国首脳の世界中に対する顔見せです。

この世界中のリーダーの意見の発表にはいろんな問題がありますけれども、世界的なリーダーの意見交換のひのき舞台なので、世界中の国々が考えていること、悩んでいること、また希望していることが知らされます。そうしたものとして国連を活用することが大事だと私は考えます。

二番目には、国際的規範作りの場としての国連。つまりただ集まるだけではなくて、我々はこれらの世界で一体何をしようとしているのか。

我々は別々の国、別々の地域から来ている。しかしながら我々が共通の目標とすべき問題は何か。我々が共通の目的を定め、全体の規範作りを行う場として国連を有効に使うべきだと考えます。

特に近年においては二〇一五年にＳＤＧｓ（持続可能な開発目標）、サステイナブル・ディベロッピング・ゴールに関して、国連の約二百に達しようとしている全一九三国の共通の規範がまとまっているのです。

私たちの目標として、地球上のありとあらゆる人間は、誰一人取り残さない世界を実現するために、二〇一七のゴールと百六九のターゲットが示されました。これは二〇一六年から二〇三〇年までの一五年間に世界中の人たちが、貧困と飢餓、不平等・格差、気候変動などの世界の問題を根本的に解決し、すべての人たちにより良い世界をつくるために設定された世界共通の目標です。

この規範作りは今まで、各国の政府代表がやっていたことを、企業、地方自治体、学校、有識者、その他の人たちが一堂に会して、みんなの規範を作る。その作業を一五年間、成果を上げげつつ、前に進もうということが、二番目の規範づくりと言えます。

それから、地球社会が抱えている個々の難しい問題、軍縮の問題はその中の一つですけれども、核兵器の問題をどうするか。核兵器は約十カ国がこれをすでに持つような状況にあります。

アメリカとロシア、この二国が一番核兵器を持っています。それから中国。

次いで、フランスとイギリス。

インドとパキスタン。それからイスラエルと北朝鮮も核兵器を持っています。我々が懸命に努力しないと、核兵器はもっと拡散して行きますが、「核兵器不拡散条約」はすでに成立しております。すでに持っている国々は参加していますが、それだけでは足りません。核兵器の使用禁止「核兵器禁止条約」を成立させようではないかと。これは中型、小型の国々が中心になってやっていて、核保有国の方はなかなかそれに入ろうとしません。これをどうしたらいいか。こうした問題も国連の大きな課題になっています。

最後の四番目です。それぞれの場において、国連の人々は汗を流し、また苦労しながら努力を続けています。安保理事会の出先機関、例えばＰＫＯの現場において国連が中心になって問題を前進させることはできないか。特に国連の下部機関の一つである国連難民高等弁務官事務所（ＵＮＨＣＲ）など、国連の災害問題、人道的問題の中核にあるＯＣＨＡ（オチャ）という事務所や、国連開発計画（ＵＮＤＰ）をどう使うか。ウクライナとかアフガニスタン、アフリカなどの色々な国々で展開されている人道的あるいは開発に関する援助、また、兵力を使った平和維持活動などが、それぞれの現場の行動の中核を成しています。

こういうものを、より活性化することはできないかと、色々な機関によって、また関係者によって、熱心に審議されているに違いありません。

国連はこの持っている四つの顔と四つの役割を、バランスが取れ、効果のある形でさらに前向きに進み、問題の解決をより早く達成できるはずです。

そのためにも、日本を含む国連全加盟国がもっと熱心に国連の作業を見守り、それを批判し、それを支援し、その中核になってやることが期待されているのではないかと思います。

駆け足の国連の役割のおさらいでしたけれども、私たちに残された時間に皆さんからもっと質問を出して頂ければ大変ありがたいと考えております。

ご清聴ありがとうございました。

注

（１）第二次中東戦争とも。一九五六年一〇月から一一月六日に起こった戦争。
（２）ガマール・アブドゥル・ナセル（Gamal Abdel Nasser、一九一八～一九七〇）。エジプトの軍人、政治家。第二代エジプト共和国大統領。
（3）ダグ・ハマーショルド（Dag Hjalmar Agne Carl Hammarskjöld、一九〇五〜一九六一）。スウェーデンの政治家、外交官。
（4）レスター・ボールズ・ピアソン（Lester Bowles Pearson、一八九七〜一九七二）。カナダの外交官。第一四代カナダ首相。
（5）一九五五年、東ヨーロッパ諸国が結成した軍事同盟。加盟国は、ソビエト社会主義共和国連邦、ブルガリア人民共和国、ルーマニア社会主義共和国、ドイツ民主共和国（東ドイツ）、ハンガリー人民共和国、チェコスロバキア社会主義共和国、アルバニア共和国（一九六八年脱退）。一九九一年解散。
（6）一九五六年一〇月二三日から一一月一〇日にハンガリーで起きたデモ行進・蜂起。ハンガリー政府の要請を受けたソ連軍によって鎮圧された。
（7）ブトロス・ブトロス＝ガリ（ガーリとも、一九二二〜二〇一六）。エジプトの外交官、政治家。第六代国連事務総長。
（8）宮澤喜一。日本の政治家、第七八代内閣総理大臣（一九九一年一一月五日〜一九九三年八月九日）。
（9）ポル・ポト（Pol Pot、一九二五〜一九九八）。カンボジア国内での迫害や大虐殺を主導した。
（10）モハメッド・ファッラ・アイディード（Mohamed Farrah Aideid、一九三四〜一九九六）。ソマリアの軍人、政治家。
（11）ヨシップ・ブロズ・チトー（Josip Broz Tito、一八九二〜一九八〇）。ユーゴスラビアの軍人、政治家。
（12）ジェレミー・マイケル・ボーダ（Jeremy Michael Boorda、一九三九〜一九九六）。第二五代アメリカ海軍作戦部長。
（13）ラフダール・ブラヒミ（Lkhdar Brahimi、一九三四〜）。アルジェリアの外交官。二〇〇四年一月、コフィ・アナン国連事務総長の特別顧問に就任。
（14）国連に置かれた国連平和活動検討パネルが、二〇〇〇年八月一七日に平和維持活動（ＰＫＯ）のあり方について提案を行った報告。Brahimi Report。

5．戦争と平和――学問はどうあるべきか

山極壽一

羽場：山極壽一先生は、人類学者、霊長類学者、ゴリラ研究の第一人者として世界的に有名な方であり、国際会議でもゴリラの雄たけびを披露し会場を沸かせるユニークな方です。また、学術会議会長、京都大学総長として日本のアカデミー界を代表して活躍してこられた方であります。近年は「戦争と平和」の問題について積極的に発言しておられます。本日はわざわざ「世界の中の日本」の講演のために神奈川大学の皆さんに「戦争と平和――学問はどうあるべきか」という大きなテーマでお話しいただきます。山極先生、どうぞよろしくお願い申し上げます。

はじめに

長い間、人間は神のしもべであり、その啓示に従って生きるものとされてきた。人間が自ら法を立て、その下で生きることを模索し始めたのは今から五百年前ほどのことである。そのとき、人々は自然状態での人間とは何かを問わなければならなくなった。トマス・ホッブス（一五八八～一六七九）は闘争状態にある人間が自然であると考え、強い政治力で秩序と平和をもたらす必要性を説いた。一方、ジャン＝ジャック・ルソー（一七一二～一七七八）は平等で争いがないことを自然状態の人間と見なし、

自立した個人の契約による社会の成立を理想とした。

その後、さまざまな思想家がこの対照的な考え方を踏襲して原初的な人間の姿を論じた。しかし、ルソーの考えをもとに市民が起こしたフランス革命が、絶え間ない権力闘争に陥ってナポレオンの帝政を招いたこともあって、ホッブスの考えを支持する思想家や政治家が多いように思う。すなわち、暴力や戦争は人間の本性であり、それを大きな権力を持って抑止し、秩序をもたらすことが必要だという考えである。

そして、一九世紀の中ごろに『種の起原』(一八五九年)を著して自然淘汰と性淘汰による進化論を提唱したチャールズ・ダーウィンによって、すべての生物は限りある資源をめぐって競争状態にあると見なされた。人間もその例外ではなく、社会の進化は個人の間の競合の上に成り立っていると考えられた(『人間の由来』一九七一年)。すなわち、人間の祖先はもともと闘争的であり、そのネガティブな影響をなるべく小さくするべく道徳や法が作られてきたというわけである。

人間の祖先の暴力性を示すモデルとされたのが、一九世紀の中盤にアフリカでヨーロッパ人によって発見されたゴリラだった。現地の人々から別段特別視されていなかったゴリラを、初めて出会ったヨーロッパの探検家たちは凶暴で好戦的な野獣と見なした。それは、ゴリラのオスが胸を叩くドラミングという行動がまるで宣戦布告をしているように見えたからである。恐怖のあまり発砲した探検家たちによってゴリラの暴力性は誇張して伝えられ、ゴリラはハンターたちの格好の標的にされた。欧米の人々の関心を呼んで多くのゴリラが捕らえられて動物園に送られたが、凶暴だという理由で厳重な檻に入れられ、百年以上も動物園で繁殖することすらできなかった。一九三二年にハリウッドで製作された「キングコング」はゴリラがモデルであり、いかに当時の人々がゴリラを暴力の権化のように見なしていたかを物語っている。しかも、形態学者によってゴリラが人間に近い骨格をしていることが示され、ダーウィンは古い人間の化石はアフリカで見つかることを予言した。つまり、人間の祖先はゴリラのように暴力的な性質を持っていて、それを進化の過程で抑えて優しい平和な性格に改善してきたと考えられたのである。ゴリラのドラミングが宣戦布告ではなく、好奇心や興奮を表す自己呈示のコミュニケーションだとわかったのは、二〇世紀の中盤を過ぎて霊長類学者が野生のゴリラを間近で観察できるようになってからである。

温帯に住む欧米の人々がこういった間違ったイメージを抱いた理由は、熱帯雨林に対する恐怖にあったと思われる。アフリカは「暗黒大陸」と呼ばれ、暗いジャングルの奥には邪悪な性質を持つ動物や人間がいると見なされていた。一八九九年に発表されたジョゼフ・コンラッドの小説『闇の奥』は当時のヨーロッパ人のアフリカ観を如実に物語っている。そして、人間でないゴリラはその性格を矯正しようがないので動物園に送り、原住民は人間なのでヨーロッパ文明の光を当てて正しい道に導こうというのが、植民地主義を正当化する理由になったのである。その負の遺産は今日でも暗い影を落としている。

1. 狩猟仮説の誤り

暴力や戦争と人間の本性が結びついて再び盛んに議論されたのは、第二次世界大戦後の欧米の思想界であった。それはおそらく、大規模な破壊力を持つ兵器で大量の人々を抹殺してしまった戦勝国の人々が、その行為を正当化したいと考えたからだろうと思う。

それは、先史人類学者レイモンド・ダートの「骨歯角文化」という仮説から始まった（Dart, 1949）。ダートは一九二四年に南アフリカのタウングで、今から二百〜三百万年前のアウストラロピテクス・アフリカヌスを発見したことで有名だった。それまで報告されていた北京原人やジャワ原人より古く、アフリカが人類誕生の舞台であることが示されたからである。

アフリカヌスが発見された地層からは石器が発見されなかったので、アフリカヌスは植物食と見なされていた。しかし、ダートは同じ場所で発見されたヒヒの頭骨に同じようなへこみがあることに注目した。そのへこみは、アフリカヌスがカモシカの上腕骨を棍棒としてヒヒを殺した跡だと考えたのである。さらに、シマウマやイボイノシシなどの化石が大量に出土することから、アフリカヌスはすでに組織的な狩猟を行い、肉食の習慣を発達させていたと主張した（Dart, 1953）。それを受けて、動物学者のジョージ・バーソロミューと人類学者のジョセフ・バードセルは、狩猟という生業様式は男女の分業による家族生活を生み出したという説を発表した。人類の子どもは成長が遅く、手間がかかるので、狩猟と育児は男女が分業し、狩猟の効率化が人々の協力関係と高い知性を生み出したという「狩猟仮説」である（Bartholomew & Birdsell, 1953）。

さらにダートは、アフリカヌスの頭骨にも打撃が加えられた跡があり、仲間どうしで殺し合った証拠だとする説を発表した（Dart, 1955）。人類はこの時代にすでに狩猟による肉食を始めており、狩猟具を武器に置き換えて戦いの歴史の幕を開いていたというわけである。この突拍子もない説に多くの人類学者は首をかしげたが、アメリカの人気劇作家のロバート・アードレイは強く心を動かされ、『アフリカ創世記──殺戮と闘争の人類史』（一九六一年）、『なわばり原理──財産と国家の動物起源へ向けての個人的探究』（一九六六年）などの著作を次々に出版した。また、後にノーベル賞を受賞した動物行動学者のコンラート・ローレンツも一九六三年に『攻撃──悪の自然誌』を著して、人類が動物から受け継いだ攻撃本能を武器の発達とともに大規模な戦いへと拡大してしまったことを説いた。これらの著作にとって欧米の人々は、戦いが人間の本性であることを次第に信じるようになったのである。

実は一九六五年に封切られた『二〇〇一年宇宙の旅』は、ダートやアードレイの説をきれいに反映したものだった。「夜明け前」という冒頭のシーンでは、アフリカヌスと思われる猿人が突然宇宙から降り立ったモノリスという直方体の物体に霊感を与えられ、そばに落ちていたキリンの大腿骨を狩猟具にすることを思いつく。狩猟で成果を挙げた彼は英雄となるが、しばらくたって水場をめぐり他の集団と争いが起きた際、この狩猟具を武器にして相手を追い払うことに成功する。こうして、武器を手にした人類は戦いを始め、宇宙に進出しようとした二〇〇一年にそれを原罪として神の裁きを受ける、というのがこの映画の主題だったのである。

一九六六年にシカゴで狩猟採集民に関するシンポジウムが開かれた時、狩猟採集という生業様式によって人類がどんな社会性を発達させたかが問われた。共通テーマは「人間　狩る者」であり、それまで貧しく遅れたものと見なされていた狩猟採集生活が、豊かな食物と余暇の時間に恵まれていることが指摘された（Lee & DeVore, 1968）。同時に、狩猟採集民が農耕民や都市生活者よりも攻撃性が高いかどうかという議論が繰り返しなされている。野生のヒヒの研究をしてきたシャーウッド・ウォッシュバーンは、「肉食の心理」こそが人類を他の霊長類と分ける特徴と見なし、人間の仲間に対する略奪行為や拷問などに見られる過度な攻撃性は狩猟と肉食に喜びを見出す独特な心理によると主張した。現代人にとって戦争は狩猟とほぼ同じような感覚で考えられており、男たちにとっては楽しみとさえ見なされているというのである。

しかし、ピグミーやブッシュマンなどの狩猟採集民を調査してきた研究者は、狩猟と戦争の連続性については否定的だった。コンゴの熱帯雨林で狩猟民ピグミーを研究したコリン・ターンブルは、狩猟は攻撃性の高まりによって実施されるものではなく、ピグミーの人々は食物の分配を徹底し、争いを抑止する社会性を発達させていると述べた。また、カラハリ砂漠でブッシュマンを調査したエリザベス・トーマスも『ハームレス・ピープル』(一九五九年)を著して、この砂漠の民が権威を表面化させることなく、争いごとを避けて離合集散する社会の仕組みを持っていることを強調している。

その後一九八一年になって、ダートの主張したへこみや傷跡のあるヒヒやアフリカヌスの頭骨を調べたチャールズ・ブレインは、それらがヒョウの犬歯にぴったり合うことを発見した。アフリカヌスの狩猟の獲物と見なされた動物の骨はヒョウやハイエナによって運び込まれたもので、アフリカヌス自身もヒョウの餌食になっていたのである(Brain, 1981)。

アフリカヌスが骨器や石器を使った跡は見つかっていない。最古の石器は二六〇万年前のエチオピアから出土しているが、最初のホモ属のホモ・ハビリスが使っていたと推測されている。しかし、このオルドワン式石器は石を打ち割った破片で、狩猟具や武器としてではなく、肉食動物が食べ残した動物の骨から肉を剝がし、骨を割って骨髄を取り出すために用いられたようだ。百八十万年前に現れたホモ・エレクトスの時代には左右対称形のアシューリアン式石器が登場するが、これも武器としては使われた形跡はない。最古の狩猟具は五〇万年前の南アフリカで石器を先に取りつけた槍や、四〇万年前のドイツで先を尖らした槍が見つかっているが、どれも投げ槍ではなく殺傷力は弱かったと考えられている。

人類が旺盛な肉食志向を見せ始めたのは三〇~四〇万年前に登場したネアンデルタール人からであるが、彼らの狩猟はほぼ肉弾戦で大掛かりな狩猟具を使った証拠はない。また、二〇~三〇万年前に登場したわれわれ現代人も投げ槍や弓を用い、大型動物を崖から追い落とすなど知的で大規模な狩猟をしたものの、約一万一千年前に農耕・牧畜が始まるまで集団間で戦った形跡はない。生物学者のドナ・ハートと人類学者のロバート・サスマンは『ヒトは食べられて進化した』(二〇〇五年)を出して、人類は長い間「狩る側」ではなく、「狩られる側」で進化したことを示して「狩猟仮説」にとどめを刺した。最近では・ホセ・マリア・ゴメスらが集団間の争いで死亡した割合を哺乳類の系統群間で比較し、霊長類は一般の哺乳類よりわずかにこの割合が高く、仲間どうしで連携して集団間でなわばりを争う傾向が原因と見なしている。そして、この割合は人類でも変わらずに新石器時代まで続き、首長制が始まってからそれが急激に増加したことを指摘している(Gómez et al, 2016)。つまり、人間にとって戦いとは本性ではなく、人間特有の文化や文明が登場してから顕著になったものなのである。

しかし、にもかかわらず現代の多くの人々は未だにホッブスを信じ、アードレイによる「人類の殺戮と闘争の本性」が社会の内に潜んでいると考えている。とくに、政治家はそれを国の安全保障と統治の理由に使いたがる。核兵器の削減を訴えてノーベル平和賞を受賞したバラク・オバマ大統領でさえ、二〇〇九年にオスロで開かれた授賞式の演説で、「War, in one form or another, appeared with the first man. At the dawn of history, its morality was not questioned; it was simply a fact, like drought or disease.」と語っているのだ。一九八九年のベルリンの壁崩壊で私たちは東西冷戦が終わり、世界に平和が巡ってくると期待した。しかし、それ以後も毎年のように民族紛争や宗教戦争が勃発し、二〇〇一年には米国で同時多発テロが起こって各地でテロによる戦いが頻発した。二〇一五年にイスラエルの歴史学者ユヴァル・ノア・ハラリは『ホモ・デウス』を著し、「二〇世紀までに人類はこれまでの大きな課題だった飢餓・疾病・戦争を克服する見通しがついた」と述べた。しかし、それに反するように二〇二二年にはロシアによるウクライナへの軍事侵攻が始まった。各国の指導者たちはまだ戦争が自国の利益を守り、国際的な秩序をもたらす有効な手段だと見なしているのである。

2. 人間性の本質は共感力にある

戦争が人間の本性ではないとすれば、集団間の暴力を増加させて戦争へ向かわせた原因とはいったい何だろうか。私はそれを、人類が集団で生き長らえるために高めてきた共感力が道を誤って暴走し始めたせいだと考えている。

私たち人間は他の霊長類や系統的に近縁な類人猿(オランウータン、ゴリラ、チンパンジー)と比べてみても、とびぬけて高い認知能力や共感力を持っている。相手が自分にある種のイメージを抱いて行動していると見なす「心の理論」はサルにはなく、仲間どうしがお互いに考えを読み合っていると第三者が見なす能力は類人猿にもない。劇や映画を観て面白がることができるのは、人間が類人猿より二段階上の認知能力を持っているからである。

人間の対面姿勢と目の構造に共感力を高めた証拠を見ることができる。サルは対面して互いに見つめ合う姿勢をとることが難しい。ニホンザルは常に相手と自分のどちらが強いかを認識していて、それを行動に反映させる。相手を見つめるのは軽い威嚇に当たり、強いサルが相手を見つめると、弱いサルは視線を逸らしてしまうのである。一方、ゴリラやチンパンジーなどの類人猿は顔を付け合うほどの距離で対面することがよくある。これはあいさつだったり、遊びや交尾の誘い、仲直りの手段だったりする（Yamagiwa, 1992）。おそらく類人猿は近距離で対面することで互いの気持ちを調節し、一体化しようとしていると考えられる。

私たち人間も類人猿のように頻繁に対面する。しかし、類人猿と違って一メートルほどの距離を置いて対面するのがふつうだし、対面する時間も長い。それは言葉を交わしているせいだと考えられがちだが、会話が音声で意味を伝え合うコミュニケーションだと見なせば、あえて対面する必要はないはずだ。後ろや横を向いても声は聞こえるからである。なぜ人間は対面して会話することを好むのか。それは人間の目に白い部分があるからである。この白目は人間以外の霊長類にはなく、人間は一メートルぐらい距離を置いて対面すると目の動きから視線の方向や相手の気持ちを読むことができる（Kobayashi & Koshima, 2001）。目の動きは自分でコントロールしにくいので正直な表情であるし、目の動きから相手の心の状態を察することは誰にも教わらずにできる。人間が生まれつき持っている能力と言える。この白目が人間に近縁なゴリラやチンパンジーにないということは人類の進化だけに現れた特徴と考えられるし、世界中の人間が白目を持っていることを見るとこれは人類の祖先に現れた共通の特徴だと見なせる。しかも、この目は相手の気持ちを読むことに役立っているのだから、人類の祖先が共感力を高める必要があったことを示している。

ではなぜ、人類は認知能力や共感力を高める必要があったのか。それは、未だに熱帯雨林とその周辺に暮らし続けている類人猿と違って、人類の祖先はサバンナへと足を延ばしたからである。七百万年前にチンパンジーとの共通祖先から分かれ、人類の祖先が初めて手にした人類らしい特徴は直立二足歩行だった。これは長距離をゆっくりした速度で歩くのに適していて、おそらく疎開林からサバンナに出ていくときに広域に分散した食物を探すのに有利だったと思われる。サバンナには逃げ込む木がなく、地上性の大型肉食獣が闊歩している。そのため、限られた避難場所で弱い仲間を隠し、直立二足歩行で自由になった手を使って食物を運び、仲間と分配して共食を始めたと考えられる。ゴリラやチンパンジーも時折食物を分配するが、食物を運ぶことはめったにない。人類は食物を運ぶことで新たな社会性を手に入れた。

それは「見えないものを欲望する」という感性である。目の前にある食物を分配するのではなく、遠くまで出かけて行った仲間がおいしいものを持ち帰ってくれることを期待する。食物を探す者は待っている仲間が自分に期待しているという気持ちを抱く。さらに、持ち帰った食物を食べる仲間は自分で食物があった様子を確かめることはできないので、仲間を信じてそれを食べることになる。ここに、見えないものを情報化する必要性が生じる。言葉のない時代だから、たぶんジェスチャーなどで伝えたのだろうと思う。ただ、そういった情報を相手の気持ちを推し量ることで信じるという心の作用が生まれたはずである。

サバンナではいくら安全な場所に隠れていたとしても、動き回らないわけにはいかないので、肉食動物に襲われる危険は増す。事実、ダートが発見したアウストラロピテクス・アフリカヌスはヒョウやハイエナ、猛禽類に襲われて命を落としていた。であれば、肉食動物の餌食になる他の動物と同じように、人類の祖先もたくさん子どもを作る必要に迫られたと考えられる。系統的に近い霊長類で森林性の種とサバンナ性の種を比べてみると、サバンナ性の種のほうが出産間隔が短く、成長が早く、初産年齢が低いという特徴を持っている（Yamagwa et al, 2014）。人類の祖先もこのような多産の道を選んだに違いない。

出産間隔を縮めるには、授乳期間を短くする必要がある。授乳中はお乳の産生を促すプロラクチンというホルモンが分泌され、排卵が抑制される。赤ちゃんがお乳を吸わなくなれば自然にお乳は止まり、プロラクチンも分泌されなくなって排卵が回復する。類人猿の授乳期間は三〜七年と長いが、離乳した時はもう永久歯が生えているからおとなと同じ硬い物が食べられる。しかし、私たち人間の赤ちゃんは一〜二歳で離乳してしまうのに、六歳まで永久歯が生えないので硬い物が食べられない。今でこそ離乳食がたくさんあるが、農耕・牧畜が始まるまでは乳歯の子どもに食べさせるものに苦労したはずだ。そんなコストを払ってまで離乳時期を早めたのは子どもを量産するためだった。人類は古い時代に多産性を獲得し、現代までその能力を維持しているのである。

だが、人類は肉食動物の餌食になる動物とは違って、子どもの成長を早めなかった。それは成長に時間のかかる脳を大きくしたためである。直立二足歩行は大きな脳をバランスよく支えて移動できる利点がある。人類は長い猿人時代、ゴリラ並みの大きな脳を維持して疎林とサバンナで生き続けた。

脳の成長を優先して身体の成長を遅らせるため、成長期を縮めることがなかった。そして、二〇〇万年前にさらに脳を大きくし始め、さらに成長を遅らせる必要が生じた。それは、直立二足歩行によって骨盤の形が皿状に変形し、産道の大きさを広げることができなかったからである。そのため、胎児のうちに脳を大きくすることができず、生まれてから急速に脳を成長させることになった。私たち人間の子どもは生後一年間で脳は二倍になり、その後徐々に成長を続けて一二～一六歳で大人の大きさに達する。一年間はゴリラの四倍の速さで脳が成長し、その後ゴリラの四倍も長く脳は成長するのである。人間の赤ちゃんが丸々と太って生まれるのは分厚い体脂肪のせいで、これは脳に栄養を送り続けるためにある。さらに、脳の成長を優先させるために身体の成長が遅れることになる。

その結果、起こるのが思春期スパートという現象だ（Bogin, 2009）。一二～一六歳で脳の成長が止まると、身体の成長に多大なエネルギーが供給されるようになって加速する。女の子の方が男の子より二年早く、男の子のほうがピークが高いという特徴がある。この時期は大変危ない時期で、心身の成長のバランスが崩れて病気になったり事故にあったり、精神的に悩んだり、おとなとのトラブルに巻き込まれて死亡する確率が急にアップする（スプレイグ、二〇〇四）。

人類は熱帯雨林からサバンナに進出して多産になり、脳を大きくすることによって、長い離乳期と心身のバランスを崩す思春期スパートという子どもの成長にとって危ない時期を抱えるようになった。頭でっかちの成長の遅い子どもをたくさん持つようになり、親だけでは子育てができなくなって共同で育児をするようになった。これが、今でも人間の社会に普遍的な家族と複数の家族を含む共同体という重層構造の組織ができた理由だと私は思う。この重層構造の社会は人類しか達成できていない。

サバンナに暮らすマントヒヒやゲラダヒヒは単雄複雌の構成を持つユニットがいくつも集合して数百頭の大集団になることがあるが、オスもメスもユニットを離れて連携したり分業したりすることはない。ゴリラは家族的な集団のみ、チンパンジーは家族がなくて共同体的な集団しか作れていない。それは家族と共同体の編成原理が異なるからである。家族は見返りを求めずに奉仕し合う、共同体は互酬性に基づく組織である。この二つの原理は拮抗することがあるので、両立させることが難しい。人類は高い共感力で、仲間の気持ちを推察し、自分も同じような苦境に立つことがあると予想して不利なことを受け入れる能力を持ったのである。

動物は自分の利益を高めるために集団に所属している。利益が落ちれば集団を離れるのがふつうである。ところが、人間は自分の利益を顧みずに集団のために尽くそうという性質を持っている。そのため、集団をいったん離れても、また元の集団に復帰できる。複数の集団を渡り歩いたり、自分が触媒になって複数の集団をつなぐこともできる。こうした社会性は共同の食事と集団の育児によって培われたと考えられる。そして、自己犠牲の精神をもって協力し合う社会力を強化した人類は、脳容量が増加し始めてしばらく経った一八〇万年前に、アフリカのサバンナを越えてユーラシア大陸へと進出したのである。

さて、では人類の脳が大きくなった理由は何だろうか。脳の大きさを表す指標は新皮質と旧皮質の比率であり、新皮質の割合が大きいほど体格に比べて脳が大きい。霊長類学者のロビン・ダンバーはそれぞれの霊長類種の新皮質比と集団の大きさにきれいな正の相関を見つけた（Dunbar, 1992）。つまり、集団が大きくなり付き合う仲間の数が増えると、自分と仲間、仲間どうしの社会関係を記憶している方が有利に生きることができ、その記憶を保持する脳の容量を増す必要が生じたというわけだ。人類の脳は二〇〇万年前に大きくなり始め、四〇万年前のホモ・ハイデルベルゲンシスの時代に現代人並みの大きさ（一四〇〇cc）に達している。人類が言葉をしゃべり始めたのは七〜一〇万年前のホモ・サピエンスの時代と考えられているので、言葉が脳を大きくした原因ではない。集団が大きくなり、社会的複雑さが増したことが主な理由と考えられるのだ。それは共感力の増加にともなうコミュニケーションの発達と同期していただろうと思われる。

面白いことに、人類の脳が増加した過程でそれに対応した集団の規模は現代でも生きている。二百万前に脳が大きくなり始める以前はゴリラと同じ脳容量だったのだから、ゴリラの平均的な集団規模の一〇〜一五人ということになる。このサイズに匹敵するのはスポーツの集団である。互いに身体を共鳴させてチームワークを作り、試合の時は言葉で意図を伝える余裕はない。声や体の動きで意図を伝え合う。二〇〇万年前に脳が大きくなり始めたときは三〇〜五〇人で、これは学校のクラス、宗教の布教集団、軍隊の小隊、会社なら課や部の規模である。毎日顔を合わせていて、顔と性格を熟知している。誰かが欠けたらすぐわかるし、かろうじて集団が分裂せずに行動できる。だから先生や隊長、課長、部長がコントロールできるというわけで、この集団規模も原則として言葉でつながっているわけではない。現代人の脳容量一四〇〇〜一六〇〇ccに対応する集団規模は一五〇人でダンバー数と呼ばれている（Dunbar, 1998）。この数は現代でも食料生産をせずに自然の恵みに頼って暮らしている狩猟採集民の村の規模に匹敵するという。ということは、七〜一〇万年前に言葉が登場しても集団の規模は拡大していないということだ。さらに、農耕・牧畜が始まって急速に集団規模が拡大したはずだが、脳は大きくなっていない。サピエンスにおいては集団規模と脳容量の相関関係が成り立っていないのである。

一五〇人というダンバー数は社会関係資本ソーシャル・キャピタルだと私は思う。何かトラブルに陥ったり、問題を抱えたとき、疑わずに相談できる仲間の数である。これも言葉でつながっているというより、過去に喜怒哀楽を共にし、スポーツ、音楽、共同作業など身体を共鳴させて付き合ったことのある仲間ということになる。一五〇人は上限であり、それ以上ダンバー数は増えない。つまり、言葉や情報通信機器の発達によって人間は集団規模を急速に拡大したが、信頼できる仲間の数は増えていないということなのだ。

3. 集団間の暴力が増加した背景

言語の登場以前に人類の共感力を増加させたコミュニケーションは、対面交渉以外にもある。音楽である。認知考古学者のスティーヴン・ミズンは、ネアンデルタール人が現代人のような言葉を操れなかったものの、歌を歌って豊かな感情生活を送っていたと推測している（ミズン、二〇〇六）。現在見つかっている最古の楽器は四万年前のドイツにあったハゲワシの骨やマンモスの牙で作られたフルートであり、ホモ・サピエンスのものだと考えられている。しかし、ネアンデルタール人もサピエンスと同じく喉頭が下がり、舌骨もあって、私たちと同じように多様な音を発声できる能力を備えていた。サピエンスより脳は大きく、とくに感情を司る後頭部が発達していた。イラクのシャニダールで発見されたネアンデルタール人の化石は、おそらく落石によって体の右側が激しく押しつぶされ、頭部に外傷を負い、片目は失明していた。フランスのラ・シャペルの化石は肋骨を骨折しており、脊柱や股関節や脚の各所に関節症を患っていた。多くの歯が脱落して硬いものが食べられない者もいた。これらの個体は生きながらえるために、食料や水を運んでもらい、ときには手厚い介護が必要となったはずである。痛みを和らげたり、生きる気力を上げるために音楽や歌が利用されたのではないかというのである。

そもそも音楽的なコミュニケーションをするのに楽器は不可欠な要素ではない。あたりを叩いてリズムをとったり、踊ったり、歌を歌うだけで充分である。それは化石には残らないが、人類の進化の初期に発達した可能性がある。直立二足歩行は喉頭を下げてずっと後に言葉をしゃべる能力をもたらしたが、その前に音楽的な声を発声させたはずである。さらに、直立二足歩行は重心を上げて上半身を体の支えから解放し、踊る身体を作ることに貢献した可能性がある。ゴリラもチンパンジーもディスプレイをするときは二足で立ち上がるし、手で胸や木を叩いてリズムをとる。チンパンジーは足を踏み鳴らす。遊びの中でゴリラもチンパンジーもピルエットと呼ばれる、立ってぐるぐる回りをすることがある。こういった能力を人類の祖先は受け継ぎ、直立二足歩行によってさらにそれを踊りに高めたのではないだろうか。

複数で踊るという行為は、相手の身体に共鳴することに他ならない。直立二足歩行は共食を通じて初期人類の連帯意識を高めるとともに、踊る身体と歌う声をもたらして人類の一体感を強める働きをしたのではないかと思われるのである。

さらに、共同の育児が音楽的なコミュニケーションを発達させたという仮説もある。マザリーズ（母親語）やＩＤＳ（Infant Directed Speech：乳幼児への発話）を研究しているアン・ファーナルドは、ＩＤＳにはピッチが高く、変化の幅が広く、母音が長めに発音され、句が短く、繰り返しが多いという言語の違いを超える共通点があると言う（Fernald, 1989）。言葉の意味が分からない乳児は絶対音感の能力でこのＩＤＳを聞いており、育児に携わる者は誰でもＩＤＳを発する能力を持つらしい。共同の育児はＩＤＳという音楽的な発話をもたらし、それは母親だけでなく育児者と乳幼児との間に一体感や連帯感を強める効果があったと考えられる。そして、このＩＤＳが大人の間の音楽的なコミュニケーションとして発達し、あたかも母親と乳幼児の間に生じるような効果を生んだ。お互いの障壁を乗り越えて一つになり、一人では乗り越えられない艱難辛苦にいっしょになって立ち向かうという共同意識である。

今でも音楽や歌は人々が連帯しようとするときに登場する。戦闘意識を鼓舞し、苦戦を強いても自己犠牲をいとわずに戦いに挑む気持ちを高揚させる。世界に音楽を持たない民族はなく、音楽は言葉のように訳す必要はない。音楽は気持ちを伝え、言葉のように意味を伝えるコミュニケーションではないからである。おそらく音楽的コミュニケーションは言葉が登場する前に生まれ、集団規模が大きくなるとともに共感力を高め、人々をつなぎ連帯させる接着剤として大きな効力を発揮したのではないだろうか。

その上で言葉が現れた。言葉の影響はとてつもなく大きかった。言葉には重さがない。遠くにあって見ることができないもの、すでに起こってしまって体験できなかったことを仲間の言葉によって知ることができる。言葉は世界を要素に分けて分類し、それを組み合わせて物語を作ることができる。

因果関係を作って過去・現在・未来を一直線につなぎ、行為に意味や目標を与えることができる。現実には起こり得ない出来事でも虚構として創造することさえできる。言葉によって私たちは世界の見方を大きく変えることになったのである。

言葉にはネガティブな影響力もあった。比喩は物事を単純化して他のものや出来事に転嫁する力を与えてくれたが、同時にたとえによって非難や敵意を増幅させる効果も生み出した。「キツネのように狡猾な」、「オオカミのように陰険な」、「ブタのように貪欲な」というような表現である。人間の性格を動物の比喩によって卑下し、あざけりの対象とすることができるようになった。集団が敵対する時には必ずと言っていいほどこういった比喩が登場する。第二次世界大戦の最中でも「鬼畜米英」といった表現が使われたことを思いだしてほしい。今でも私たちはこのような比喩を使った差別や敵意に悩まされている。

集団間の敵意を増幅させたのは間違いなく言葉であるが、その原因となったのは農耕・牧畜という新たな生業様式にともなって起こった定住と所有であろう。農耕・牧畜が始まる前の数万年間、地球は寒暖の気候が小刻みに繰り返された。それまで狩猟採集生活を続けてきた人類は、温暖な気候で食環境が豊かになると一部は半定住生活をして人口を増やし、冷涼な気候で食物が分散すると移動を増やした。そのうち、人々が繰り返し食物の残渣を捨てていた場所から有用植物が芽生えて栽培化され、イヌやイノシシのような動物が餌付いて家畜化され、肥沃な土地に人々が住み着くようになった。そこで土地に投資し、食料を貯蔵して所有するという現代につながる行為が生まれた。

農業は一定の土地に種をまき、肥料をやって育て、収穫するまでに月日がかかる。雑草を抜き、害虫や害獣を排除して作物を守らねばならない。作物を育てるのに土地には良し悪しができる。そのため農耕に適した土地を個人や集団で所有し、他者や他集団の土地との間に境界を設ける必要が出てくる。狩猟・採集のきままな移動生活に比べて農耕生活は過酷で厳しいものだったに違いない。気候の激変や災害で作物が全滅したり、寄生虫などによる病気がまん延したり、単純な食生活で栄養不良になったりしたであろう。しかし、豊作が重なると余剰の作物を貯蔵できるようになって、徐々に人口が増え始めた。その結果、畑や家畜を増やさざるを得なくなり、境界を超えて他集団の領地へと踏み込むようになる。それが集団間の争いを増加させ、勝利をもたらすために武器や武力集団を作ることにつながっていったと考えられるのだ。

人類の祖先は熱帯雨林の外で生き残るために共同の食事と育児を通じて共感力を高め、家族と複数の家族を含む共同体という重層構造の社会を作った。身体能力を強化しなかった人類は社会力を強化し、その規模を拡大することによって新しい環境へ適応していった。音楽的なコミュニケーションは集団内の結束を強めることに貢献した。言葉の登場は集団間の人の移動を活発化させ、複数の集団をつなぐ役割を果たした。ネアンデルタール人が三万年前に滅んだのは、現代人のような言葉を持たなかったために集団間のネットワークを構築できなかったせいだと考えられている。代わりに世界中に足を延ばした現代人サピエンスは食料生産を始めて定住し、急速に人口を増やすようになった。しかし、社会の規模は拡大しても脳は大きくならず、信頼できる仲間の数は一五〇人以内に留まっている。集団内で信頼を高めるために発達した共感力は外へ向かっては敵意と変わり、言葉によってそれが増幅し、集団が拡大して領土や所有物が増えるとそれを守るための武力を増強して戦争が引き起こされるようになった。これが人類の集団間に最初の戦争が起こったシナリオである。

4. 今、世界で起こりつつあること

集団間の暴力や戦争は首長制や君主制が確立するとともに急増している。今から三〇〇〇～五〇〇〇年前に起こった四大文明の後に、キリスト教、イスラム教、仏教、ヒンドゥー教などの世界宗教が生まれたのは偶然ではない。君主や王権の力が強まり、領土や財産をめぐって争いが拡大すると、支配される人々は過酷な生活を強いられるようになる。飢饉や災害や病気のまん延によって多くの人々が死の淵に立たされる。そうした危機的状況に救いの手を差し伸べ、この世の苦難を耐え忍ぶためにさまざまな教義が生まれ、人々に生きる意味を与えたのが宗教であった。

一八世紀に産業革命が起きて石炭火力によるエネルギーが利用できるようになり、次々に工場が増設されて生活必需品の大量生産が始まり、都市に人口が集中するようになった。大航海時代が幕を開けて、これまで未開とされてきた熱帯地域の国に欧米各国がこぞって進出し、武力を用いて支配権を争った。ただ、この一〇〇年間ほどは大きな世界大戦があったにもかかわらず、集団間に起こった戦争で死亡する人の数は目立って減っているとの指摘がある（ハラリ、二〇一五：Gómez et al, 2016）。それは戦争の方法が直接ぶつかる肉弾戦から、航空機やミサイルなどの遠距離から操作できる爆撃へと変化したせいかもしれない。核の抑止力によって大規模な戦争が起こらなくなったということもあるが、戦争の影響によって居住地を追われ飢餓や病気で死んでいく人の数も考慮に入れる必要がある。戦争と認定されないさまざまな暴力によって迫害される人の数は決して減少したとは思えない。

しかも、今世界で起きているのは情報通信革命による技術革新で戦争の方法が一変しようとしていることである。グローバルな時代を迎えて、世界の企業は一斉に国境を超えて分業体制を敷いた。先進諸国は自国で製品を作らず、人件費の安い発展途上国に工場を作り、半導体など必要な部品をさまざまな国で製造し始めた。地球温暖化による気候変動の影響が懸念されるようになり、石炭火力を天然ガスに切り替え、トウモロコシなどによるバイオエネルギーの需要が高まって、エネルギー供給が国際的に取引されるようになった。人やモノの動きが強まり、どこの国でも海外からの物資に生活の糧を頼るようになった。日本でも食料自給率が四〇%を割り、小麦や大豆などの主要穀物、漁業資源も大きく海外に頼るようになった。アジアやアフリカの発展途上国ではコーヒー、紅茶、アブラヤシのプランテーションが広がり、農業が工業化して種子や肥料を輸入しなければならなくなっている。国際企業に価格をコントロールされるため、いくら生産しても給料は上がらず、自分たちが食べる穀物すら作れなくなっている。そのため、今回のロシアによるウクライナへの軍事侵攻で小麦が輸出できなくなると、アフリカ諸国は一斉に食糧難に陥った。ロシアはＮＡＴＯ諸国への天然ガスの供給を止め、アジアやアフリカ諸国との連携にエネルギーの供給を取引として使い始めた。半導体の不足が表面化して、日本の企業も工場を稼働できなくなった。物資の取引が戦争をめぐる国の連携を左右し始めたのである。さらに、兵力の不足を補うために、難民や貧困層から傭兵を雇いあげて前線に配置する戦略も目立ち始めた。実際の戦争は無人のドローンやミサイルを用いた遠隔攻撃であり、民間人が多く犠牲になっている。前線で戦う兵士は国の威信を背負ってはいない。双方がフェイクの情報を流して事実を隠蔽する。本当の敵がどこにいるのかわからない泥沼の戦いになりつつある。

そこで懸念されるのが文化の無国籍化である。現在、世界の人口の半分は都市に暮らしており、都市はどこでも同じように機能化されたビル群によって構成されつつある。ニューヨークでもロンドンでもパリでも東京でも、人々は同じようなファッションを身にまとい、同じようなファストフードを食べ、世界中の民族料理を楽しんでいる。スマホを片手に世界中から情報を集め、同じようなニュースに一喜一憂する。しかも、個人の情報はスマホやカードを使う度に情報産業に吸い取られ、その情報が利用されて同じような方向へ誘導されていく。都市文化にもはや地域性は反映されなくなった。

今まで文化は人々のアイデンティティを形作り、その文化に生きる人々をつなぐ接着剤だった。文化は人々の意識の中に埋め込まれた価値観であり、それは行為になって現れる。しかし、文化を相対化したり数値化するのは難しく、身体の共鳴や共感によって伝わるので一五〇人というダンバー数を大きく超える社会で共有することはできない。文明が政治権力や政治組織によって広がっていくのとは対照的に、文化には権威ができるだけで地域に留まる傾向がある。だからこそ日本には数々の政治変動があったにもかかわらず、多くの地域文化が現代まで生き残ってきたのだ。

しかし、それがグローバルな時代にあって消滅の危機に瀕している。二〇〇一年にパリで開かれたユネスコ総会では「文化的多様性に関する世界宣言」が採択されている。その第一条には「生物的多様性が自然にとって必要であるのと同様に、文化的多様性は、交流、革新、創造の源として、人類に必要なものである」とあり、第七条には「創造は、文化的伝統の上に成し遂げられるものであるが、同時に他の複数の文化との接触により、開花するものである」と記されている。つまり、文化は自然と同じように多様でなければならないが、内向きではなく、他の多様な文化と接触して新たな世界を創造しなければならないということだ。それが暴力と戦争を防止することにもつながると思う。

5. 暴力と戦争を抑止するために

グローバルな時代にあって、私たちはしだいに人間への信頼を失いつつある。つい最近まで私たちは信頼できる人を頼って暮らしてきた。病気になってもけがをしても、商売に失敗し破産しても、誰かが助けてくれると思ってきた。だから、失敗を恐れずに冒険したり、賭けに出たりしたのかもしれない。しかし、都市に人々が集中し、アパートやマンションが林立して隣近所との付き合いが無くなると、人ではなく制度やシステムに頼るようになった。カードがその保障である。制度やシステムと契約するとカードが支給されて、その会社が提供するサービスが受けられる。カードは銀行の口座と直結していて、サービスの対価が自動的に口座から引き落とされる。人々はローンを組み、保険に加入して、未来の生活保障と危機への対処をするようになった。信頼社会から契約社会への移行である。

二一世紀に入って日本ではその傾向がますます顕著になった。「無縁社会」という言葉が流行ったが、今日本ではかつて人々をつないでいた三つの縁（地縁・血縁・社縁）が崩れつつあるのだ。明治維新の富国強兵政策で都市に集められた若者の子孫はもう四世代、五世代目になった。彼らにはもう曾祖父たちが抱いたふるさと願望はないし、実際にふるさととつながっている人も少なくなった。結婚式も葬式も親族一同が集まらずに小規模で行うことが多くなったし、コロナ禍でその傾向は一層強まった。非正規雇用が四〇％を超え、新入社員の三割が三年以内に離職や転職をする時代である。もはや生涯一つの会社に奉職しようと考える若者は少なくなっていると考えられる。だからこそ、若い世代は地縁にも血縁にも社縁にも頼れず、新たな縁を求めて情報を追い求めている。スポーツやコンサート、お祭りやイベントなど、同じ志向性を持つ人々が集まる場所に人々が行きたがるのは、刹那的にでもきずなが感じられる機会を持ちたいと思うからかもしれない。

人々が集まれば力が生まれる。それが大きくなれば政府を転覆させる事態に発展しかねない。だからこそ、香港やミャンマーの抗議集会は政府によって厳しく弾圧され、逮捕者や死者が続出したのだ。国は統制を強めるために人々のつながりを断ち、個人を無力にする。そのために契約社会を強化しようとする。契約の向こうに人はいない。制度やシステムがあるだけだ。そこに人々がぶら下がれば、制度を変えるだけで人を動かせる。人々が無力になればなるほど、制度やシステムの力は強くなる。そして、それが国の安全保障という枠の中で働きを強めると、人々は国と国との競争に巻き込まれることになる。最悪の事態が戦争である。本来なら人々の安全と幸福をもたらすはずの制度やシステムが、人々を犠牲にして国の威信を守ることにまい進するようになるのである。

第二次世界大戦で日本はその大きな誤りを犯した。科学者たちは自分たちの考えや科学技術が戦争推進のために使われていることを承知していながら、それを止めることができなかった。その深い反省から、一九四九年に発足した日本学術会議は翌年「戦争を目的とする科学の研究は絶対にこれを行わない」旨の声明を、また一九六七年には同じ文言を含む「軍事目的のための科学研究を行わない声明」を発出した。ところが、二〇一五年に防衛装備庁が「安全保障技術研究推進制度」を発足させ、将来の装備開発につなげるという明確な目的に沿って公募・審査が行われるようになった。研究成果の公表を妨げず、民間への転用も可としているが、外部の専門家でなく同庁内部の職員が研究中の進捗管理を行うなど、政府による研究への介入が著しく、問題が多い。そこで日本学術会議は再び学術と軍事が接近しつつあり、大学等の研究機関における軍事的安全保障研究が、学問の自由及び学術の健全な発展と緊張関係にあるとし、前の二つの声明を継承するという声明を二〇一七年の三月に出した。

同年の一〇月に日本学術会議の会長に就任した私は、この声明を引き継ぎ、大学などの各研究機関や学協会などの科学者コミュニティに向けて、この問題について議論してほしい旨を要望した。さまざまな場で議論が起こり、軍事的安全保障研究についてのガイドラインができたり、この声明は科学者の自由な研究を阻害するとの意見が多数を占めたりすることもあった。その後、台湾をめぐる米中の緊張関係が高まり、北朝鮮のミサイルによる挑発、ロシアのウクライナへの軍事侵攻など、日本の安全保障への懸念が強まって防衛費が増加され始めている。学術が人々の安全や幸福に寄与することは間違いない。しかし、その使い方を間違えれば、戦争という大きな悲劇が幕を開ける。そのことを肝に銘じて、これからも科学者は社会と共に真摯な議論を続けて行かなければならないと思う。

さて、私が考える戦争の抑止策は多様な文化の尊重と保全、そして活発な文化間の交流である。それには社交を活性化して人々をつなぐ必要がある。

社交とは何か。日本の劇作家である山崎正和は『社交する人間――ホモ・ソシアビリス』（二〇〇三年）の中で、社交とは「人間のあらゆる欲望を楽天的に充足しつつ、しかしその充足の方法のなかに仕掛け（礼儀作法）を設け、それによって満足を暴走から守ろうという試み」と定義している。「社交の中では人々は互いに中間的な距離を保ち、いわば付かず離れずの関係を維持することが期待されている」し、「参加者はみずからの表情も発言も、内面の感情そのものもその起伏に合わせ、協力してリズムを盛り上げねばならない」。そして「行動の全体をまるで音楽のように一つの緊張感で貫く」と述べている。これはまさに、前述した人間の共同体が音楽のようなリズムで成り立っていることを表現している。「社交とはリズムである」とも「文化とは社交である」とも山崎は述べている。文化とは人々が言葉による情報ではなく、身体や心を音楽的なリズムで共有する社交を通して作られ、維持されるものなのだ。

二一世紀は「遊動の時代」だと私は思う。グローバルな世界の動きの中で、情報通信技術を駆使して人々は自由に動き回れるようになった。都市に人口が集中するとは言え、新型コロナウイルスによるパンデミックで地方に拠点を持つ人々も増えている。テレワークやワーケーションに慣れて、職場に常にいる必要はなくなった。これからは複数の拠点を持ち、仕事も学びも趣味も同時にこなす複線型人生を選ぶ人が多くなる。三つの縁が薄れ、多業・兼業の時代になれば、人々はネット上でつながり、複数のコミュニティに同時に属して身軽にわたり歩いて行くだろう。定住や所有はあまり重要な意味を持たなくなるかもしれない。どこへ行っても必要なものは現地調達できるし、あらかじめ送ればいいのだから、ふだん使わないものを貯め込む必要はなくなる。シェアをして使いまわせばコストも下がる。

文化や国を超えて人々が交流し、シェアするモノが人々をつなぐ。すると、人々が共有するコモンズが増えていく。その先にあるのは人類が農耕・牧畜を始める前の狩猟採集社会の精神である。もちろん自然の恵みだけに頼っていた時代に戻るわけではない。しかし、人々が頻繁に移動し、物が現地で得られるのであれば、狩猟採集社会と似たような環境になるとも言える。であれば、モノをシェアし、権力を嫌う平等社会が希求されるようになるかもしれない。人間の信頼できる仲間の数はダンバー数より増えていない。現代人はまだ小規模な社会にしか適応できていないのだ。それを無理やり拡大しようとして契約社会を作ってしまった。今はまた共助の精神を発揮して信頼社会を目指すべきだ。国境を超えて頻繁に人々が移動して交流し、多くの文化がつながれれば、異なる宗教や文化への敵意も軽減するはずである。そこで考慮すべきはアマルティア・センや緒方貞子が言うように、国の安全保障ではなく、人間の安全保障なのである。七十年以上も戦争に加担してこなかった日本は、世界の多くの人々に社交の場を提供し、平和へのイニシアチブをとらなければいけない。科学者はそれを先導する義務があると思う。

参考文献

Bartholomew GA, Birdsell JB (1953) Ecology and proto-hominids. *American Anthropologists* 55: 481-498.

Bogin B (2009) Childhood, Adolescence, and longevity: a multilevel model of the evolution of reserve capacity in human life history. *Amer J Hum Biol* 21: 567-577.

Brain CK (1981) *The Hunters or Hunted?* Chicago: The Chicago university Press.

Dart RA (1949) The predatory implemental technique of *Australopithecus. American Journal of Physical Anthropology* 7: 1-38.

Dart RA (1953) The predatory transition from ape to man. *International Anthropological and Linguistic Review* 1: 201-217.

Dart RA (1955) Cultural status of the South African Man-Apes. *Annual report of the Smithsonian Institution* 1955: 317-338.

Dunbar RIM (1992) Neocortex size as a constraint on group size in primates. *Journal of Human Evolution* 22: 469-493.

Dunbar RIM (1998) Social Brain Hypothesis. *Evolutionary Anthropology* 6: 178-190.

Fernald A (1989) Intonation and communicative intent in mother's speech to infant: is the melody the message? *Child Development* 60: 1497-1510.

Gómez JM, Verdú M, González-Megías A, Méndez M (2016) The phylogenetic roots of human lethal violence. *Nature* 538: 233-237.

Kobayashi H, Koshima S (2001) Unique morphology of the human eye and its adaptive meaning: comparative studies on external morphology of the primate eye. *J Hum Evol* 40: 425.

Lee RB, DeVore L (1968) (ed) *Man the Hunter*. Chicago: Aldine.

Yamagiwa J (1992). Functional analysis of social staring behavior in an all-male group of mountain gorillas. *Primates* 33(4): 523-544.

Yamagiwa J, Shimooka Y, Sprague DS (2014) Life history tactics in monkeys and apes. In: Yamagiwa J, karczmarski L (eds), *Primates and Cetaceans: Field Research and Conservation of Complex Mammalian Societies*, Springer, Tokyo, pp. 173-206.

デビッド・スプレイグ（二〇〇四）『サルの生涯、ヒトの生涯——人生計画の生物学』京都大学学術出版会

ユヴァル・ノア・ハラリ（二〇一五）『ホモ・デウス——テクノロジーとサピエンスの未来』（上下巻）柴田裕之訳、河出書房新社

スティーヴン・ミズン（二〇〇六）『歌うネアンデルタール——音楽と言語から見るヒトの進化』熊谷淳子訳、早川書房

6. 日本の女性の地位はなぜこんなに低いのか？——国際比較の中の日本のジェンダー

上野 千鶴子

羽場：上野千鶴子先生は、知らない人はいない、日本のジェンダー研究の第一人者です。その鋭い舌鋒と人を惹きつけるすばらしい語り口はきわめて有名で、東京大学入学式の講演は大反響を呼びました。『女の子はどう生きるか』『こんな世の中に誰がした？』など、次々に日本社会の問題点を問う著書を発表されています。また、社会学者でいらっしゃいますが、戦争や平和の問題についても発言されています。

本日は、「日本の女性の地位はなぜこんなに低いのか？」という重要なテーマで講演していただきます。上野先生、どうぞよろしくお願い申し上げます。

東京大学女子合格者二割の壁

今回はお招きいただきありがとうございます。「日本の女性の地位はなぜこんなに低いのか？　国際比較の中の日本のジェンダー」というテーマでお話しすることになりました。

それというのも私は二〇一九年度の東京大学入学式の来賓祝辞でバズりました(1)。東京大学が私を招聘した理由は、長期にわたって東大女子比率が二割の壁を越さないことを問題にしていたからです。

進学率の推移を見ますと、高校はほぼ全入状態です。二〇二二年度の学校基本調査によると、男子四大進学率は五九・七％、女子四大進学率は五三・四％と差があります。他方低下傾向にあるのが女子短大進学率で、女子四大進学率と逆転したのが一九九〇年代の半ばです。今でもこれだけ男女の間にポイントの差があるのは、日本の高等教育にはすごくお金がかかるために、親の教育投資に息子と娘では傾斜配分があるという結果です。九〇年代以降、女子の四大進学率が急速に伸びているのに、東大だけが横ばい、二割弱を低迷しているという実態です。

過去一〇年のデータを見てみるとずっと「二割の壁」を越さず、私がスピーチした年は一七・四％、その翌年二〇二〇年にフタを開けて見ると、一九・一％とほんのちょっと増えました。効果があったのでしょうか。その翌年二〇二一年も二〇・〇％と増えましたが、二〇二二年には一九・八％とまた減少、二〇二三年には二三％と「二割の壁」を超えましたが、変化は微々たるものです。東京大学入試に不正はありません。女子受験生の比率が少ないので、結果として合格者の比率が少ないだけです。東大関係者のなかには、東京大学は女子の受験を禁止しているわけではないから、「自己決定・自己責任」の結果にすぎない、大学が問題にするにあたらないと言う人もいます。

ジェンダー教育学の知見

本当にそうでしょうか。諸外国の大学進学率を比較すると、日本の大学進学率は韓国に抜かれました。欧米諸国の大学進学率は軒並み七割から八割近くに達しています。男女差を見ると、ほとんどの諸外国では、女子の高等教育進学率のほうが男子より高いのです。女子の成績のほうがいいから当然のことだろうと思います。ただし、日本だけが男子のほうが女子よりも進学率が高く、男女が逆転しています。今日の世界的な教育問題は、男子の中等・高等教育崩壊です。高校の中退率は男子の方が多く、男性低学歴層が生まれています。ところが、日本だけは男女が逆転しているという極めて例外的な状況です。なぜかと考えてみると、一八歳のときに東大にチャレンジしようと思う以前に、生まれ落ちた時から「なんだ、娘か」「女の子は三文安い」などと言われて、それ以来一八年間、女は女らしく男は男らしくて育ってきて、一八の歳になるまでの間に、東大にチャレンジしようかという気持ちを女の子が持てなくなってきていることが問題なのです。

これを「ジェンダー・ソーシャライゼーション（性別社会化）」[2]と言います。進路指導の先生が誘導することもあります。浪人経験率に男女差があるのはご存知と思いますが、背伸びしてもう一年頑張ってみようとしても、「キミは女だから無理しなくていいだろ」と言われます。教科や教科書は相当平等になりましたが、それでも校長は男、平の教員が女という構造は変わりません。何が問題かと言えば、子どもたちが小さい時からトップに立つのは男でそれに従うのが女だという日常を日に日に目の前にして育つことです。これを「隠れたカリキュラム」といいます。「無意識のバイアス」もあります。女子で理系の成績がよいと「変わっているね」と余計な一言を言われます。こういうことを通じて、「アスピレーションのクーリングアウト」つまり達成欲求の冷却効果があらわれます。どんな子どもにでもある学びたい、育ちたい、何事かを達成したいという意欲に、足を引っ張られ水をかけられた結果、一八歳までの年齢にすでに東大にチャレンジしようとする女子が少なくなるというわけです。ジェンダー教育学は、このような知見を積み重ねてきました。

ジェンダー心理学にも興味ぶかい知見があります。男は自分を実際以上に大きく見せたがる、女は自分を過小評価する傾向があるということです。その結果「どうせ」「しょせん」が女のキーワードになります。抜擢人事を男に示して辞退する男性は少ないでしょうが、女性は「私なんて」と一言いうことになっています。ですから企業の研修では、女性に昇進をオファーするときには、同じことを三度言え、と管理職に指導しているところもあるくらいです。

東京医大不正入試問題(3)

二〇一八年には東京医科大不正入試問題が発覚しました。女子と多浪生を一律減点するということをつい近年までほとんど公然とやっていたということがわかりました。放置できないので文部科学省が全八一医科大・医学部調査調査をしました。受験生の女子比率と合格者の女子比率が完全に一致していれば一・〇になります。東京女子医大は当然一・〇になります。東大は限りなく一に近いので入試不正はないと思われます。東京医科大は一・二九、もっとひどいところがいっぱいありました。女性弁護団が支援して訴訟を起こし受験生の側が勝訴し、大学が賠償金を払うことになりました。

私たち、日本学術会議の女性会員、わたしもその一人でしたが、こういう差別をやっているのは医学部だけではないだろう、企業でもメディアでも民間でもやっているのではないかと、「横行する選考採用における性差別：統計から見る間接差別の実態」(4)という緊急シンポジウムを実施しました。企業の総合職採用競争倍率にも性別によって差がありました。女性の方が厳しい選抜を受けています。シンポのポスターに「立ち入り禁止」と書いてあるように、入口の時点ですでにこれ以上入れないというのを「ゲートコントロール」と言います。

その翌年、都立高校に女子枠があるということが分かりました。[5] こういうことが長年にわたって堂々と行われていたのです。東京都知事は女性ですが、バレたら即刻廃止するかというと、「段階的廃止」となって、がっくりしました。つい近年までこんな不当な差別が公立学校でまかり通っているなんて、信じられないことが日本ではずっと続いてきました。

「202030」は可能か

「202030」[6] はご存知でしょうか。小泉政権時（二〇〇三年）に「二〇二〇年までにあらゆる分野における指導的地位の女性の割合を三〇%に」という政府の掲げた数値目標です。二〇二〇年はすでに過ぎました。これを聞いたときの私の最初の感想は「えっ、なんで2050じゃないの？」というものでした。当たり前です。女は半分いますから、五〇で当然です。

とはいえ組織論的に言うと、三割という数値には意味があると言われています。ある集団の中で少数派が三割を超すと少数派が少数派ではなくなり、その集団の組織文化が変わる分岐点だということです。にもかかわらず、日本ではその三割さえ達成できません。

日本学術会議では、本当にそんなことができるのかと二〇一六年に「202030は可能か？」というシンポジウムを実施し、行政、政治、企業、メディアその他もろもろの分野の専門家に、現状の検討と展望を話していただきました。そうしたら全員の答えが「不可能」と一致しました。現状があまりにひどすぎるので、達成できる可能性がない、という専門家の予想通りになりました。政府は目標年を一〇年先延ばししましたが、変化は微々たるものです。

日本はこのていたらくですので、世界経済フォーラムが毎年発表する男女平等格差の国際ランキングでは、また下がった日本のランクという数字です。日本の状況がどんどん悪くなっているわけではありません。徐々に良くなってはいるのですが、他の国の変化が早いため、日本の変化が遅すぎて取り残されているというのが実状です。

男女賃金格差が大きい理由

正社員の男女賃金格差を見ると、男性一〇〇に対して女性七五と、徐々に縮小しています。ですが国際比較をすると日本よりも格差が大きいのは韓国のみ、日本は下から二番目です。他の国を見ると男女賃金格差が五％以内に収まっているようなところもありますから、日本の賃金格差は極めて大きいと言えます。

その理由はいくつもありますが、まず高給とりの女がいないことです。諸外国と比べてみると、日本の女性管理職比率の低さが際立っています。それというのも、女は早く仕事を辞めるから昇進も昇給もしないのだという言い分があります。かつて日本は出産育児期にいったん離職した後職場に再復帰する「M字型雇用」の社会だと言われていましたが、今はM字型を脱して、台形に変わっています。昔のように出産で離職する女性が激減しました。

二〇〇〇年代の初めまで第一子出産離職率はほぼ六割でずっと横ばいでした。長期にわたってほとんど状況が変化しなかったのですが、二〇〇〇年代に入って急に一〇ポイント以上低下し、四割台になりました。それというのも、リーマンショックによる不況のせいでしょう。夫の賃金が減少し、女も働かざるを得なくなってきたということでしょう。その過程で育休取得率が高くなりました。該当者の女性のほぼ八割以上が育休をとっています。増えないのが男性です。二〇二三年の男性の育休取得率は一七％になっていますが、この中には三日から四五日未満の短期の取得も含まれています。

女性の地位が低い理由のひとつは、女性の非正規雇用率が非常に高いことです。八〇年代以降、長期にわたって、男も女も増加傾向にありますが、非正規労働者の七割が女性、そして女性労働者の約六割、一〇人に六人が非正規です。安倍政権の下で、彼は「雇用をふやした」と胸をはりましたが、正規雇用は横ばいで、増えたのは非正規ばかりです。非正規の何が問題かと言うと、同じ仕事をしていても賃金格差が大きいことです。非正規は正規の二分の一から三分の二、この格差に経済合理的な根拠はないため、身分格差というほかない、というのが研究者のほぼ共通した見解です。

大学も非正規雇用が増加し、労働崩壊の現場となっています。非正規の職員や非常勤講師に依存しながら、その人たちがどれほど劣悪な待遇の下で雇用保障のない働き方をさせられているか、阿倍彩さんが研究しておられます。

Single Income から Double Income へ

なぜ多くの女性が働いているかと言えば、夫のシングル・インカムだけで家計を維持することができなくなったからです。妻の家計補助収入がなければ維持できないために、日本は共働き世帯がマジョリティになりました。

生産年齢人口の女性の就業率を見ると、日本はあれよあれよとヨーロッパを抜き、アメリカを抜いて、働ける年齢の日本女性の一〇人に七人が働いています。繰り返しますが、一〇人に七人が働くなかで、さらにそのうちの一〇人に六人が非正規雇用という不利な働き方をしているというのが、日本の現状です。

それでも妻の家計補助収入がなければならないという理由は、夫の収入が下がったからです。ピーク時に比べると年収レベルで一〇〇万違うというから、ずいぶん大きいと思います。

結果として、家族形成にコストがかかるようになりました。今女性の平均初婚年齢が二九歳、男性が三〇歳すぎですが、三〇代の男性の家族形成率を見ると、既婚率と男の収入が見事に相関しています。ですから、家族を作れる人と作れない人との間に階層格差が出てきたということです。

社会学には「ダグラス＝有沢の法則」[7]という経験則がありますが、それは日本では女が高学歴であればあるほど結婚すれば専業主婦になる確率が高いという経験則でした。せっかく高等教育を受けたのに、それを社会で生かす場がないのは、教育投資の無駄だというのが、あの医学部入試における女子差別の一つの根拠でした。夫の年収と妻の有業率とが逆相関していたのは一九八二年のデータ、八〇年代まではこの経験則は正しかったのです。

ところがその後、夫の年収の全ての階層で妻の有業率が上がってきています。つまりこの二〇、三〇年の間に大きな変化が起きたことがわかります。ダグラス＝有沢の法則は完全に過去のものになりました。

結果として、男性が女性を選ぶときの配偶者選択の条件に、容貌体型とか女子力とか家事ができるということだけではなく、女性に稼得力があるという条件が上位に入ってきました。ヨーロッパではこういう傾向がとっくに起きています。そうなると、既に個人の間で格差が大きいのに、それがカップルになると、例えば年収一〇〇〇万プレイヤーの夫に一〇〇〇万プレイヤーの妻がつくパワーカップルでは、格差はもっと拡大します。たぶん今の女子学生の方たちは卒業後、就労継続を前提に生きておられると思いますが、さきほどのデータを見たら、男性の方も妻にも働いてもらいたいと思うでしょう。内閣府では少子化対策のために男が女にどうやってアプローチするか、壁ドンコーチまで教えろと、バカな社会学者が言って炎上していますが[8]時代錯誤だと思います。今の天皇が妻の雅子さんにプロポーズした時の台詞が「一生お守りします」というものだったそうですが、「一生お守りします」という言葉を聞いて「胸キュン」となるか、それとも「ゲッ」となるか、皆さん方にどちらかと聞いてみたいぐらいです。今どきだと男の子たちも、「一生お守りします」なんてもはや怖くて、口にできないと言います。そのぐらい、あなた方の親の時代とは変わったと思ってください。

どんな女性が子どもを産むか？

どんな女性が子どもを産むかという研究も重要なテーマです。政府の外郭団体の家計経済研究所が不況期の一〇年間、未婚女性の同じ対象を一〇年間追いかけました[9]。その結果分かったのは、一〇年経ってみると正規雇用を持っている女性たちのほうが非正規雇用の女性に比べて、より結婚確率が高く、より出産確率が高いということでした。非正規雇用の女性たちのほうが結婚願望が高いのでは、と皆さんは思うかもしれませんが、非正規雇用の人たちはその分だけ3K志向というか、将来の配偶者に高い期待を持つ傾向があります。そうなるとその分だけ期待を満たす出会いの確率は減っていきます。

わかったことは保守的な結婚観を持つ男女ほどより結婚確率が低いということでした。保守的な結婚観とは、「男は妻子を養わねばならぬ、女は家事育児を一手に引き受けなければならぬ」という結婚観です。調査の結果わかったことは、正規雇用を持った女性は安定した定職定収入があるために、将来の自分の配偶者に高望みをしないで適当なところで早々と手を打つことができる、かつ長期のライフプランを立てやすいので出産育児に対するインセンティブがある。したがって、結婚しやすく出産しやすいという事実でした。ものすごく納得のいく発見だと思いませんか。この調査結果から得られる処方箋は、女性に子どもを産んでほしかったら、女性に正規雇用をちゃんと保証せよということになります。安定雇用を確保した上で長時間労働させるなということになるはずですが、今の日本はそれとは正反対の方向を向いています。

一九八五年という年は一体何だったのか

ちょっとおさらいしてみましょう。皆さん方が生まれる前に「国連女性の一〇年」[10]が始まり、均等法など、男女平等法制は年表で見る限りにおいてはそれなりに整備されてきています。直近では困難女性支援法[11]もできましたし、刑法改正も成立しました。にもかかわらず自分の周りであんまり変化を実感できないのはなぜかというと、これらの法律のほとんどが罰則規定なし努力義務のみのザル法だからです。つまり実効性を欠いた法律だからです。

同じ時期に、労働法制を見てみると、雇用機会均等法[12]と同時に労働者派遣法[13]が成立し、それ以降、雇用の規制緩和が進行しました。その結果、今日、派遣事業はほぼ全職種で可能になり、一日派遣もOKというような状況になったわけです。

こうやって年表を見比べてみると、ジェンダー平等法制の整備と雇用の規制緩和とは手に手を取り合って進んできたということがわかります。

回顧的に一九八五年という年は一体何だったのかと言えば、今から思えば「女性の分断元年」「女性の貧困元年」「女女格差元年」であったと言えます。私の『女たちのサバイバル作戦』という本[14]は、均等法ができてから三〇年間の日本の女性の働き方について、痛恨を込めて書いたものです。帯に「総合職も一般職も派遣社員もなぜつらい、追いつめられても手をとりあえない女たちへ」とあります。つらいのは派遣社員だけではありません。こういう分断を作ったのは政治です。

格差社会は人災！

結果として何がおきたでしょうか。日本は約三〇年かけてジェンダーにもとづく二重労働市場を作りました。日本には戦後ずっと企業規模の大小と学歴格差によって二重労働市場がありましたが、そこに性別が加わりました。非正規労働市場に女が大量に参入してきました。政府は女に働いてもらいたい、だがつごうよく働いてもらいたいと思っています。この改革を進めたのが、ネオリベラリズム政権というものです。ネオリベ政治家と保守政治家の決定的な違いは、ネオリベ政治家は口が裂けても「女よ、家庭に帰れ」とは言わないことです。そのネオリベ政治が女性に要求するのは、「産め、育てろ、働け」です。「こんなのやってられない」と女の人が思うのも無理もありません。私たちは三〇年かけてこういう格差社会を作りあげました。

『新・日本の階級社会』という本[15]を、橋本健二[16]さんという社会学者が書きました。データをもとにこれでもかと日本が階級社会になったことを証明しています。読んでみてください、背筋が寒くなります。階級という概念はマルクス用語ですが、二一世紀になってから階級という言葉が蘇りました。橋本さんは今の日本には一〇〇〇万人近いアンダークラスが生まれたと言います。アンダークラスはどういう人たちかというと、泣いても喚いても階層上昇の梯子段をよじ登れない人たちのことです。

ここに女がつくと、シングルマザーとかアラフォーとか単身女性がそのような条件に当てはまることになります。こういう格差社会は政治がもたらした人災と言ってよいでしょう。これまでの社会に若い人たちは責任がないでしょうが、皆さん方も有権者ですから、これからの社会には責任があります。こういう結果をもたらした政権を支持してきたか、もしくは投票に行かないことによって黙認してきた責任があります。

「配慮」という名の差別

女性の働く現場はどうなっているでしょうか。

研究した社会学者が大槻奈巳[17]さんです。女性が職場で活躍できないのは家庭責任があるから、職場の外に原因があるからだと言われてきましたが、大槻さんは「いや、そうじゃないだろう、女性を活躍させない理由は職場のど真ん中にあるんじゃないか」という仮説を立てて、それを実証しました。

彼女がやった研究は、全く同じ条件で採用された総合職の男女、ＩＴ企業の男女システムエンジニアの一〇年後の比較研究をやったところ、わかったことは、女性ＳＥは保守点検業務に固定され、男性ＳＥは新規プロジェクトのような挑戦的な部署に配置され、結果として一〇年経つとスキルの差と給与や地位の差がついていたと。あたりまえです。人間は置かれた場所で能力を延ばしますから、「男向け配置・女向け配置」を誰かがやることによって、差がついたわけです。職場に出てからもこういう差別が行われます。「無意識のバイアス unconscious bias」から、「配慮という名の差別」が行われます。その結果、Aspiration（達成欲求）の Cooling out（冷却効果）が起きます。

こういうことをやる中間管理職の男性たちを「おっさん粘土層」といいます。私は企業のトップに会う機会がありますが、トップの考えは比較的柔軟です。なぜかというと、社会の変化を感じているからです。けれども、中間管理職がなぜ粘土層かというと、上からくるさまざまな情報や指令が、そこから下に行かない、水が浸透しないからという理由です。決して年配の六〇代、七〇代の人たちばかりではありません。せいぜい四〇代から五〇代ぐらいの結構若い男性たちで、この人たちは再生産されています。一番長い時間会社にいるから会社のことはよく知っているでしょうが、外の社会の動きをあまり知らない人たちです。こういう人たちが現場で女性の意欲を冷却しています。

Mommy Track への塩漬け

同じようなことが育休復帰をした女性たちの間でも起きていました。

さきほども言ったように、若い女性たちは権利意識が強くなりましたから、育休は該当者の八割以上が取得しています。しかし育休後、一年で復帰したからといって育児が終わるわけではありません。

中野円佳さんは『「育休世代」のディレンマ　女性活用はなぜ失敗するのか』[18]で、男性並みの意欲と能力を持って総合職になった女性が、育休取得後、離職する理由を実証研究しました。復帰後、彼女たちは時短職場に配置され、「マミートラック」にはまります。いわば戦力外通知を受けて、二流の労働力として扱われるわけです。そこで意欲の高い女性ほどプライドを傷つけられて離職して行きます。かえって、その現状に甘んじた女性だけが長期勤続になるという、皮肉な事態が起きています。この「マミートラック」というお母さん向けコースにはまったら、なかなか抜け出せません。それでもこの人たちはまだ育休を取る資格のあった人たちですけれども、非正規雇用の人たちは育休取得の資格そのものがほぼありません。もし妊娠したら、妊娠を理由に差別するのはマタハラにあたりますから、企業はそんなあからさまなやり方はしません。雇い止めや契約満了を理由に解雇します。実質的に出産離職で職を失う女性たちが非正規の女性たちにはたくさんいます。いったん離職したら日本はフルタイムへの復職が難しい、またいったんマミートラックに入ったら敗者復活戦が日本は非常に難しい社会です。

橘木俊昭[19]さんは『女子の選択』[20]で、離職はこれだけ損、生涯年収で二億円の差が付くと警鐘を鳴らしておられます。「二億円ってホンマか」と思いますが、データから裏付けられているということです。そうすると、女性にとっても生涯年収が二億円違うということは、自分のライフスタイルに影響しますし、子どもの教育水準も違ってきます。それから夫にとっても、二億円分生涯年収のある妻とない妻のどちらを選ぶかは、自分の人生のライフスタイルを大きく変えるでしょう。

日本型雇用とは何か？

その背後にあるのは、日本型雇用というシステムです。今日、社会学者や経済学者のほぼ共通の結論は、日本型雇用が諸悪の根源であるというものです。私も経済誌から取材を受けて、「日本型雇用は岩盤規制だ、男性稼ぎ主モデルでは日本企業は沈没する」と警鐘を鳴らしました[21]。

日本型雇用とは何かと言うと、以下の三点セット、①新卒一括採用にもとづく終身雇用、②年功序列給与体系、③企業内組合からなる雇用慣行、簡単に言うと、一つの組織に長くいればいるほど後払いで得をするシステムです。

ここにはジェンダーが関与するとは書いてありません。しかし私たちジェンダー研究者は、性差別を以下のように定義します。あるシステムやルールが、男性もしくは女性のいずれかの集団に著しく有利、もしくは不利に働くとき、そのシステムやルールを性差別的と呼びます。日本型雇用は、結果として組織的・構造的に女性を排除する効果があります。したがって間接差別[22]、統計的差別によって性差別的だと立証することができます。これを比較研究した経済学者が川口章さん[23]という優れた経済学者です。その名もズバリの『ジェンダー経済格差』で、日本企業をざっくり差別型企業と平等型企業の二つに分けて比較しました。差別型企業には、ほとんどの日本のブランド企業が当てはまります。勤続年数が長く、福利厚生の手厚い大企業が入ります。他方、平等型企業は中小新興のベンチャービジネスのような企業で、転職率が高く中途入社が多く、社員の共働き率も高い傾向があります。

結果、わかったことは以下のような事実でした。女性を積極的に登用し、男女にかかわりなく人材育成し、女性にも創造性の高い仕事を与え、セクハラ対応に周知し、女性正社員比率が高く、女性管理職比率が高く、三五歳男女賃金格差が小さい企業ほど売上高経常利益率が高い。企業は利潤追求が組織目標ですから、利益率が高いということは経済合理性が高いということです。

日本企業が変わらない理由

それでは、差別型企業は経済合理性が低いところから高いところに、自ら自己変革して移行するだろうか、という問いを立て、川口さんはそれに恐るべき答えを出しました。差別型企業は平等型企業に移行しない、なぜなら変化する動機付けがないからです。自ら変わらなければという内的な動機づけがなければ、どんな組織も変化しません。ではなぜ変化しないかというと、差別型企業は、それはそれでひとつの均衡系をなしており、それで回っているので、「変えられない、変わらない」、「止まらない、止められない」、つまり変わる理由がないのです。利益率が低くても赤字を出しているわけではないので、自ら変わる動機づけがないということです。女性を使う企業のほうが合理性が高いことはわかっているのに、日本の企業は経済合理的に行動するわけではないのだということがわかりますが、かえってなぜという謎が深まります。

女性の活用が利益を生むことは、他にもいろいろなデータから証明されています。日本政策投資銀行のデータが有名ですが、新商品開発の特許チームが男性のみで出来上がっている場合と、そこに女性が入った場合とで比較すると、男女混成チームの方がパフォーマンスが高く、特許の経済効果が高いことも証明されています。

女性を活用したほうが有利だとはっきりわかっているのに、企業の性差別システムが「止められない、止まらない」理由を説明をした、もう一人の社会学者がいます。山口一男さん[24]は『働き方の男女不平等　理論と実証分析[25]』の中で、日本企業のこの均衡系を「劣等均衡」と呼んでいます。劣等均衡でも均衡は均衡なので「止められない、止まらない」、結果として巨大な外部不経済、つまり市場の外に大きな無駄をもたらすことになります。女の力をドブに捨てるということです。日本はそういう社会です。山口さんは、管理職の長時間労働が女性の昇進の壁になっているということも指摘しています。

そうであるならば、管理職の長時間労働を変革したらいいのです。女性社員の過労死[26]を出した電通では、あれ以来、社内の働き方改革をすすめているそうで、モデル部門を作って、子育て中の女性を課長にし、課長以下全員が定時退社をするという実験を試みています。働き方を変えたら、いくらでも男女ともに働けます。

性差別のツケ

企業の女性差別のツケは必ず来ます。

企業というものは商品市場、労働市場、金融市場の三つの市場で競争しなければなりません。商品市場は多様なローカルマーケットの集積です。送り手の側が、同質性の高いホモソーシャルな集団であるより、送り手の側に多様性を取り込んだほうが有利でしょう。労働市場では、能力のある労働者にとって魅力的な職場を提供しなければなりません。それなら男女労働者がともに働きやすい職場を選ぶでしょう。金融市場では、投資家にとって魅力のある企業でなければなりません。投資家にとっては利益率の高い企業が当然選ばれるでしょう。市場競争が日本国内で起きていれば、市場に参入してくる新しい企業と、撤退して行く衰退企業とが入れ替わり、これがうまく回ると、アベノミクスの三本目の矢になるはずでしたが、ご存知の通り、市場は国境で閉じていません。グローバル・マーケットで競争しようとすれば、現状維持のままでは日本はジリ貧になって沈没して行くでしょう。現実に起きているのはこういうことです。

気がつけば日本は二流国になりさがりました。日本のＧＤＰは中国とドイツに抜かれて世界四位になりました。豊かさの指標はＧＤＰよりも国民一人当たりＧＤＰが重要ですが、これも二七位に下がりました。生産性も二七位です。男女賃金格差も大きいし、ジェンダーギャップ指数も大きい、こういう数値を見たら日本は二流国になったと思わずにはいられません。誰がこんな日本にしたかと言えば、あなた方の親や祖父母の世代に責任があります。私も有権者でしたから、私にも責任があります。頑張らなかったわけじゃないけど、非力でした。結果的に、こういう社会になってしまいました。

処方箋はある！

ＡＰＵ学長の出口治明さん[27]はもとビジネスマンですが、この人と『あなたの会社、その働き方は幸せですか[28]』という対談本をつくりましたら、ほぼ意見が一致しました。どうしたらいいか、処方箋はすでに出ています。新卒一括採用をやめる、終身雇用をやめる、年功序列もやめる、そして男女ともに定時退社したらいいんです。同一労働・同一賃金を実施し、査定評価は個人ベースでやればいい。最近、企業の中で、全国転勤が昇進の必須条件かどうかの議論が行われているそうです。広域転勤が企業内人材育成にどのぐらいの効果があったかという検証は、実のところ行われていない、紙切れ一枚でどこでも行きますという忠誠心を証明する以上の効果はなく、本当に人事管理上意味があったのかどうかは怪しいと言われています。

不思議でならないのは、なぜ日本企業は経済合理性を追求しないのか？という謎です。

私の推論ですが、企業はどうやら社員の能力やスキル以上に、組織に対する忠誠心を評価してきたふしがあります。企業と一心同体になるホモソーシャルな組織のメンバーとして男性たちを組み入れますが、女性はその忠誠心において疑わしい人材であると思われているからではないか。これは私の仮説ですが、この仮説を企業の管理職も含めて何人にもぶつけたら、ほぼその通りだという答えが返ってきました。女性の活用が経済合理性にかなうという答えが出ているのにもかかわらず、「変わらない、変えたくない」何らかの動機づけがありそうです。つまり日本企業のホモソーシャルな組織文化の再生産を望んでいる誰かがいるということになります。

そうやって日本が現状維持を続けている間に、組織の停滞と衰退が起きるでしょう。私は日本の企業人と話してみて、この人たちには危機感が足りないと感じました。危機感がないと内発的な動機づけは生まれません。将来、本物の危機が来た時には、もしかしたら手遅れではないかという気すらしています。現状維持をするためだけにすら、変わらなければなりません。

「#わきまえない女」たち

森喜朗さんという おじさんが女性差別発言[29]をして東京五輪組織委会長の辞任を余儀なくされました。告白致しますが、私とこのおじさんの出身高校は同じ石川県立の共学高校です。この人が「女性の入る会議は長くなる」という一方で、「うちの（女性）理事さんたちはわきまえておられる」と言ったのを逆手にとって、「#わきまえない女たち」というオンライン・アクティビズムが起きました。その中に「自分にもわきまえ癖がついていた、反省した」という発言がありました。こんなことは女の人は痛みなしには言えません。自分の目の前に森さんみたいなおじさんがいた時、言い返せずにのみ込んだ、つられて一緒に笑ってしまった、そういう悔しさや無念、怒りが多くの女の人たちにあるからこそ、怒りの裾野があれだけ広がったと思います。なぜこのおじさんがこれまで経験してきた会議がサクサク進んだかというと、わきまえる女以前に、わきまえる男たちがいたからです。会議が始まる前に、根回しと忖度で結論が決まっていて、会議はそれを追認するだけの集まりですから、短時間で済んだのでしょう。私はあのあと、多くの男たちに「もしあなたがあの場にいたらどうしたか」と聞きました。ほとんどの男は「うーん」とうなって、「その場では言い返せないだろうね」と言いました。日本はこういう同調圧力の下で同質性の高い組織文化の再生産が企業においても継続してきたのでしょう。

DIVERSITY はなぜ必要か？

今、大学も企業もダイバーシティ・ブームです。ダイバーシティがなぜ必要かと言えば、情報はノイズから生まれるからです。情報とはノイズが転化したものであるという命題は、情報工学の基本のきです。ですからノイズなきところにはそもそも情報が生まれません。一〇〇のノイズが生まれたら、そのうち数個のノイズから、意味のある情報が生まれます。これについては、理系文系問わずすべての研究者が同意してくれると思います。ノイズとは何かというと「どうして、変だ、おかしい、むかつく、もやもやする」といったひっかかりです。私たちのやっている学問は、違和感に言語を与えてその筋道を作るということをやっているわけです。

ノイズはシステムとシステムの落差から生まれます。ニクラス・ルーマン[30]というシステム論の大家が面白いこと言っています。「システムとは情報の縮減装置である」と。システムとはルーティンワークをやるために、できるだけノイズの発生を抑制するようにつくられた知恵と工夫の集合で、よくできたものです。だから、ひとつのシステムの中にどっぷりつかっている限りは、ノイズの発生は抑制されます。システムには学校システム、社会システム、国家システム、政治システム、家族システムなどいろいろありますが、ひとつのシステムから一歩外に出たら、別なシステムに属します。その複数のシステムの間の落差が大きいほど、あるいはそのシステムの多様性が幅広いほど、より多くのノイズが発生するでしょう。そのノイズの中から意味のある情報が生まれます。

予測不可能な世界に立ち向かうには？

皆さん方が今高等教育を受けている理由は、これからの日本は、もはやものづくりの社会ではなく、情報生産の社会だからです。かつての労働生産性とは違う、情報付加価値生産性という新しい生産性を持った人材を、高等教育は育成しなければならないのです。なぜなら、予測不可能な社会に立ち向かうためには、答えのない問いに取り組む必要があるからです。

その要請に、皆さん方が現在受けている日本の高等教育は答えているでしょうか。私が東大入学式でスピーチをしたあと、東大生法学部三年生の男子とこのようなやり取りをしました。

「上野さんは『大学の使命はあり物の知を身につけることではなく、知を生み出すための知識、メタ知識というものを身に付けることだ』と言った。だが僕らが今東京大学で受けている教育は、そんな教育とは思えません」

私の答えはこうでした。

「はい。その通りです。すべての教師がそういう教育をやっているわけではありません。」

そして彼はこんなことも言いました。

「なぜ女子学生を増やさなければならないか、学内にそのコンセンサスさえありません」

なぜ大学にダイバーシティが必要か？　なぜならダイバーシティこそ、ノイズの発生装置だからです。

私と同じようなことを言っている教育学者、佐藤学さんは[31]、『第四次産業革命と教育の未来』の中で、やはり、予測不可能な未来に立ち向かうためには学び続ける労働者が必要だといっています。

私のところに学生が「先生、内定ゲットしました」と言ってきた時に私が必ず言うセリフがあります。「あら、よかったわね。でも、あなたの会社、あなたの定年まであるかしら」。

今、人生一〇〇年時代です。働けるのは今七〇ぐらいまでですが、人によってはもっと長く働けます。人間の一生の長さよりも、企業も生き物ですから企業の寿命の方が短いのです。企業の平均寿命は三七年ぐらいですから、企業に一生を預けるなんていう選択はもはやできない時代です。第四次産業革命というのはＡＩ革命のことですが、ＡＩに取って代わられない人材になるためにはどうすればいいかということを、佐藤さんは論じています。

もうコロナの前には戻れない……

こういう時代に皆さん方はコロナに直面しました。予測不可能な未来と言えば、コロナが来ると皆さん、予測しましたか？　授業をリモートでやるなんて、コロナ前には想像もつきませんでした。コロナの前に戻りたくないことの一つに、こうやってリモートで授業できることがあります。どこにいてもアクセスできるし、寝転がって聞くこともできるし、再生することもできます。コロナが終わっても、オンラインの授業も一部残ったらよいと私は思います。こうやってコロナの前には想像がつかなかったようなことが可能になりました。

それだけではなくて、目の前でまさかのロシアのウクライナ侵攻が起きました。そんなこと誰が予想したでしょうか。それから、トランプがアメリカ大統領になるなんて、ほとんどの人が予想しませんでした。ですから、まさかと思うことが目の前に次々に起きて、どうすればよいか誰も答え出せないのです。こういう時代に私たちは直面しています。

ポスト工業社会の新しい働き方？

コロナが加速した新しい変化にＩＣＴ化があります。コロナ前にもSkypeやZoomのようなオンラインＭＴＧアプリは存在していましたが、それほど普及していませんでしたし、オンラインでの参加はリアルの代替物と思われていました。今では、オンラインはリアルに並ぶ、もう一つの選択肢になりました。

コロナになって、テレワークが普及し、おうちが仕事場になってきて、夫もテレワークをやるが、妻もテレワークをやるカップルも増えてきました。実態を聞いてみると、一人になれる場所がないとか、夫のテレワークが優先されて一番いい場所を確保し、妻は台所の片隅でテレワーク。妻のテレワークは宅配便とか子どもに中断されること多いとか、いろいろなことがわかりました。

その中で二〇二〇年に内閣府が「新型コロナウィルス感染症の影響下における生活意識・行動の変化に関する調査」というおもしろい調査をやりました。これを見るとテレワーク実施率の平均は、全労働者の約二割、年収とテレワーク実施率が完全に相関していることがわかりました。年収一〇〇〇万円を超える層でのテレワーク実施率は五一・六％、収入が低いほど実施率が下がります。オンライン階級[32]という怖ろしい言葉も登場しました。オンラインに置き換えることができない仕事をしている人たちをエッセンシャルワーカーと言いますが、この人たちに感謝は捧げても彼らの待遇がよくなるわけではありません。

テレワークを経験した人たちは、元に戻って欲しくないと言っています。もしかしたらここで起きているのは、今まで経験したことのない新しい変化かもしれません。なぜ通勤しなければならなかったかというと、職場と住宅が分離しているからです。前近代はおうちが職場、世帯全員が家業のために働く家族総労働団でした。職場と住宅が分離したのは産業革命からです。近代は生産の場と消費の場が分離したのです。

おもしろいのは、テレワークを継続している男性は家事・育児時間が増加したというデータがあることです。家にいれば否応なく妻や子どもが何をしているかが目に入ります。何もしないわけにいかないのでしょう。

私は自分が学生だった時に社会学の教科書に書いてあった文章を今でも覚えています。「近代社会における性分業は、男は生産・女は消費の分業である」と書いてありました。それなら私は一生、消費だけをやっていればいいのかと思いましたが、後でわかったのは、女がやっているのは消費という名の不払い労働、今日では再生産労働とかケア労働と呼ばれているタダ働きだったことです。

近代社会における性別役割分担とは、夫が一〇〇%の生産者・妻が一〇〇%の再生産者でした。これを「サラリーマン・専業主婦体制」といいます。この性別役割分担が確立したのは日本ではわりと新しく、家族社会学者の落合恵美子さんは「家族の戦後体制」と呼んでいます。

私たちは今やポスト近代という時代に入っています。これからは、男女共にいくばくかの生産者であり、いくばくかの再生産者であるという組みあわせが増えていきますから、もはや過去には戻らないかもしれません。

労働とケアの配分とそのコスト

最後に日本で起きた変化を、国際的な文脈において比較して私の話を終わりたいと思います。この背景にあるのはグローバリゼーションの大波を全世界が経験して、それに対する対応をあらゆる社会が迫られたことです。その答えのうちで、女性の労働力化はマストでした。

ところが、女性を職場に引っ張り出すためには、女性を家庭に縛り付けていたケアワークの重荷を女性の肩から降ろしてあげなければなりません。そのケアの外注先に、市場化オプションと公共化オプションの二つの選択肢があります。そのほかに、「男と女で半分コイズム」という平等主義家族egalitarian familyと言われるフェミニストの理想がありますが、男女賃金格差がある限り、この理想主義は実現が難しい、というのも、夫は自分が外で効率よく稼いでくるから、僕の稼いだお金でケアをアウトソーシングしなさいと言うでしょうから。

では、そのアウトソーシングの選択肢に何があるか。夫婦が共働きであることが前提でケアの公共化オプションを採用したのが北欧モデルです。公共的な託児サービスや介護サービスが充実しています。もう一つは、共働きが前提で、自分たちで稼いだお金でケアを市場からサービス商品として買いなさい、つまりナニーやメイドを雇いなさいという市場化オプションがアングロサクソン・モデルです。アジアではシンガポールや香港が市場化オプションの国です。

これにはそれぞれコストがかかります。公共化オプションのコストは高い国民負担率です。私たちは北欧福祉先進国を羨んでいますが、国民が租税負担率を所得税五〇%に、そして消費税率を二五%に合意すれば、このオプションの採用も可能でしょう。

他方、ケアの市場化のためには市場で買えるチープレイバーが存在しなければなりません。その主たる供給源が移民労働力です。市場化オプションを採用する国には、移民労働力に依存する移民社会が多いです。

そのほかにもう一つ、アジア型解決という祖母力頼みもあります。中国や台湾は育児を祖母力に依存していますが、やがて祖父母の介護がかかってくるでしょう。日本でもかつては祖母力頼みが多かったですが、世帯分離が進んで、遠くに離れているためにこのオプションは難しくなりました。

市場化オプションも公共化オプションもどちらもなく、最後に残ったのが、「男性稼ぎ主型」モデルです。ケアは家族責任ですから、家族に残ったのは女だけなのでほぼ女が一〇〇％負担するという従来のタイプです。アジアでは日本や韓国がこのモデルですが、ヨーロッパでは南欧社会、ギリシャ、イタリア、スペインがこのモデルに該当します。

公共化、市場化、男性稼ぎ主モデルというこの三つのオプションの効果は、出生率がこの順番で低くなるというものです。欧米諸国の出生率動向を見ると、低位に低迷しているのがドイツ、イタリアです。日本は一・三〇、出生率低位国にあてはまります。出生率上位国に来ているスウェーデンが公共化オプション、アメリカが市場化オプションの国です。アジア諸国の出生率は軒並み低いです。シンガポールや香港のように市場オプションがある国でも、市場でサービス商品を購買できる経済力を持つ階層が、それほど多くないからです。

現在の日本には、ケアの公共化・市場化、いずれの選択肢も無いためにケアのコストがもっぱら女性にしわ寄せされています。したがって日本の労働市場においては、ジェンダーが他の諸国の人種や階級と同じ作用をしている、機能的等価物として作用しているという説明の仕方をすると、外国の人にはよくわかってもらえます。

七〇年代から過去約半世紀、少子化の趨勢が先進諸国で起きてきた時に、ケアの公共化オプションか市場化オプションのいずれかを、時間をかけて各国が政策的に採用してきた、その期間に日本は何もしないできました。政治の無為無策のしわよせがすべて、今日の女性に来ています。ですから、日本の女性の地位はなぜ低いのか、なぜ先進諸国の中で日本の女性がとりわけ割の悪い目にあっているのかというと、公共化・市場化どちらのオプションも政治が採用してこなかった結果です。人災と言ってよいでしょう。

日本は変えられるか?

こういう状況にどう対応したらいいでしょうか。日本は本当に変わりにくい社会ですが、最近私は『女の子はどう生きるか』という本を書きました[33]。「上野さん、こんな日本、変わりますか?」と訊かれたら、イエスと答えたいと思います。徐々にでも、私たちは日本社会を変えてきました。今、職場で女子社員がお茶くみしないですんでいるとしたら、それは「なんで私がお茶くみしなきゃいけないんですか」って嫌がられながら言ってきた先輩女性たちがいたからです。

家庭科男女共修ができているのも「家庭というものは夫婦共に協力して支えるものでしょ。なんで女の子だけが家庭科をやるんですか。変じゃない」って言った先人たちが文科省を変えてきたからです。こういう過去があったということを、皆さん方にも知ってもらいたいと思って書きました。

もちろん男の子にも変わってもらわなければなりません。太田啓子さんの『これからの男の子たちへ』[34]という本は、息子二人を育てている弁護士さんの書いた本です。小さい男の子たちがスカートめくりをして、女の子が嫌がるのを見て喜んでいるのを、「ちょっと待った。それを見逃したら、あの男の子たちはそのうちセクハラ男になるかもしれない。人が嫌がることはやらないという基本のきをちゃんと教えてください」と男の子のママたちに説いています。

最後に二冊、私の書いた本をご紹介して終わりにします。『情報生産者になる』[35]『情報生産者になってみた』[36]の二冊です。前者は、私が東京大学でやってきたゼミのノウハウを書いた本ですが、最近になってゼミの卒業生たちが、自分たちはこんなことを学んだと証言してくれました。自分はこんなことをやって来ましたというのは自己申告ですから、だいたい粉飾決算ですが、ゼミの最大の受益者でもあり被害者でもある卒業生たちがそれを裏付けるような本を出してくれましたので、ありがたいことでした。

もうひとつ、WANは私がやっているウェブサイト[37]です。あとでググってみてください。

聞いていただいてありがとう。

羽場：大変興味深いテーマでご報告いただきました。実は多くの質問もあったのですが、五〇枚ものパワーポイントでご報告いただき、時間の関係もあって質問は省略させていただきます。ありがとうございました。

注

（1）平成三一年度東京大学学部入学式祝辞（https://www.u-tokyo.ac.jp/ja/about/president/b_message31_03.html）
（2）男の子向け／女の子向け社会化。「男はこうあるべき、女はこうあるべき」といった規範。
（3）二〇一八年、文部科学省局長が息子を東京医科大学に裏口入学させたことで逮捕されたことを発端に、日本の複数の大学の医学部で、女子や浪人生を不利に扱う得点調整を行っていたことが明らかになった。
（4）二〇二〇年六月八日、https://wan.or.jp/article/show/8773
（5）「東京都教育委員会は二四日、全日制の都立高校一〇九校が入試で設けている男女別の定員制について、段階的に廃止する方針を決めた。今年度入試では、男女別定員制により不合格となった受験生が女子を中心に八〇〇人近くに上っていた。第一段階として来年度入試から、性別に関係なく成績順で合格者を決める選考枠を前項で設ける。」（二〇二一年九月二四日、読売新聞 https://www.yomiuri.co.jp/kyoiku/kyoiku/news/20210924-OYT1T50235/）
（6）「社会のあらゆる分野において、二〇二〇年までに指導的地位に女性が占める割合が少なくとも三〇％程度になるように期待する目標」（平成一五年六月二〇日男女共同参画推進本部決定、『二〇二〇年三〇％』の目標）
（7）ダグラス＝有沢の法則：一九三〇年代にアメリカの経済学者ポール・ダグラスが発見し、日本の経済学者、有沢広巳が日本経済において実証した法則。世帯主の収入と配偶者の就業率の間には負の相関関係があることを明らかにした。
（8）東京新聞 Web 版、https://www.tokyo-np.co.jp/article/172534
（9）樋口美雄編・家計経済研究所『女性たちの平成不況：デフレで働き方・暮らし方はどう変わったか』日本経済新聞社、二〇〇四年。
（10）一九七五年六〜七月にメキシコシティで国連が開催した国際婦人年世界会議で、国際婦人（女性）年の目標達成のためにその後一〇年にわたり、国内、国際両面での行動への指針を与える「世界行動計画」が採択された。同年秋の第三〇回黒煙総会で、この会議で決まった行動計画を承認するとともに、一九七六年から一九八五年までを「国連婦人（女性）の一〇年」とすることを宣言し、目標を平等・発展・平和と定めた（https://www.gender.go.jp/about_danjo/law/kihon/situmu1-2.html を参照）。
（11）「困難な問題を抱える女性への支援に関する法律」（令和四年法律第五十二号）。貧困や家庭内暴力（ＤＶ）などに直面する女性の自立に向けて公的支援を強化することを目的としている。略称：困難な問題を抱える女性支援法、困難な問題を抱える女性への支援法、困難女性支援法。
（12）正式名称は、「雇用の分野における男女の均等な機会及び待遇の確保等に関する法律」。一九七二年に「勤労婦人福祉法」として制定。八五年「雇用の分野における男女の均等な機会及び待遇の確保等女子労働者の福祉の増進に関する法律」として改正。その後、何度かの改定を経ている。

(13)正式名称は、「労働者派遣事業の適正な運営の確保及び派遣労働者の保護等に関する法律」(平成二四(二〇一二)年一〇月一日施行)。法律の目的にも、「派遣労働者の保護のため」の法律であることが明記された（https://www.mhlw.go.jp/seisakunitsuite/bunya/koyou_roudou/koyou/haken-shoukai/kaisei/ 参照）。

(14)上野千鶴子『女たちのサバイバル作戦』文春新書、二〇一三年。

(15)『新・日本の階級社会』講談社現代新書、二〇一八年。

(16)早稲田大学人間科学学術院教授。

(17)聖心女子大学人間関係学科教授。著書に『職務格差――女性の活躍推進を阻む要因はなにか』（勁草書房、二〇一五年）など。

(18)『「育休世代」のジレンマ――女性活用はなぜ失敗するのか?』光文社新書、二〇一四年。

(19)橘木俊詔（たちばなき・としあき）、京都大学名誉教授。

(20)『女子の選択』東洋経済新報社、二〇二〇年。

(21)［議論］上野千鶴子「男性稼ぎ主モデルからの脱却急げ」日経ビジネスオンライン https://business.nikkei.com/atcl/forum/19/00024/082300011/

(22)雇用において、表面的には男女平等の制度であるが、運用面では一方に有利になる差別。

(23)同志社大学政策学部教授。主な著書に、『ジェンダー経済格差』（勁草書房、二〇〇八年）、『日本のジェンダーを考える』（有斐閣選書、二〇一三年）など。

(24)シカゴ大学ハンナ・ホルボーン・グレイ記念特別社会学教授。産業経済研究所客員研究員。

(25)山口一男『働き方の男女不平等　理論と実証分析』日本経済新聞出版社、二〇一七年。

(26)二〇一五年一二月一五日、その年入社の女性社員が社員寮より飛び降りて自殺した。

(27)出口治明・立命館アジア太平洋大学学長。

(28)出口治明・上野千鶴子『あなたの会社、その働き方は幸せですか』祥伝社、二〇二〇年。

(29)二〇二一年二月三日、日本オリンピック委員会（ＪＯＣ）の臨時評議員会での発言。

(30)ニクラス・ルーマン（一九二七〜一九九八）、ドイツの社会学者。

(31)東京大学名誉教授、北京師範大学客員教授。

(32)例えば、https://crea.bunshun.jp/articles/-/39567 を参照。

(33)上野千鶴子『女の子はどう生きるか、教えて、上野先生』岩波ジュニア新書、二〇二一年。

（34）太田啓子『これからの男の子たちへ――「男らしさ」から自由になるためのレッスン』大月書店、二〇二〇年。
（35）上野千鶴子『情報生産者になる』ちくま新書、二〇一八年。
（36）上野ゼミ卒業生『情報生産者になってみた――上野千鶴子に極意を学ぶ』ちくま新書、二〇二一年。
（37）認定ＮＰＯ法人ウィメンズアクションネットワーク　http://wan.or.jp/

7. 過労死と自殺問題――過労死のない健康な職場を

川人　博

はじめに

羽場：本日は、過労死・労働災害の世界的権威であり、日本の過労死問題を一手に引き受けておられる川人博先生です。本日は、お忙しい中講演をして頂きありがとうございます。

以前、ゼミに所属していた優秀な女性の学生が、ある商社に就職しました。そしてその後、彼女は働き過ぎが原因で、過労自殺をしてしまう結果となってしまった。ご家族の悲しみはどれほど深いものであったのかと考えると、胸が潰れる思いを経験しました。はじめ病気ということを企業側は説明していたが、その際に川人博先生を紹介して頂き、約一年かけて労働災害（過労死）であったことを認証して頂いた。ご家族にとっても私にとっても、本当にゼミ生の命の恩人でした。それから川人先生は高橋まつりさんも同様、様々な過労死で苦しんでいる家族や同僚の方々を助けてこられた。

皆さんにも言っておきたいのだが、「絶対に会社のために命を落とさないで下さい」というメッセージは覚えていてほしい。会社のために死ぬほど働いて亡くなっても、会社は感謝を示さないばかりか、むしろ隠蔽しようとする。そこで、働き過ぎを感じた場合は、命をたつ前に会社を辞めることが最善であると考えます。あなたの命は、あなた自身のために大切に守って下さい。

このようなことを皆さんはまだ学生で企業の大変さや社会の大変さは分からないかもしれませんが、理解して頂きたく思い、本日は川人先生に来て頂き、講演をして頂きたいと思いました。

はじめに、川人先生の経歴を簡単に紹介させて頂きます。

川人先生は、大阪府泉佐野市でお生まれになり、泉佐野市で十八年間過ごされたのちに東京大学経済学部を卒業されました。そして、一九七八年に東京弁護士会に弁護士登録をされ、まず文京区の総合法律事務所を経て、一九九五年には川人法律事務所を創立されました。一九八八年から過労死一一〇番という活動に参加され、現在過労死弁護団全国連絡会議の代表幹事をしておられる方です。また、一九九二年から東京大学教養学部の『法と社会と人権』という全学自由ゼミナールにおいて、非常に人気を博しておられる方です。そうした中で私も川人先生を紹介して頂き、ゼミ生の過労死自殺について担当して頂いた経緯になります。そして、今回のように様々な大学を周り、優秀な学生に対して、過労死するまで働かないようにというメッセージを伝え、法律や知識に関して教えて頂いています。様々な役職をこなされ、中でも過労死弁護団全国連絡会議の代表幹事をなさっており、また過労死等防止対策推進全国センター共同代表幹事、そして現在、東京弁護士会人権擁護委員会国際人権部会長をなさっています。

就職活動をする際にセクハラ・パワハラ被害が生じており、かなり大きな問題にもなったこともあり、今後の社会との関わりなど心して頂ければと思いますので、本日はよろしくお願いします。それでは、世界で活躍されておられる川人博先生に過労死の問題、過労死しないための働き方について、これから岩波ジュニア新書で出されることも踏まえてお話をして頂きたいと思います。では、川人先生、よろしくお願いいたします。

＊　＊　＊

川人：ご紹介ありがとうございます。川人と申します。本日は、これから約一時間講義をさせて頂きます。

私の自己紹介については、羽場先生の方で丁寧に説明して頂きました。まず、第一に「過労死の歴史と現状」について基礎的な事柄から説明していきたいと考えています。

1．過労死の歴史と現状

過労死とは、読んで字の如くで、端的に言えば、「業務上の過労・ストレスが原因で病気になり、死亡すること」であると定義し、考えられています。英語では、Death from overwork と訳されることが多く、death due to overwork とも訳されます。死亡診断書などには、病名としての過労死とは表現されず、脳関連では脳梗塞・くも膜下出血等として扱われ、心臓関連では心筋梗塞・致死性不整脈等として扱われて、この二〇年間で多くなっている例としては、うつ病による自殺として扱われることが多くなっています。その他にも、ぜん息や呼吸器系の疾患も病名として扱われることがあります。

さらには、現在感染症が問題になっていますが、広い意味で捉えると、過労・ストレスが生じてしまうと免疫力が低下して、感染症が発生しやすくなり、その結果、感染症による死亡とも扱われてしまい、仕事との関係としても繋がるという例も存在します。このような例も「過労死」と呼ぶことは差し支えないと考えられます。

この過労死の問題は、今から三〇年ほど前の一九八〇年代あたりより日本では社会問題として取り上げられていますが、実際には明治維新以降（特に大正から昭和）にかけて、同様の問題がすでに発生していたと考えられています。長野県諏訪湖湖畔の立札は、「母の家」と呼ばれる団体が立てているもので、ここには「一寸お待ち思案に余らば母の家」と書かれています。「母の家」は、現在で例えるとボランティア団体／NPOのような団体です。この団体は、製糸業で働く女性労働者が、諏訪湖に投身自殺することを防ぐために巡回し、さらに立札を立てて予防活動をし、一九二〇年代に広がっていきました。

この慈善団体には、戦後国会議員になった市川房枝氏、大正期に大正デモクラシーとして研究・活動された吉野作造氏なども応援・支援をし、活動を続けていました。研究者である福田徳三氏が、これらの現象になぞらえて「湖水に飛び込む工女の亡骸で諏訪湖が浅くなった」という言葉を残すほど相次いで自殺が増加したと考えられています。諏訪湖の近くの岡谷に一五歳から二〇歳程度の女性が製糸工場で働いていました。世界遺産になった富岡製糸場も有名ですが、シルクとしては諏訪湖周辺が当時の日本の生糸産業として重要視されていました。一日に一五時間前後（朝六時から夜七時頃まで）働くことが当たり前とされていた環境下で、過労・ストレスから精神的な病に陥る人や工場内において肺炎などで亡くなる女性の方が多くおり、戦前の日本においては最大の過労死の職場であったと考えています。

このような問題は、残念ながら戦後においても引き継がれていることになります。新たな憲法（憲法九条や平和主義）が誕生し、労働分野においても憲法に基づいて労働基準法が作られ、労働時間は一日八時間以内にするという原則が作られました。しかし、実際には、高度成長の中において日本の場合は、欧州・米国に「追いつけ、追い越せ」で、長時間労働が日本の経営システムの中に組み込まれていくことになります。その方法としては、お金や記録にも残らないが遅くまで働くサービス残業と呼ばれるシステムが定着化してしまう。あるいは、労使協定によって長時間労働を許可するようなシステムによって合法化する。この両面において、長時間労働が定着してしまいました。

そして、バブルが崩壊した一九九〇年代に入ると、経済的にはかなり苦しくなりますが、そのような状況下において雇用不安によるストレスが職場内に広がることで、この頃を境に精神疾患や自殺が激増します。

それでは、現在どのような状況になっているのか。それは、明治・大正・昭和と同様に立札が立てられている。山梨県の富士山の青木ヶ原樹海には警察によって立札が立てられていますが、他にもボランティア団体などによる立札もあります。彼らは、自殺予防の活動を行っております。実際に田町辺りで働いていた若いサラリーマン（技術者）が、徹夜明けに突然行方不明になり、それから一年後に青木ヶ原樹海にて発見されました。ＤＮＡ鑑定の結果、行方不明になっていた方がここで発見されたことになる。また、「思い出せ　家族の顔や友の顔」と書かれたものも立札の一つであり、これらの立札を立てることにより、自殺を予防する取り組みをしています。

現在の日本において、労災申請があり、これは病気や亡くなった原因が仕事である時、国に対して労災保険適用の請求が可能になっています。精神疾患による自殺の労災申請の数は、年間では、約二〇〇件前後です。実際には、これは氷山の一角であると考えられ、警察の別の統計を見ると、かなり実態が見て取れます。警察は、仕事が原因で自殺をした方の数を毎年発表していますが、一年間に約二〇〇〇人が仕事に原因のある自殺と発表しています。これを一日に換算すると、約五人が仕事に原因がある自殺をしていることになります。これ以外にも脳疾患や心臓疾患、別の病気で倒れたり亡くなってしまう方がいるのが現実で、実情としては、日本では深刻な状態が続いていると言うことができます。

第二に、具体的な事例をご紹介します。実態を理解していただくためにリアルな状況についてお話をしたいと思う。

まず、金融機関総合職に勤められた二六歳女性が亡くなったケースです。彼女が亡くなる直前に手帳に書いたメモがあった。そのメモには、

「朝早くから夜遅くまで会社にいて、行動を管理され、周囲から厳しいことが言われる状況の中でそれに対して自分がなくなってしまいました」

と書かれており、その続きには、

「お父さん、お母さんへ、頑張ったけれどやり抜く事が出来ません。結果が出せません。頭に常にモヤがかかった様になり、文章が書けなくなりました。言葉がうまく話せません。相手が話していることが分かりません。非常に辛いです。」「こうなってしまったのも、お父さん、お母さんよりも先に行ってしまうことも、どうか許して下さい。最期まで自分勝手でごめんなさい。私は

辞める勇気がありません。辞めようとしても恐くて辞めることが出来ません」と書かれていた。この方の場合、朝六時から七時の間に自宅を出ていました。本来、勤務開始は九時頃で、新しい店長が職に就いて以降、朝八時に朝礼をすることが決められました。その結果、いつもよりも早く出勤しなければいけなくなり、夜は一二時前後まで仕事をすることが当たり前となっているため、帰るためにはほとんどの日で終電になってしまった。さらに、終電でも間に合わない日にはタクシーで自宅まで帰る日々が続いていたため、同居していたご家族の話では、一日三時間から四時間前後の睡眠しか取れていなかったという状況が、法人部門の担当になって以降、亡くなるまでの約八か月間続いていたとのことでした。

皆さん、このような話をすると、「どうして途中で辞めなかったのか」という疑問を持つかもしれません。この方も最後の手帳において、「辞める勇気がない」ということを書かれている。これは、視野狭窄（しやきょうさく）という問題と関連しています。睡眠不足が一定期間続いてしまうと、多くの方がうつ病を発病してしまう。これは、遺伝は関係なくどんな方でも成り得る可能性のある病気です。うつ病の様々な症状のうち、特に危険なものとして視野狭窄があり、物事を理性的に判断する思考力が低下してしまう。

この状況を解決するためには、合理的に考えるのであれば「退職をする」などの解決策があるのですが、「自分は自殺をする以外に方法がない」というような精神状態に追い込まれてしまう。その結果、彼女の場合、隣の会社の建物から投身し亡くなってしまった。それは、夕方の七時前に投身をし、自ら命を絶ってしまった。腕時計が投身した午後七時前を指した状態で今もなおご家族が保管しているのですが、大変痛ましい状況となった。基本的にこれは、選択をするよりもうつ病という状況に陥り、死に追い込まれていくというような心境になることを理解して頂きたい。

そして、もう一つのケースとしては、女性のケースについてお話させて頂きたいと思います。こちらのケースも首都圏の大学を卒業して、アパレル会社に勤めており一年目に亡くなった方の例です。この方は、新人でありながらその年の九月には店長に抜擢された。この会社は、年を重ねるごとに新たな雇用を次々と獲得することにより、会社が見抜いた方には、すぐに店長になることを勧めており、その結果、彼女は会社の勧めを受け取って店長になったのです。

しかし、ショッピングモールにおけるアパレルの店長になると、ノルマの達成のために疲労困憊する日々が続いていた。これは、彼女の手帳やメモより引用したもので、「売り上げをとるために、予算いってなかったら帰らない」と書かれており、目標を達成できないことにより家に帰れないということを訴えていた。そして、店長になり売り上げが伸びない日には、ノルマ達成のためにお店の商品を自分自身で購入していた。ノルマをクリアするために自分で数字を合わせていたのです。朝から夜まで休む時間もなく、さらにはお手洗いに行く時間までも取れなかった。その結果、泌尿器系の疾患も生じてきていた。このような状況下において亡くなってしまった。

また、もう一人は、皆さんもご存じかもしれませんが、電通の広告代理店に勤めていた新人女性の高橋まつりさんの事件です。彼女の場合、二〇一五年に大学を卒業後、その年の一〇月から本採用となる。そうすると、文字通り残業が無制限の状態になり、そして一二月二五日クリスマスの日に亡くなってしまった。私たちの分析では、およそ一一月の初め頃よりうつ病の状況になってしまったと捉えられ、過剰な睡眠不足により発病してしまったと考えています。

彼女の一一月初め頃の労働時間を分析すると、ほとんどの日において真夜中まで働き続けており、土曜日・日曜日も同様に自宅で労働をするのか、あるいは会社に出向いて仕事をするということが常態化してしまっていました。一〇月下旬頃の段階では、一〇月二五日、二六日においては三〇時や三八時という表現になっている。一日は二四時しかないので、三〇時は翌日の六時まで（朝まで）働いたことを意味している。そして、三八時四四分は、翌日の一五時頃まで働いたということも意味しています。

このように、二回連続の徹夜もやらざるを得ない状況になっていたということが明らかになっています。彼女のTwitterや様々なメールの中において、彼女は土日も出勤しなければいけないことを訴えており、このままの状態では「死ぬ」以外の選択肢に辿り着けないほど精神的に追い詰められていました。また、眠ることができないというようなメッセージも彼女は記録として残しており、さらに、一日の睡眠時間が二時間はあまりにレベルが高すぎることも記録として残していました。このような状況をメッセージとして告発していました。

本来であれば、上司がこのような勤務状況を改善する必要があるのだが、上司は彼女に対して、「会議中に眠そうな顔をするのは管理ができていない」や、「今の業務量で辛いのはキャパがなさすぎる」などと叱りつけていた。新人にとって、仕事量が多い中において苦しんでいるにも関わらず、「今の業務量で辛いのはキャパがなさすぎる」などということは、新人にとって非常に残念な現実であると捉えられる。

そして、もう一つとしては、女性でフルタイムで働く総合職の方においてもセクハラ問題は、現在の職場においても残っています。彼女の場合においても、Twitterにおいて彼女は、「男性上司から女子力がないだのなんだのと言われるの、笑いを取るためのいじりだとしても我慢の限界である」と告発していた。今回のように、「女子力」という言葉は、職場内においてよく多用される言葉で、このような形で女性社員に女性らしさを出すようにというメッセージも込めたセクシュアルハラスメントが併存して存在していたと言えるでしょう。

2. 過労死に関するいくつかの論点

ここで、いくつかの論点（考えてもらいたい点）をまとめて話します。

論点① 「性別と過労死の問題」

過労死ラインと言われる長時間労働は、一週間に六〇時間以上（週四〇時間が労働基準法による原則）つまり、週に二〇時間以上も法律よりも多く働くことです。一か月に換算すると、八〇時間の残業があることになる。これが、男性の場合には、一九九七年から二〇一七年までの約二〇年間で約三〇〇万人から四五〇万人（一二％から二〇％）の男性が長時間労働を行っている現実がある。問題は女性の場合です。一九九七年には約三〇万人から四〇万人の女性が週に六〇時間以上働いていたことになるが、二一世紀に入った際にはこの数値が倍増してしまう。二〇〇七年には、週に六〇時間以上の労働を強いられる長時間労働の数が約八〇万人に達したと統計で示された。その後も統計的には減少傾向を示しているものの高い数値が続いています。

これには具体的に根拠や背景があります。一九九九年に雇用機会均等法や労働基準法が改定されたが、それまでに女性の残業規制や女性の深夜労働を禁止する規定が存在していました。その後、これらの規定が撤廃され、女性も男性と同様に働きましょうというメッセージや、平等に働きましょうという名目で、男性と同様に長時間労働をする女性が職場内において急激に増加していくことになります。これが、二一世紀の現実です。そして、事例として取り上げた女性の方もこの二一世紀に入り、文字通りの長時間労働の状況が続くことになります。前述した通り、女性の場合、長時間労働をする方においても女子力が求められてしまうことになり、その結果してと長時間労働とセクハラの二重の苦痛を受けることになってしまった。

ある県において建設業で働く若い女性の方が亡くなってしまった事例の相談を受けたのですが、彼女も夜遅くまで働いていることに加えて、様々なセクハラと評価されるべき行為が生じたことにより苦痛を伴い、最終的に命を落とすという事件にまで発展してしまった。残念なことに日本では、このような行為が職場内において繰り返し生じている現実がいまだに残っています。

論点②「業務不正と過労死」

もう一つとして、「業務不正と過労死の問題」の関連性について見ていくことにします。

高橋まつりさんが働いていた場所は、インターネット広告の部署であり、その同じころに上層部による不正が行われていました。ウェブサイトにおいて様々なタイプの広告がありますが、その広告をクライアントから依頼を受け、それを作りウェブサイトに載せることが広告代理店の仕事です。当時、広告代理店でどのようなことが生じていたのかというと、本当は広告を掲載していないにも関わらず、掲載したと偽りの情報を流し、そして、クライアントに対して手数料の請求をしていたと、あってはならないことを日本最大の広告代理店は行っていました。その際、会社は記者会見をし、幹部は謝罪の意を示したが理由としては、担当部署が恒常的な人手不足に陥っていたという説明をしていた。現在、ネット広告が急速に拡大した中で、人手不足になり現場の負担が増したことが原因であると会社側は説明したのです。このような流れが、高橋まつりさんの課の中にあったと言えるでしょう。つまり、端的に言うと一方では、業務量が増え、人手不足の中で過労死が発生しているということが言え、他方では、十分に働いたとしても仕事を続けることができないことにより、不正にまで発展してしまう。そして、私も多くの事件を扱ってきていますが、過労死が発生するような職場環境は、業務上の不正が根底にあり、例えば、会計の粉飾などのような行為が相当数行われている。これはかなり共通の背景があると考えています。

ここで、別の例になるが、皆さん「シベリア抑留」という話は、聞いたことがあるかと思いますが、戦後日本人が多く、シベリアで強制収容され働かされていた。そこで、文字通りの長時間強制労働が行われていたにも関わらず、収容所幹部は、中央からのノルマを達成できないものとし、水増しの報告をしていたという事実が残っています。このように、どこか基本（根底）のところが崩れていると、一方では、強制的な労働を長時間させられ、他方では、不正をしてまでも数字を偽り、上司に報告するなどの行為が行われていた。

さて、男性の例について一つ説明をしましょう。渋谷のあるアパレル会社のオーナーは非常に有名な方ですが、その会社に勤務していた当時三〇歳の男性の方が、長時間労働に加え、上司からの暴力を受けたことにより、東横線に投身し、亡くなってしまった事件がありました。彼が亡くなった後、同居していた彼の母親が彼のノートを見たところ、例えば売り上げがいくらであるなどと書かれてある、その下部には、「お前のせいでおれ（上司）と社長がアホだと思われる」と書かれており、結局売り上げが伸びないことで上司は社長からアホであると言われて怒られた背景から、その腹いせとして今回亡くなった犠牲者に対して、殴る蹴るなどの暴行をし、結果口が切れ血が出てしまい、また、足の痛みも日記の中で訴えていた。その結果、彼はその後残念ながら亡くなってしまったのですが、亡くなった後、後日ご遺族の方が、渋谷の労働基準監督署に行き話をしたところ、その同じ会社の方で、半年ほど前に別の方が相談に来られていた。これは、被害者が亡くなった件ではないが、あまりにもひどい暴力が蔓延っていたことが原因で相談に来た方であったというような内容を、労基署の方が言っていた。つまり、それほど暴力などが常態化しており、このようなことが、この華やかなアパレル業界の中で起こっていた現実があります。

もう一つやや学術的な論点を皆さんに提起して考えて頂きたいのですが、戦後日本において非常に有名な政治学者の一人である丸山眞男という学者が「抑圧移譲の論理」という問題提起をしています。これはどのようなことかというと、彼は自身の太平洋戦争における軍隊の経験や体験などを踏まえて、「上からの抑圧感を下への恣意の発揮によって、順次に移譲していく」という状態を「抑圧の移譲」と言いました。これは、軍隊生活に留まらず日本の国家秩序に隅々にまで内在しているということを指摘している。

つまり、軍隊でこのような行為が行われたとすると、例えば、軍曹が上等兵に暴力を振るうと上等兵が下層を従え、さらには、その部下に対して暴力を振るう、このような構造は、実際のところ軍隊だけのことではなく日本の秩序になってしまっていると。そして、日本における現在の会社組織もこれと同様の仕組みであると言える。会社においてパワハラを振るう上司は、人格的な問題はあるにしろ、多くの場合は、そのさらに上層部の方からいじめや暴力を受け、あるいは過酷なノルマを設定されるなどして、他の人にも経験してもらうという名目の下でそれを下部の方に転化していく。そして、最終的に降りかかる平社員は何をするのか。それは、ストレスを発散させるために、社会に向けて、場合によっては犯罪を行い、あるいは家庭内に向けてＤＶ（家庭内暴力）という形で、妻や子どもに当たる。これらの構図は、日本の場合、学校現場におけるいじめなども含みます。

日本の場合、企業の中における組織が持つ病理が、他方面に発散しているという面を十分に考慮しなければいけないと考えています。そして、二〇二一年、ハラスメントに関する初めての法律が作成され、二〇二二年六月より施行されました。まだ規制としては不十分な内容ですが、ようやく法律が日本においても作られるようになり、パワハラやハラスメントに関する規制が始まったと言えるでしょう。

論点③「過労死やハラスメントの国際的取り組み」

さて、過労死やハラスメントに限定して、国際的な取り組みについて紹介しましょう。ここでは、論点として「過労死・ハラスメントを防止し、ディーセントワーク（働きがいのある人間らしい仕事）を実現する国際的な取り組み」について紹介していくことにします。

まず、二〇一三年に国連（社会権規約委員会）が、日本政府に対して改善勧告を行った。日本において過労死を無くすようにという異例の勧告を行ったものです。要するに、日本では長時間労働が常態化しているため、国際人権法における社会権規約七条において定められている条約があり従うべきものとなっているので、国連の委員会としては、日本政府に対して長時間労働を防止しなさいと、命令のように勧告を行った。社会権規約第七条がどのような法律なのか。これは、労働者の問題について規定をしている法律で、その内容には、安全かつ健康的な作業条件という条件も含まれています。あるいは、労働時間の合理的な制限などの内容も含まれている。この社会権規約に日本は批准しているのですが、日本は違反しているのではないかと疑いの目が向けられているため、勧告が行われたということです。

実際にこの後、勧告も一つの力となり、基本的に多くのご遺族・市民や弁護士が国に対して要求した結果、略称「過労死防止法」と呼ばれる法律が二〇一四年六月二〇日に国会において全会一致で衆参とも反対〇として決議されました。また、SDGs（持続可能な開発目標）には一七の目標が存在しますが、ゴール8にディーセントワークという言葉が出てきます。このディーセントワークという言葉には、直訳としては「まともな仕事」という意味ですが、文脈の中においては、基本的に働きがいのある人間らしい仕事と訳されることが日本では通常である。

この人間らしい仕事というものは、SDGsのうちの一つであると言えます。当然のことながら、過労死やハラスメントがない仕事ということに繋がります。

そして実際に、二〇一九年六月に国連の国際労働機関（ＩＬＯ）で、暴力・ハラスメントを禁止する条約と勧告が採択されました。長時間労働と同様にハラスメントも禁止するという国際的な運動がある。日本においてもいまだに遅れているが、その取り組みを政府が開始しているということが現状である。

3．過労死をなくすために

過労死をなくすために考察すべきことについて説明します。まず、長時間労働是正の問題で、労働効率の問題について少し話をします。オランダの若手研究者であるブレグマン氏の著書『隷属なき道――ＡＩとの競争に勝つベーシックインカムと一日三時間労働』（ルトガー・ブレグマン著、野中佳代子訳、文芸春秋、二〇一七年）の中には、興味深い指摘が数多く存在しています。例えば、アメリカの自動車会社の調査／レポートによると、週四〇時間の労働を週六〇時間に増幅した場合、一時的（四週間の間）には効果があったもののその後の生産性が下がっていたという現実が示されていた。二つ目の事実として、ある会社の調査によると、これは人間が、創造性を発揮できる環境や状況は、一日約六時間以下であると言われているような指摘も含まれている。つまり、長時間働くことによって効率の低下が生じることをいくつかの点において指摘・紹介しています。

ところで、労働生産性についての海外比較と呼ばれる問題があります。ＧＤＰ（国内総生産）と労働時間（hours per year）の関係で、ここには労働時間が少なく効率生産性が最も高い国がノルウェーということになります。また、労働時間は少なくとも労働生産性の効率は高い値になっている国がドイツであり、労働時間は割と長いが、それなりの労働の効率が良いと評価されている国がアメリカであると言われている。

日本は、効率がそれほど高くなく、世界の中では中間国の値か周辺国より少し低い値となっている国として世界から認識・評価されている。そして、日本生産性本部が作成している時間当たりの労働生産性についての表（グラフ）も世界の評価とほとんど変化はなく、労働生産性についても日本が随分遅れている現実が示されており、世界の評価としては中間か中間より少し下に位置していると言えるような指摘もされています。

しかし実際の評価には、サービス残業（記録に残らない無給残業）と呼ばれる数値があり、これは記録としては残らないために、目に見える数値よりは実際の労働時間は多い現実があるでしょう。したがって、本来数値の分母（労働時間）がもっと大きくなる傾向にあり、今以上に効率が日本の場合低い数値であると思われる。「お客様は神様」と言われる言葉は、生産性の観点において重要な言葉となっている。また、効率の問題であると同様にユーザーとの関係性の問題としても指摘することができるでしょう。

たとえば、金曜日の午後にクライアントが月曜日の朝までに仕事を完成してくれという新規注文を行うこととなった。金曜日の夜、土日に行った労働によってこの要求に応えることにした。このような状況が職場内には数多く存在している背景があります。つまり、ドイツと日本では消費者と取引先との関係の考え方が逆転していることが言えるでしょう。ドイツでは、「労働者の権利＞消費者の便宜」

であり、日本では、「労働者の権利＜消費者の便宜」となっている。そして、公共性の仕事の問題も現在、医療界などで特に深刻で、日本においては、やはり公務員などのような公共性のある仕事に就く人々の健康にまつわることは二の次であるという発想が未だに残っている。このような問題点も現在の日本において変えなければいけない論点であると考えている。

そして、ＥＵの「労働時間編成指令」の中に含まれている勤務間インターバル規制は、ＥＵの場合、すでに法制度として行われていますが、日本ではいまだに努力目標になっており進捗していません。「Right to disconnect」と呼ばれ、仕事のオンとオフを区別し夜や休暇中はメールを見なくてもよいという権利が、二〇一七年一月よりフランスで新しく作成された法律で定められた。このような取り組みは、日本では行われていない現状があり、この論点も重要な考え方となってくるでしょう。

また、テレワークの問題に関して、良い側面はありますが、十分に労働時間が減少せずに増加してしまうというケースも存在します。特に、深夜における労働が余儀なくされ、かなりの時間が増加している傾向にあります。また、ネット上の会議では、対面における会議以上に顔出しをすることに疲れることが多いとも思われます。上司などに自分の顔が見られるという状況がかなり苦痛となってきている現状が大きい問題として指摘され、つまり、テレワークをすることによって人々の健康面における様々な機能に支障を来すために、課題が残されている。これらは、日本の今後にとって重要な検討課題であると言えるでしょう。

そこには今後の問題としてデジタル革命（第三次／第四次産業革命）と呼ばれるテレワークの問題を含んでいると言えます。つまり、時代と共にデジタルの機能が向上していくと、その世界の内側においてどのように人間の体を守るのか、ないしは労働者の命と健康がどのように変容していくのかということも今後の日本のテーマとなってきています。

そして、非正規雇用とダブルワークの問題について端的に説明しておきましょう。まず、非正規雇用／労働は、必ずしも短時間労働とは限らない。正社員ではない方や契約社員、嘱託による雇われた方や様々な名目の方が多数いらっしゃいますが、その方の多くが長時間労働の方です。また、彼らは長時間労働に加えて非正規で雇われている現実がある。つまり、不条理な状況は存在しており、長時間労働やストレスによる健康破壊の増大を防止しなければならないでしょう。

もう一つ、現在ダブルワークが問題になっているが、これはやはり夜や休日にダブルワークをする方が多い。この問題の健康に対する懸念は当然存在していると考えられ、大変心配な要素となっており、どのように健康を確保するのかという問題が提起されています。

4．就職や就活をめぐる労働法

最後に、いくつか就職や就活に関する話や労働法について端的に説明していきましょう。ここに、羽場先生に紹介して頂いた本『過労死しない働き方――働くリアルを考える』（岩波ジュニア新書）の中に詳細に書きましたが、労働法の中に「ワークルール」という規則があり、これは上手に活用することにより自分を助けてくれるアイテムとなります。俗に言う「法が身を助ける」ということに該当します。

まず、大事なところを覚えておいてほしい。ここで、例として以下のケースがありました。「正社員で働いていますが、残業が多いので、退職したいと上司に話したら、今会社が忙しいから、あと三か月働くように言われました。すぐ退職できないのでしょうか」。

このケースはよくある話であり、大概多くの場合は仕方ないと思い、残り三か月間働くのだが、辛い方にとって残りの三か月間は持たない。結果、退職まで一週間という期間の時に、自宅で亡くなってしまう方もいるのです。つまり、この設問の結論としては、労働者には、理由を問わずいつでも退職していいという権利／自由がある。三か月間待つ必要はない、上司の許可も必要ないということが含まれていなければならない。経営者には解雇の自由はないが、労働者には退職の自由はあることを理解して頂きたい。

ここで、少し専門的になりますが、退職の自由が民法第六二七条一項で定められており、法律上では、「私、退職します」と宣言した場合、そこから二週間経過しているのであれば、自動的に退職という形が取られるというように日本の法律上の扱いとしては、明確に決定されており、日にち、理由は問わずに「辞めたい」という自身のタイミングで言うことができるのです。したがって、この会社で働くことは、自身の健康が持たないという場合には退職という手段は重要な選択の一つであることは理解して頂きたい。

「有休」の話です。私に有給休暇に関する説明・相談があった。その相談内容は以下のものです。「土曜出勤の販売会社に勤めています。二か月先の土曜日に兄弟の結婚式があるので、その日休暇を取りたいことを上司に話したら、土曜は忙しいからダメだと言われました」という内容でした。将来、土日に営業している百貨店などで仕事をすることもあると思う。

このケースはよくあることで、親族に当たる兄弟の結婚式に出てはいけないなど、これでは個人の自由がなくなってしまいかねない。半年以上勤務していれば、年間一〇日間以上は、自由に休暇を取る権利がある。したがって、休む前日に言った場合にはそれは良くないことであると思いますが、二か月も前に言った場合、このケースでは当然、上司は了解しなければならないケースで、これがワークルールに該当するのです。

アルバイトの場合、よく休憩時間が問題となります。例えば、二時から九時まで働く場合に二〇分間しか休憩がないというケースがよくある。法律では、六時間を超え八時間以内の場合には、四五分間の休憩時間を与えなければいけないというルールが明確に決められている。八時間を超えたら一時間の休憩時間を与えなければいけないとされている。したがって、二〇分の休憩では、ワークルール違反に該当します。アルバイトをするときには、よく覚えておいて頂きたい。これらを理解することは、人間の健康を守るために必要なことです。アルバイトについては怪我をすることがあります。例として火傷の場合、治療費などは発生するが、これらすべては本来誰が責任を取るべきなのかとなると、アルバイト・正社員に関わらず、仕事が原因で怪我をする、または病気になってしまった場合には会社や労災保険から補償を受けることになっている。よく見られるケースとして、「あなたの不注意によって、怪我したんだろう」と言われる。しかし、そのような多少の不注意というものは誰しも生じさせてしまうでしょう。つまり、怪我の場合、多少の不注意があったからと言って、自分自身で全治療費を持つ必要はなく、あるいは本来働くことができたはずの賃金の約六割や八割を受け取る権利があります。

最後に、ユニオン（労働組合）のことについて、説明します。日本において過労死の問題が深刻になっている大きな背景には、労働組合の力が弱いこと、あるいは労働組合に入っている人が少ないということが背景に含まれています。したがって、将来職場に入った際には、労働組合に入るなどして、自分自身の身を助けるということにこれらの権利を使用して頂きたい。そして、これらは憲法二八条の中で規定されている項目です。

具体的に説明すると、市民法を修正した団体交渉権と呼ばれる権利が憲法の中において定められており、これは例えば、勤務条件の問題において使用者と話をしたい場合、労働組合に時間を取ってくださいと言われた場合には、必ず使用者はこれに応じなければならない。また経営者や管理職においてもこれに応じなければならないのです。このように憲法が定めています。通常、「あなたと今度一回会いたいのですが」と言われたとしても、会うか会わないのかの選択は、市民の自由です。そこで、会いたくないと言い続ける人に対して、何度も会うことを強要してしまうと返ってストーカーとして認識されてしまい兼ねない。勤務条件の問題に関しては、話し合ってもらう権利があることを理解して頂きたい。このような権利は憲法が労働組合に与えたものである。したがって、このような労働組合の力をよく理解して頂き、職場の状況を変えるということに使って頂きたいと考えています。人間は人生を楽しく充実させるために仕事をする。ぜひ、皆さんが健康に生き生きと仕事をできるということを願っています。以上で、私の講義を終わります。

＊　＊　＊

羽場：どうもありがとうございました。大変心が重くなるような、大変な貴重な話をしていただきました。おそらく、アダム・スミスが、「人間は仕事をして死ぬことはない」というように言っていたと思いますが、日本においては、多くの方が仕事で働きつつ亡くなるというケースが多発しており、すでに明治時代から存在していたという現実が過去にあり、やはり日本社会の問題としては、根が深いということを実感する次第です。

特に最近では、中国や韓国あるいはＡＳＥＡＮ諸国が合理化を図りつつ、一定程度の労働条件を満たしており、結果として発展しているにも関わらず、日本ではなかなか歴史的に長時間労働が変わらない実態がある。あるいは、女性のエンパワーメントが変わらずに現在、第三世界も含めて徐々に女性が閣僚に就くことが許されるようになったことにより、権利を拡大しているにも関わらず、日本は低迷しているような状況は変わらずにある。そして川人先生になぜ長時間労働の実態が変わらないのかという疑問について教えていただきたいと思っています。

まずは、学生の場合、労働の厳しさ（＝働くことの厳しさ）は分からないかもしれないが、最後にアルバイトの講義もされていたことによって理解した方や実際に経験したことがあるかもしれない。私も渋谷のあるレストランで、コロナ前のことですが、そこにいた青年が咳をしていたので、私は「病院に行ったらどうですか」と言うと、彼は「非正規であり、健康保険に入っていないから病院には行けない」と日本の渋谷という都市で言われたことにより、私は驚きを隠せなかったのである。これらのケースが、アメリカの場合には理解できますが、日本においても非正規雇用が増加してきており健康保険に入れていない若者が年を追うごとに増えていることを感じた次第です。

質問として、先ほどの講義の中において、睡眠不足が原因によりうつ病になりやすくなり、その結果、「死」のことを考えてしまう傾向になるということでしたが、先ほどの手帳に自身のことについて書かれていた方は、仕事を辞めることができなく仕事に対して怖さを感じていると言っていた。しかしながら、そのような人々は家族などの親戚にも相談もできずにいるのでしょうか。

川人：最初のケースでは、事件が起きた年の四月頃より特に忙しさが増し、そしてその年の一二月に亡くなってしまった。けれども、九月頃には家族が本人と一緒に近くのクリニックに一度訪れており、そこで仕事に対する悩みを打ち明けていました。その時にクリニックの専門医が言うには、「彼女のような症状は、仕事の影響が強いことにより、少しの休息を取った方がよい」というようなアドバイスをしていたのだが、このような選択は、学校を一日休むといったようなことではなく、それよりもはるかに勇気が必要な選択であることを理解して頂きたい。

現在の社会では、会社を一日休むということには、例えば、翌日のスケジュールが取引先と入っていることや打ち合わせする内容も決まっているというように、自分のスケジュールが自身の頭に記憶されている。または、自身が達成するべきノルマがあり、彼らはその掲げたノルマを達成しなければならないという使命感に駆られることが頻繁に生じており、そのような方にとって、クリニックに通い、ゆっくり休息を取った方がよいと言われたとしても、結果的には言われた通りにはできない傾向が強く、また、専門医以外に家族も休息を取ることを勧めたのですが、本人の意思では休暇を取ることができずに、結果的には会社に行くことになってしまい、最終的には正式な形の休暇は取れないまま一二月まで時間が過ぎてしまったということが実情です。

したがって、このようなケースでは、家族に相談したかしないかという意味で考えると、一緒に病院に行ったことがあり、家族も休暇を取ることを勧めていることにより、家族間でのコミュニケーションは存在していた。しかし、解決が困難な点としては、家族が主体となって会社本体や会社の勤務条件を変えることはできないのである。成人した人の仕事の勤務条件を同居している家族によって変えることは非常に困難なことであり、精神的にも法律的にも困難なことであると言うことができるでしょう。

つまり、結局のところ家族が実施できることとしては、かなり限定的であると言えるでしょう。前述したように、病院に一緒に行くことや休暇を取った方が良いというようなアドバイスを与えること自体は行うのだが、やはりそれだけの行為では、会社に縛りつけられた心理は、なかなか変わることは難しく、結果的には亡くなった後において家族は家に置いておくべきであったと後悔をしてしまう。これが痛恨の極みであり、あの時にもっと強く言って休ませていればよかったと思うようになり、やはり、家族ができることとの限界があることを理解して頂きたい。家族にとってアドバイスをするという選択は大事なことであり、専門的な病院に連れていくことも大事なことではあるが、最終的には、職場の状況によって決定される。

したがって、職場を変えようと思うのならば、弁護士や労働基準監督署などの法的な手段を取ることにより、職場の状況を変えるというように踏み切らなければいけない。家族の力はこのような意味を踏まえると非常に大切なものではあるが、学校の場合、年齢的には未成年ということもあり、保護者としての発言権などはあるものの、職場との関係において、家族との役割はある程度限定的であるということを理解して頂きたい。

羽場：今の問題に関連して、川人先生にお伺いしたいのですが、日本の企業はこのような意味を考慮した上で無法地帯のように感じており、日本では特に、被害者側が弁護士に相談をすることは非常に敷居が高く認識されております。おそらくヨーロッパやアメリカのように、簡単に法律家や弁護士に相談をするということは不可能であることが多いように思います。その理由としてまず、お金がかかり過ぎてしまうことや、金銭面に伴い時間までもかかってしまうことにより、自分自身に法律の認識がない時に相談したとしても、結局のところ泣き寝入りの側面が顕著に表れてしまう。前述した高橋まつりさんの過労死問題やそれに伴う業務不正の問題にも言えますが、会社側がおかしいと感じた時に、これまでよりももう少し簡略的に相談できるような組織ではないでしょうか。労働組合は一つであるかもしれないが、職場内部のカウンセラーや、あるいはトランスペアレンスシーの高いNGO団体が日本にはないのかもしれません。日本の企業にある無法地帯に対して弱い若者で、それも女性で就職した直後の一年目の方が「自分で戦え」と言われても、それはむずかしいのではないかと考えますはいかがでしょうか。

川人：私が一番皆さんに勧めることと言えば、匿名／非匿名に関係なく、労働基準監督署にこれらの問題を訴え、その働いていた会社の名前を言い、悲惨な実態が行われていることや、多くの残業により社員すべてが疲弊しているという実態を言うことです。匿名だとしても日本の労働基準監督署は動くことが原則となっている。そしてこれは、一定程度の効果があることが言われています。

労働基準監督署に電話をすることや、厚生労働省の管轄であるフリーダイヤルに電話しても構わないのですが、これは比較的真面目に受け答えします。コストが一切かからないことや、その上で先に労働基準監督署の人間が正確に管理しているのであれば、弁護士に繋がり相談へと発展するケースやさらには立入調査にまで線が延びるケースまであります。最後に、「署」と付く組織には警察署を始めとして労働基準監督署や税務署などがある。そして、巷の一般社会で生じた犯罪やおかしなことについては、警察署に駆け込むことにより問題が解決するのであり、職場で起こったことについては、労働基準監督署に駆け込むことにより問題の所在を明確にすることができるのが、法律の枠であり制度です。つまり、警察の組織として付けられている「署」という言葉が、労働基準監督署にもついているのです。したがって、皆さん方が何かしらの被害を受けた際には警察署に駆け込むと思いますが、そのようなケースと同様の気持ちを持って、労働基準監督署に本人／家族が匿名で電話するという勇気ある行動がこれからの社会には求められています。これは、一つの動く経過／経験になるということを覚えておいて頂きたい。これは、誰にでも気軽に行動を起こすことができるものです。

羽場：本日は、働く上での規則などを教えて頂き、非常に分かりやすい講義であったと思います。おそらく、日本における警察署などのような組織は比較的近くに交番などを設置し、私たち国民が伺いやすい体制を整えていると思うが、労働基準監督署などの言葉を聞くと、やはり気難しい側面があり、労働基準監督署と呼ばれる広報が行き届いていないことが背景にあり、あるいは教育制度も弱いことが根底にあるのではないかと考えられます。ぜひ皆さんも職場で納得ができないことがあった時、労働基準監督署に相談してみて下さい。

川人：東京には労働基準監督署がすべて合わせて約二〇存在します。地域には各所に労働基準監督署が設置されているのです。つまり、気軽に電話でも相談することもよく、昔に比べれば労働基準監督署から主体的に動くことは多くなったと言えるでしょう。会社の名前のみを言えばよいのです。自身の名前も述べる必要はなく、労働基準監督署側がひどいと捉えた時に主体的に動いてもらえます。

羽場：次に、企画型、裁量労働制における採用での場合、長時間労働の実情があまり表に出にくいという実態があると思いますが、その場合でも個別に労働基準監督署に提出した場合、対応してもらえるのでしょうか。

川人：企画業務型は裁量労働制の一つです。裁量労働制とは、端的に言うと、労使協定によって協議し一定の時間働いたこととみなすというルールです。例え一五時間以上働いているような場合においても、その実態が見えない、このような問題が、実際に生じていると言えます。

そして、いまの質問との関連で言うと、現在では裁量労働制の場合にも、健康管理の時間は、正確に管理しなければいけないということにより、指導がなされています。企業側としては、裁量労働制でも、健康管理のために、その働いている方が実際にどの程度働いたのかについて把握しなければいけない。把握することが現在ではルールとして取り組まれている。つまり、裁量労働制を取り入れている方であったとしても、正確に健康のための労働時間の管理は会社側が行わなければいけないのであり、また、本人も当然のことながら、労働時間の管理を要求する権利はある。一般の労働者と比較した時に、裁量労働制を取り入れてしまうと、労働時間の問題では自身の身を守ることができないのではないかと不安に思われる方もいるかもしれないが、現在では健康時間の管理として、きちんと経営者は状況を把握し、健康管理に努めなければいけない決まりとなっています。したがって、以上のような方向性で努力を積み重ねていくと、現在のような法制度においても十分に自身の身を守ることは可能です。

羽場：時間になってしまいましたが、自殺との関連で一つ重要な意見があったことにより申し上げさせていただきます。講義の前半において、自殺を止める看板が紹介されていたが、看板で実際に自殺を踏みとどまる人はいるのだろうか。実際に視野狭窄に陥った場合、当人は家族や友の顔を思い出せと言われても、踏みとどまることは困難なのではないか。また、問題を抱えており居場所がなくなったことによって、自殺する人にとっては、むしろこのような文言は当人の行動をさらに追い詰めることになるのではないでしょうか。

川人：まずはじめの問題においては、やはり看板のみでは無理があります。したがって、実際には看板を立てた上で巡回をしている。その巡回活動によって、話し込む行動に持ち込むことが大事なことで、看板はその活動のシンボルであると私は理解しています。つまり、看板のみでは抑えることができないことにより実際には、巡回活動を行うということが防止策として非常に大事なことです。一方で、視野狭窄に陥っている人についても、なんとか踏み留まってもらうために努力をすることで、場合によっては直接一緒に心療内科や精神科に行ってもらうことも含めて、対応している。

そして、もう一つ後の問題としては立札によって追い詰められてしまう方もいるかもしれない。そのような意見は、貴重なご指摘であると思いますが、私も次回の機会では現在立札を立てている方に一度聞いてみたいと思っています。そのような心理は、私たちの目には見えない範囲内で存在しているかもしれない。しかし、前述したように一つのスローガンとして、象徴として立てていることを前提にしており、その上で巡回活動を通して話し込むことがメインの活動であると考えて頂きたい。これは、中国においても同様で、現在中国においても、急速に少子化が進んでいることによりノルマや、社会の中でのストレスが高じやすくなっている社会であり、漢字の「過労」ということが、現在の中国における新聞には多数出るような時代になっている。そして、中国においてよく自殺するところでは、日本と同様に巡回活動を行っているというような特集の報道番組を私は見たことがありますが、看板の問題については、そのような逆効果の問題も含めて様々な関係者の方と一度話し合ってみることにしましょう。

最後に、ブラック企業とホワイト企業を見分ける方策についてお話をさせて頂きます。

これは極めて難題であり、私の意見としては、すべての企業においてホワイトな面とブラックな面が存在していると考えています。そして、現在ホワイトの面が強い企業においても来年、再来年には、ブラックな面が強くなることもある。したがって、ホワイトの面がある企業は、ある程度経済的にも／経営的にも安定しているという要素が根底にあると考えられます。しかしながら、それは国内外の国際情勢などの様々な変化によって一挙に悪化することがあり、その際に会社が追い詰められた結果、ブラックな面が前面に出ることもある。つまり、ホワイトとブラックを見分けるという質問には、すべての企業において両面が存在していることを前提にした上で、見極めて頂きたい。そうは言っても、なかなか見分ける方法について質問された場合、可能な範囲内で図書館などに行き、様々な判例集などを見ると、そこには数多くの企業を扱った裁判例などが、多く紹介されているので、時間を取り、自ら調べてみるということも自身の学習に繋がるのではないでしょうか。

また、私はよく「この企業は大丈夫ですか」などと聞かれますが、その解答として大丈夫と答えたことはないでしょう。それには、本質的な問題提起があり、現在は相対的に良い企業であるかもしれないが、今後五年、一〇年先にどうなるかという問題は、常に企業の中には存在していると言えます。もう一つには、ブラックよりもホワイトの要素を拡大していく背景にはやはり市民の力や労働者の力あるいは労働組合の力や国の力が働いていると言えます。つまり、選択するより私たちとしては、常にブラックの側面やブラックな企業を少なくし、ホワイトの部分を多くすることが大切で、これは日常の中において、社会の取り組みを必要としている事柄であると考えており、常に国民的な課題と認識して頂きたいと思います。その前提条件があった上で最終的に企業を選択する際には、先ほど言ったようなことを忘れないで頂きたい。その時に良いと思ったとしても、実際にはそうでないケースがよく存在する。

また、就職の際の注意点として言うとすれば、就職のリクルーターで出てくるような方は、企業側が良いと見ている選りすぐりの方を出しています。例えば、ある大学の先輩がリクルーターとして来て、先輩を見て、この企業は良いと思って入った場合でも、自分の上司に先輩がなるのではない。先輩ではなく全く異なる見ず知らずの人が上司になることが一般的です。つまり、リクルーターで出てくる方には、企業の宣伝として本当に優れた人物を選んで出してきている企業が大半で、その人物を見て全ての上司や先輩がそのような理想形ではないことは覚えていて頂きたい。やはりどんな企業にもおいても、人材にはばらつきがある。

入社二年目で亡くなってしまった銀行員の事件を取り扱ったことがあるが、そこには考えもできないほどのパワハラの連続があった。例えば、一日に二時間程度上司の机の前に立ちっぱなしにされ、そこで叱りつけられるということが日常的に繰り返されていた。その結果、入社二年目の時期において、大学卒の方が亡くなってしまったというような非常に痛ましい事件であったことにより、この事件では、企業側からご遺族に対して正式な謝罪があった。つまり、そういう時代なりそのような社会で、私たちは現在生きているということを前提に考えて頂きたい。現在の日本には飢餓などの問題は発展途上国と異なり存在はしないが、逆の意味での身を攻撃されるというケースは可能性があり得ることにより、解決策としては皆さん方がそのような問題をどのように跳ね返していくのか、またどのように自分自身が健康で生き生きとした人生を歩んでいくのかについて学生の四年間できちんと勉強した上で、就職へと繋げていって頂きたいと思います。

また、電通の高橋まつりさんの事件以降は、企業が改革されたと考えて良いのだろうか。それについては、高橋さんの事件が起きた二〇一五年と現在を比べると、随分それはマシになったと言えるでしょう。一方で、ほとんど変わっていないという意見が時々あるが、そんなことはないと私は考えています。なぜなら、企業として社会レベルの事件が起こり、その結果膨大な量の世論から叩かれたことが背景にあると考えられる。特に変わったこととしては、新人に対する対応が挙げられる。ただ、逆に捉えるとマネージャークラスや課長クラスにおいて、非常に大きな負担がかかってしまい、そこで長時間労働などのような問題が生じている面はあるが、少なくとも一年目、二年目の方に対する体制は随分変化をしたと言えるでしょう。

つまり、良くなったか悪くなったかという意味においては、より悪くなったということはないと考えることが妥当ですが、実際にはこれも正確には分かっていない。したがって、私たちとしては、経済情勢や経営環境が悪くなったとしても、労働者の人権や健康が守られるような職場を作ろうと努力は施しているが、常に企業は流動的なものであることを念頭に置いて就職先を考えるということが大切であるということを理解して頂きたい。

羽場：最後に、非常勤講師の問題や非正規労働者の問題についてうかがいたいと思います。一つ質問として、日本で長時間労働が美徳になった背景はあるのでしょうか。それは欧米に追いつく／追い越すというスローガンからでしょうか。

川人：長時間労働が美徳ということは、中世や近世における歴史にも存在していない。むしろ明治維新の頃に、イギリス人が日本に来日して書いた手記等を見ても、日本はのんびりゆったりとした国というような記述もあり、基本的に私の理解では、日本人固有の民族性に関する問題ではなく、やはり明治維新以降の富国強兵殖産興業のもとにおいて、欧米列強による支配からの脱却であると言える。つまり、日本は追いつき／追い越せという思想や理念が根付いているからでしょう。その歴史は、明治政府から始まったことであり、それが大正・昭和と続いている思想として教育されてきた。実際には、客観的条件がそのような状況下にはあったことは確定的であり、国民もそれ自体を受け入れていた。

しかし、問題はそれがなぜ、太平洋戦争で負け、新しい憲法が制定された際に、そのような問題を変えなかったのかというような問いが存在しているが、平和主義の観点から捉えると、様々な問題はあるにせよ、太平洋戦争の前後で考えると一応は大きく変化が加えられたのではないかと考えられる。職場問題に関して考えると、新しい憲法が策定され、新しい法律も施行されたが、戦前と戦後の時代で比較するとほとんど変化していない。基本的には大きく変化していないという見方が私の実感です。実際のところ、欧米に追いつき／追い越すという長時間労働のマインドが、戦後の時代には、戦争に負けたことにより、同様のマインドが作られたと見ています。つまり、日本には資源も何もなく、とにかく労働により欧米列挙に追いつき／追い越すというような基本的なマインドが根底に存在していると。

そしてこの問題が、現在ではやや変化を加えられてきているかもしれないが、未だに明治維新以来の日本の歩みが、根底には存在している。昔の日本では天皇制において従属する形を取って国家を形成していたが、戦後は、天皇に代わって企業に従属するような形で、ある種の支配体制を許容するような条件が生まれた。企業が一体となって、頑張っていくことがマインドになったことが、長時間労働のイデオロギー的な背景として一番根底にあると考えています。

ただし、問題はバブル崩壊以降の三〇年間についてであり、今までと全く同様であるかどうかということには、やはり少し検討の余地があり、そこは局面として異なる面があると言えます。また、日本は欧米に追いつき／追い越せというようなことは、一度一九八〇年代にJapan as No.1として達成されたかのようなところがあったが、結局バブルが崩壊した以降では、どちらかというと、欧米に追いつき／追い越せというよりも、日本は独自で生き残らなければならないという方向に舵を切った。そして戦後築いてきたものを守り抜き残さなければいけないというような、いわば消極的な防衛意識がこのような状況下にはあり、職場を大きく変えるような方向になっていない。以前は出世するために企業に従属する形であったものが、現在ではリストラされないために、企業に従属するような関係性を保っているように、以前よりも少し消極的な従属の動機に変化をした。そして、その状況がこの二〇、三〇年でいまだに続いているように思われます。リストラされないか／非正規にされないかというような現在の消極的な動機によって、やはり企業への従属はいまだに続いていると思います。

＊

羽場：本日は長時間の講義ありがとうございました。皆さんも自分の命は自分で守り、自殺をしたり、病気になって、思いつめたりしないように気をつけて下さい。そして、前述していただいたように、万が一の場合には労働基準監督署に相談するというような対策を取り、学生時に様々な学習を行い、川人先生のご著書においても学ばせていただけたらと思います。

川人先生に心より感謝して、講義を終わりたいと思います。質問については、後でも、答えていただけるものは答えていただければと思います。ありがとうございました。

8. 真理の探究

佐藤洋治

羽場：佐藤洋治先生・ユーラシア財団理事長は、この間、青山学院大学、神奈川大学、その他世界中の多くの大学でアジア各国との友好関係の発展、欧州・アメリカやラテンアメリカ、アフリカなどを含む若者たちの交流と発展のためにご尽力されてこられ、大変尊敬申し上げている方です。世界各国の大学を訪問され、若者たちの交流、アジアや世界のネットワーク形成のためにご尽力、ご活躍されておられます。この「世界の中の日本」の講演を開かせていただけたのもユーラシア財団のおかげと感謝申し上げております。本日は「真理の探究」と題して若者たちに向け講演していただきました。どうぞよろしくお願い申し上げます。

はじめに

ユーラシア財団は世界の各大学の講座開設を支援することで、若い学生の皆さんに対し、世界の歴史、文化、宗教、政治、経済などの理解と相互交流を促しています。国家または政治の支援を受けず、他の団体から影響を受けることのないように、常にニュートラルのポジションを保ちながら活動しています。

財団は世界各国の大学が参加し易いオープンなプラットフォームの役割を提供しながら、活動を続けております。

運営として、二〇一〇年から二〇二〇年まで、アジアを中心にワンアジア財団という名称で、このプラットフォームを提供してきました。

しかし、世界のあらゆる争いを無くして行くためには、このプラットフォームをさらに拡大をして行く必要があるということで、二〇二〇年からそのプラットフォームをユーラシアまで拡大しております。このようなことが簡単な財団の紹介であります。

そして、この財団の活動を続けていく上でどうしても必要な三つの活動原則を設けました。

一つは民族、国籍は問わない。

二つ目は、思想、宗教を拘束しない。

三つ目は政治に介入しない。

この三つの活動原則を用いることによって、世界中すべての国・地域にこの財団のプログラムを持って行くことが可能となりました。

そして約一二年間の活動の結果、五八の国と地域において、六八〇の大学がこの財団のプログラムに関係をしております。

当然、最初の一〇年間は、アジアを中心に活動しておりました。

そしてその後、アメリカとかオーストラリアとかヨーロッパに拡大しております。

現在はユーラシア・ファウンデーションと言う名前を設けてありますが、決してユーラシアだけではなくて、北アメリカ、中米、南アメリカ、アフリカ、世界中どこの国でも、この財団はプログラムを持って行くことができる状態にあります。

アメリカだけですでに一五の大学がこのプログラムを行っており、二つの大学が現在、準備中であります。

そしてヨーロッパも今、大学の数が増えております。そして南米の方も、参加大学が出てきました。もちろん、アフリカもあります。

したがって、この三つの活動原則を用いることによって、政治体制が違う国々においても、財団はニュートラルな立場で活動を続けることができております。

しかしながら現状の世界を見ていますと、メディアはウクライナとロシアの戦争において、毎日のように報道があります。世界のどこかで戦争が絶え間ない現実がこの地球上にはあります。

財団としては、世界中の若い学生の皆様方が、世界の多くの大学の皆さんと交流を重ねることによって、やがて未来にあらゆる争いが無くなってほしいという希望を抱きながら、この活動を続けております。

そしておそらく未来において世界中のあらゆる争いがこの地球上から無くなる。そういう時が訪れるとすれば、おそらくその時は地球上の人類がいかに真理に近づくことができるか。その時に初めて世界中の争いが無くなる時が訪れるだろうというふうに考えております。

＊

そこで今日の理事長の講義は真理ということを一番のメインテーマにおいて、いかに真理に近づけるのかということを少し哲学的な切り口から考えます。そして最後の方、残りの時間があれば具体的に地球上のほぼすべての人類にとっての未来に対する夢と希望が抱けるように話を最後にしてみたいと思います。

そこで最初に、真理についてお話してみたいと思います。

真理の一、永遠の完全な真理。正しい道理。誰も否定することもできない。普遍的で妥当性のある法則。ある命題が他の諸問題と矛盾せず、整合性がある。真理の前には、民族、宗教、政治、経済、資本主義、社会主義、共産主義、貧富の格差等のすべての問題に対する争いや、矛盾が無い。否定するものは何も無い。全学問と全宗教は「真理の探究」が究極の目的です。知識には限界がある。しかし想像力には限界が無い。真理に限りなく近づくには想像力が必要で、それには構想力と、信じる力が含まれます。とりわけ宗教と物理学の量子力学は真理により近づきつつあると思います。

そして真理のためのアプローチの方法があります。

次の四つの命題を探求することです。

一、自我とは何か。

二、人間とは何か。

三、生命とは何か。

四、実体とは何か。

実体というのは、少し哲学的な用語なので、少し説明がこれから加わります。変化しやすい多様な物の根底にある持続的自己同一的なもの。物事の奥に潜む真の姿、本質。デカルトは次のように言っております。それ自身で存在し他物を必要としないものという風に述べております。

真理に近づくと人類はどうなるのか。今の人類の体、これをハードウェアとします。そして、その身体を使っているそれぞれの自我、これはソフトウェアです。そして、近い未来において、この自我ソフトウェアが人ソフトウェアに変換する時が訪れた時、この自我の時代から人時代に移行する時が来ると思います。人類は未来に自我ソフトが人ソフトに変換する時が来ると思います。

このように、真理に近づくためのアプローチの方法はこの四つです。

これは地球上、今七八億の人口があるとしましょう。このすべての七八億の方々の普遍的な根源的な共通テーマがこの四つです。

自我とは、人とは、生命とは、実体とは。

残念ながらこの四つのテーマについて、人類はその答えを手にしておりません。しかし、近い将来、この四つの答えの扉を開けることができれば、その扉の先には真理に近づく道が用意されていると思います。

そこで、今日は、この四つのテーマについて、大変短い時間なのですが、分かりやすい、この四つのテーマについてアプローチを試みてみます。しかし、残念ながら、世界中の哲学者の先生方に理事長の佐藤は今から二四年前から世界の哲学者の皆さんとお会いして、この四つの問いを先生方に向けてきました。残念ながらその答えは出ておりません。しかし、二四年間かけてこの四つのテーマを掘り下げてきた。その到達した理事長・佐藤の結果を今日プレゼンテーションします。ですからそれが答えであるとか正しいとか言うつもりは毛頭ありません。しかし、二四年間の歳月をかけてたどり着いたこの四つのテーマに、対しておそらく皆さんが参考になることがあると思います。参考にしていただければ幸いであります。

1．自我とは何か

そこで、一番目の自我とは何か、というテーマに話を移して行きます。皆さんは理事長佐藤の話を今聞いています。そしてその話を分析して、そしてさらに皆様方は皆様方それぞれの考えをまとめることができます。考えをまとめる自我が存在しています。皆さんのそれぞれの存在している自我、これはまず二つ質問をしたいと思います。一つは、皆さんの今存在しているそれぞれの自我は、皆さんの体のどの部分に存在していると思いますか。これが一つ目の質問です。

理事長・佐藤は約五〇〇の大学の学生の皆さんにこの質問をぶつけてきました。実に様々な意見が返ってきました。しかし、代表的な意見がいくつかあります。それは、一つは頭にある。要するに皆さんの自我は皆さんの体の頭に存在する。目に存在する、口に存在する、耳に存在する。それから手に存在する、足に存在する。体全体に存在するというような答えが代表的なものでありました。皆さんがもし、近代的な設備で、大きな大学の総合病院で、どれだけ検査をしても、皆さんの自我が、皆さんの身体のどこにあるか、それは出てきません。自我は見える存在ではありません。どこを検査しても、皆さんの身体のどこにあるのか証明出来ませんが、しかし、皆さんそれぞれの自我が存在していることは間違いありません。

二つめの質問は、今皆さんに存在しているそれぞれの自我が、皆さんが赤ちゃんとして生まれた時に、その赤ちゃんの身体の中には、自我の種みたいなものが既に存在していたのでしょうか。これが二つめの質問です。

この二つめの質問にかなり近づいた方がいらっしゃいました。その方はヨーロッパのフリードリヒ二世という西暦一二〇〇年の頃に活躍した王様です。このフリードリヒ二世は部下の兵隊達を集めてある命令をしました。兵隊たちの奥さんがお腹の中に赤ちゃんがいて、一か月後、二か月後、三か月後ぐらいに赤ちゃんが生まれる、そのような奥さんを持っている兵隊たちを集めて、王様は命令を出しました。赤ちゃんが生まれたその瞬間から、赤ちゃんの名前を呼んではいけない、赤ちゃんに話しかけることもしてはいけない。その上で、赤ちゃんたちが成長の過程で一番初めにしゃべる言葉を紙に書いて王様に持ってきなさい。これが王様の命令でした。王様が赤ちゃんというものは、神様からのプレゼントであるから、他の方たちが余計な言葉を一切赤ちゃんに聞かせなければ、赤ちゃんが一番最初にしゃべる言葉は神の言葉に違いない。そのように考えて、王様は命令を出しました。

しかし、残念ながら。すべての赤ちゃんたちは、一五、六歳まで生きて全員が死んでしまいました。しかも「白痴」の状態で死んでしまいました。「白痴」ですから、言葉も文字も理解しません。コミュニケーションが全く取れない状況ですから、単なる生物として食べること、寝ること、排泄することの人生で一五、六で亡くなってしまいました。しかし、一五、六ということは歩くことが出来ます。歩いて家の外に出た時に、外の景色の変化、動物の鳴き声などの刺激を受けて、もし赤ちゃんに自我の種でもあれば、その自我がさらに発展する、発達するはずだったんですが、残念ながら全く〇(ゼロ)の状態で白痴の状態で全員が一六歳で死んでしまいました。

このことから考えられることは生まれた赤ちゃんに自我の種は、まだ全く無いというように考えられます。しかし、皆さん方はそれぞれ立派な自我が存在しています。世界中七八億の方達もそれぞれ立派な時間が存在しています。ということは生まれた赤ちゃんの中には自我の種が無いとしても、その後、どのように自我が形成されるかが問題となります。おそらく、今ここに生まれた赤ちゃん、たまたま、この赤ちゃんに泰平という男の子の名前を付けました。赤ちゃんが生まれるとだいたいベッドに寝ています。そして、その赤ちゃんに向かってお父さん、お母さん、親戚の人、近所の人、毎日赤ちゃんを見ては「泰平、泰平。泰平ちゃん、泰平ちゃん」という、一定の音波を赤ちゃんの体に毎日のようにぶつけます。一日何百回、何千回、そして一〇か月もすると何万回、何十万回という、一定の音波が赤ちゃんの体にぶつけられます。その結果、一〇か月を過ぎて一年近くなると、もうよちよち歩く頃にその赤ちゃんに向かって泰平と呼ぶと、その赤ちゃんは呼ばれた方によちよち歩いてきます。もうそのときは赤ちゃんの体の中に、泰平自己、一番最初の泰平自己が出来たということになります。そしてその泰平という自己がやがて成長とともにタイトルの名前、これをたくさん重ねて着ていくことになります。例えば、一番最初のタイトルの名前は、泰平は男の子よ、という風に着ていきます。それから幼稚園生、小学生、中学生、高校生、大学生という風に、このタイトルの名前を重ねて着ていく。このタイトルの名前、これを我己と言います。一番最初、生まれた赤ちゃんに名前を重ねて発音されることによってできた泰平自己、そしてその自己がやがて成長とともにタイトルの服を着ている我己。この自己と我己、この二つで自我と言います。ですから、人生を生きて行くということは、自我を形成して行くということと同じ意味になります。このことが本当に、そういう仕組みになっているかどうかということは、学生の皆さんが、興味があって協力していただけるのであれば、そのことを証明することは可能です。皆さんの協力というのは、皆さんが近い将来、結婚して子供が出来たとします。子供が生まれたその瞬間から一〇か月間、名前も呼ばない、話しかけもしないでください。その結果、その赤ちゃんはどうなるでしょうか。おそらくその結果、フリードリヒ二世の実験のように、その赤ちゃんは白痴の状態で一六歳で死ぬことになると思います。とても恐ろしい実験なので、お勧めすることはできません。余程皆さんが天邪鬼で変わり者であれば、やってみてください。ただし、責任は取りません。そしてその結果のレポートだけください。これは冗談半分で、決して実験をしないようにしてください。ここまでの話で大事なことは、生まれて来たのは身体です。そしてその体の外から一定の音波の名前を何十万回と呼ばれることによって、まず恐らく脳のどこかに自己が泰平自己が形成されます。そして、その泰平自己がさらに外側からいろんなタイトルの服をあてがわれて、それを重ねて着ていく我己。そしてこの両方で自我が形成されるという話です。ここまでのところで、皆さんに特に言いたいことは身体と自我とはもともと別々のものであるということです。しかし体が生まれた後、自己が外側から体の中に入って形成され、そして我己が同じく外側から中に形成され、自我が形成されると、それぞれの皆さんの自我は、皆さんの体を自由に使うようになります。要するに、体の主人公が自我に置き換わります。身体と自我は別々の存在である。そして体が成長するには食べ物を食べ、栄養を取れば体は成長して行きます。

自我の方は特別なエネルギーが必要になります。この特別なエネルギーというのが四つあります。

この四つというのは、言葉と文字と数と名、この四つが、どうしても不可欠なエネルギーです。自我を形成するために、言葉と数と名、この四つがどうしても不可欠です。日常言葉をしゃべることによって、さらに自我が形成されています。書籍とか、新聞とかあらゆる文字、これを駆使することによって自我が形成されています。数で代表的なものは、お金です。これを扱うことによって自我が形成されていきますが、数にはさらにですね。例えば、皆さんは音楽をよく聞くと思います。その音楽は音波振動数という数があって、はじめて皆さんは音を聞き分けることができる仕組みになっています。そして皆さんは映画とか映像とか絵画とかを見ると思います。それは光の波の振動数、硬派振動数という数が介在して、その形とか色を識別することができます。数はとても複雑です。言葉の実数、そして名、この名は皆さんの名前ももちろん、それから地域の固有名詞ももちろん普通名詞ももちろん含まれますが、しかし名の中にタイトルの名、我己名、この名は特別役に立ちます。例えば皆さんは今大学生というタイトルがあると思います。そしてさらに大学院で勉強して博士課程で勉強し、博士号を通過すると皆さんは何々博士というタイトルを手にすることができます。この学名は自我を形成するのにとても重要な役割を持っています。そしてこの学名の中に、皆さんは留学生の方はいるかも分かりません。その留学生の方を除くと、ほとんどは日本人というタイトルを手にしていると思います。しかし、皆さんの細胞の中のＤＮＡをどれだけ調べても皆さんが日本人であるということの情報は、ＤＮＡの中にありません。世界中七八億すべての方たち赤ちゃんで生まれた瞬間、生まれた時の細胞、そしてその中のＤＮＡをどれだけ調べ、そこには国籍も民族の情報もありません。しかし、皆さんは大多数、日本人を認識しています。これはいつ、どこで認識したんでしょうか。おそらく、世界中、大部分の方たちは、小学校三年生ぐらいですかね。九歳とか一〇歳ぐらいの時。お父さん、お母さん、小学校の先生から泰平ちゃんは日本人だよと刷り込みが入ります。そして、その刷り込みを認識して、その刷り込みを大事に生涯持って行くという風なことになります。したがって、民族とか国籍というタイトルの名前は生まれた赤ちゃんには元々ありません。しかし、その後の教育によってそれを認識して、それを演じて生涯持って行くという仕組みにあります。このことを世界中の方々がきちんと理解をしてくると、もともと世界中七八億の方たちは生物学的にホモサピエンスの種類です。ですから、人種と民族でたくさん分かれているように思いますが、もともとは分かれておりません。後からの教育によってそれを認識して別れるようになってしまったということです。このことを理解することによって恐らく未来において地球上の人類は人種とか民族の争いを卒業できる可能性は充分にあるという風に考えられます。

2. 人間とは何か

自我については以上で終わりまして、続いて二番目の人間とは何かについて考えを掘り下げていきたいと思います。

人間とは何かをワンセンテンスずつ短い文章を表にまとめました。この中から山本仏骨先生[1]のセンテンス「すべての宗教および学問は、人間とは何かを問い求めることにこそある。しかし、答えはまだ出てない」と断言しています。この山本先生だけではなくて、この五名の先生方のみならず、特に理事長の佐藤は二四年前から世界の哲学者の先生方とお会いして、特に人間とは何かの質問を重ねてしてきました。その結果、ミスター佐藤、残念ながら人間とは何か、その答えは出てないし、よく分かっておりませんと言う返事が返ってきました。佐藤は、当然五〇年以上当たり前のように、人間として生きてきて、人間とは何か分らないというふうな返事を聞いた時に、ある意味ショックを受けました。しかし、そのことを諦めるのではなくて、さらにそのことを掘り下げていかないわけには行かないという気持ちで、掘り下げようということを続けてきました。そして二四年経った現在、人間とは何かの質問に対して理事長の佐藤はある結論に到達しました。その結論というのは、皆さんも含めて世界中七八億すべての方々は人間ではないというのが結論です。おそらく皆さんは他の方からあなたは人間ではないと言われたならば、どんな感情を持ちますか。おそらく怒りが出てきて、人間ではないって言うのならば、じゃあ何なのか早く説明してみなさいと言うと思います。そこで説明いたします。人間というのは、世界中すべての人を含め、七八億すべての人を含めて初めて人、人間というこの文字と言葉が使えます。この反対の言葉が七八億分の一のそれぞれの自己、自我です。

ですから、ある意味では、現在の世界は自我の世界。自我の世の中と言った方がより正確です。残念ながら、人類はまだ人の世の中、人間の社会にまだ到達しておりません。それでは人の世の中、人間の社会っていうのはどんな世の中なのかということを簡単に説明します。

皆さんの体は三八兆という細胞で出来上がっています。一つ一つの細胞には一〇〇%の体を形成することが出来るDNAが存在しています。そのDNAの一〇〇%の働きではなくて、たとえば髪の毛は〇・〇一%の働きで髪の毛を演じています。皮膚も爪もそれぞれ〇・〇一%の働きで皮膚を爪を演じています。そして、この三八兆の細胞は、実に見事にそれぞれの役割を分担して全体として見事に調和がとれた素晴らしい機能を持った人体を形成しております。今世界中の七八億の方々が未来において、この七八億の全ての方たちがそれぞれの役割を分担して、全体として見事に調和がとれた世の中が訪れ、そして争いもなく平和なこの地球が訪れた時に、初めて人の世の中、人間の社会という言葉が通用します。残念ながら人類はまだそこまで到達してない状況にあると思います。おそらく、世界中の七八億のホモサピエンスの歴史を振り返ると、二〇万年前に、アフリカで出現したと言われています。そして今から八万年前にアフリカから世界各地へ移動して行きました。移動して行って、世界の各地域で気候とか環境に順応しながら今日に至ります。

そして、今から四万年前ぐらい、各地に移動したそれぞれの人類は言葉というエネルギーをまず手に入れたと思います。そして今から六千年ぐらい前に文字と数字、このエネルギーを手に入れたと思います。それにそのことによって、言葉と文字と数字、これを組み合わせることによって見える対象物に名前を付けてきました。名前を付けることによって、多くの人がその対象物に対して共通の概念をイメージできるようになりました。言葉、文字、数字、名前の四つのエネルギーを駆使することによって、人類は素晴らしく自我形成をする状況に至りました。それが現時点の状況です。世界七八億も全ての方たちは実に見事な独立した強い自我形成をするところに到達しました。しかし、残念ながら現在の自我形成したこの時点は、ある意味では三次元の世界は物質的な欲望を中心として、それぞれの欲望がぶつかり合う。争い合う、取り合うという状況にあります。この三次元の世界から人類はさらに次のステージ、四次元、五次元のステージを今迎えつつあります。五次元のステージに行くと、もうそこにはあらゆるものが充足しております。要するにそれぞれの欲望で欲しいもの、これがもうすべての方たちが手に入れることができる状態になります。ですから、お互いに争ったり競争したり、取り合う必要がない。初めての五次元の世界に到達した時に、自我の世界から人の世の中、人の世界に人類はアセンションして次元上昇するということに、今、人類は迎えつつあります。その向かいつつある背中を押してくれる、革新的な技術が今まさにこの世界に登場してきました。これは後半の方に具体的なそのことについて述べます。とても夢のある希望が持てる話につながります。

しかし、現在の世界の状況は三次元の世界。物質的な欲望、特にお金に対しての執着です。権力に対する執着、これによって、それぞれの自我の争いとか、または民族の争いとまた国単位の争いとか、そういうものが絶えない状況にあります。しかし、人類は今まさにその三次元から四次元、五次元に移動しつつあると思います。ここまでのところ。少し大きく、もう一度この話を大局的に見ます。

まずここに、大きなリンゴの絵があります。このリンゴを地球に置き換えてみてください。この地球上には、あらゆる専門分野。例えば、政治、経済、法律、芸術、スポーツ、歴史、科学、文学、教育、医学、物理学などなど、この他にもたくさんの専門の領域が入ります。それぞれの専門の領域をさらに深く研究を掘り下げていきます。その結果、リンゴの芯に到達した時、すべての専門の領域は人類共通のテーマに着きます。

その人類共通のテーマというのが、一、自我とは何か。二、人間とは何か。三、生命とは何か。四、実体とは何か。

この四つの人類の普遍的な根源的な共通テーマに行きつきます。もしこの答えの扉を開けることができれば、答えの扉の先には真理に限りなく近づける道が用意されていると考えています。おそらく、近い将来、今の三次元の世界から四次元、五次元の世界に到達する。この過程でこの四つの問いに対する答えは人類は手にし、そして五次元に到達した時には限りなく真理に近づくことができ、その時、地球上のあらゆる争いはもうなくなる。卒業できるという風に考えております。

3. 生命とは何か？ 実体とは何か？

自我とは何か、人は何かという話を終わりまして、次に生命とは何か実体とは何かという話に移っていきます。生命とは何かについての話をします。生命は二つの漢字、すなわち生と命で構成される。生と命は意味が異なる。生は動物、植物、その他の生物、目に見えるすべての生き物。視覚的に観察できる。生は死とは切り離せない。すべての生物は最終的に死ななければならない。生と死はセットである。一方、命は目に見える全ての生物を生かすことができるエネルギーのようなものである。視覚的に観察できない命のエネルギーとつながっていて、すべての生物は生きることができる。

これをもう少し具体的に話をしますと今、理事長の佐藤は生きています。生きているから食べることができるし、心臓も動いているし、体温もあります。たまたま今日も講義が終わって、このビルの外に出た時に道路で運悪く車にぶつかって死んでしまったとします。その死んでしまったカラダ、今生きている体、その両方の体を作っている原子レベルの質量を量ります。そうすると全く同じ量があります。

原子レベルの質量とはどんなものか。地球上で今わかっている原子というのが一一七ぐらいあります。そのうちの体を構成している原子は一六種類です。それぞれの質量のパーセンテージがあります。

死んでしまった体の一六種類の原子の質量と今生きている体の一六種類の原子の質量はまったく同じ量存在しています。

しかし、なぜ一方は生きて、もう一方は死んでいるのでしょうか。生きている方は、今この空気中、大気中でもいいです。地球上の大気中、そしてさらに宇宙の大空間、そこには目に見えないエネルギーで満ちています。この満ちているエネルギーを命のエネルギーととりあえず言います。このエネルギーとつながっている生物体は生きることができる。このエネルギーと切れてしまった生物は、死が訪れるという仕組みになっています。

この目に見えないエネルギー、命のエネルギーとは何なのか。そのことを理解しやすくするためには、少し物理学の最先端の量子力学を少し皆さんとかじってみます。そうすると、よりクリアになるはずです。量子力学クォンタムメカニクス。一人の体を含めた宇宙の万物は「素粒子」の塊です。原子は分解すると「中性子、陽子、電子」で構成されています。さらに。中性子と陽子は「クォーク」という、小さな要素に分解できます。これ以上分解できない最小単位のものを素粒子と呼び、この素粒子を研究しているのが「量子力学」です。素粒子は「粒子」と「波」の性質を持ち合わせ、その位置は的確に、確率的にしか決められません。要するに、すべての物質です。

地球上に見える皆さんの体も含めて、すべての見える物質は一番小さな物質の単位にしたものが素粒子です。この素粒子は物質である粒子と、そして一方、波、波動のようなエネルギーこの両方を併せ持つということは行ったり来たりします。その性質は見えない状態と見える状態があるので、その位置を確率的にしか決めることができず、正確な位置、どこにあるということができないという意味です。

この量子力学で有名なニールス・ボーア[2]とアインシュタイン[3]の論争があります。簡単に説明しますと、ある月が出ている夜、ニールス・ボーアとアインシュタインが一緒に月を見ていました。そしてアインシュタインは今見ている月と反対の方向に体を向けた時に、背中の方に月は存在していると言いました。ニールス・ボーアの方は今見ている月と反対の方向に体を向けた時に、背中の方に月は存在しないと言いました。現代の最先端も量子力学の世界ではニールス・ボーアが正しい答えとされています。

その考え方はどういうところから来るかと言うと、次に出てきます。見られるものは、見る人から影響を受けている。素粒子は目に見える物質であり、目に見えない波動でもある。素粒子は人が観測すると物質化し、観測してない時は波動である。

人こそが万物に影響を与えている創造主であり、人があって万物がある。万物は物質というよりもエネルギーと言った方が正しい。目に見えない光と色、匂いなどを含め、この世のすべてはエネルギーであり、人体もエネルギー体である。この世はすべて幻想である。この世の正体は、エネルギーとエネルギーの干渉、波紋のようなものがあるだけである。

要するに、この空気中・大気中、宇宙の大空間、ここにエネルギーで満ち満ちているこのエネルギーがあるとき、地球上の見える物質化した状態、これは今地球上の状態です。この地球上の物質化した状態では時間と空間の制約を受けます。すべての地球上の物質はある年数が経つと、それが分解して、さらにまた見えないエネルギーに変わって循環をして行きます。見える世界、物質の世界、これが先ほど言った生命の命の方。元々はすべて命のエネルギーといった見えない空気中のもの凄い量のエネルギー、これがたまたま物質化しているということです。この一方、エネルギーの状態、見えない状態の素粒子の状態では時間と空間の制約がありません。したがって、過去と現在と未来、この見えない世界のエネルギーの状態では同時に存在することは可能だし、また空間の制約もない。この見えないエネルギーの素粒子は、この地球上のある変化の一瞬で、宇宙の果てまで行ってまた戻ることが可能です。時間と空間の制約を受けない世界です。物理学の世界では、この見えない世界の方が圧倒的に大きくて、最先端の物理学者が、残念ながら地球上の研究成果は宇宙全体の五%ぐらいの量しか実はまだ分かっておりませんと主張しています。九五%は見えない世界にあって、そのことをまだ解明できていない。したがって、見えない世界をダークエネルギーとかダークマターという名前で呼んでおります。しかし、九五%は分かっておりませんという風に主張しております。

ですから、人類の歴史の中で人類が今日まで蓄えてきた知識というものは五%の世界での知識であります。まだまだ九五%は分からない世界であると。この分からない世界にやっと最先端の物理学者たちがその解明のスタートラインに立ったということで、これから、宇宙のことが解明できてくる。見えない世界のことが解明できてくるということになります。

この見えない世界のこのエネルギーをコントロールしている中枢、いわゆるセンターです。このセンターのことを実体といいます。実体は宗教を持っている人はそれを神というかも分かりません。しかし、宗教を持ってない人はせいぜい、サムシンググレートとかもうちょっと進んで創造主みたいな言葉を言うかもわかりません。この見えない膨大なエネルギーを動かしているエネルギーたらしめているセンター、これが実体です。そして、そのエネルギーからたまたま物質化して見える世界の地球が存在し、宇宙のそれぞれの星々が存在する。見える世界、これは、量的にはとても小さな世界です。このような見えない世界も含めてです。

＊

この四つの人類の命題をもう一度振り返ります。四つの命題、自我とは、人・人間とは、生命とは、実体とはこれ全部がリンクしています。元々実際のエネルギー、この見えない命のエネルギーが、たまたま地球上のあらゆる物質、人体を含めたすべての物質を物質化している。そしてその物質化している者の生命、生と命、命の働き、そして、その生命の宿している人の体、人、体、そして人体の主人公になって自我というふうに、この四つのテーマは全部リンクしています。そしてこのことの答えの扉を開けることができれば、より真理に近づくことができるという話であります。

今日の話は、理事長の佐藤が二四年かけて掘り下げてきた結果を皆さんにプレゼンテーションしている訳で、これが正しいということではありません。佐藤の考え方として参考にしていただければ結構です。少なくとも、まだまだ人類は分からない世界の中に置かれている。今分かったとしている学者がいるとすれば、これはとても傲慢だと思います。具体的に、人類の歴史を含めても分からないことが圧倒的に多い状況の中ですべて分ったとはありえない世界だと。まだまだこれからより真理に近づいていく作業と同時に、もっと多くのことが理解できるようになるのだというふうに思います。

4. 宗　教

そこで、宗教も一つ、人類がある意味では真理に近づくという非常に長い年月をかけてエネルギーを費やしてきた分野なので、これを一通り、宗教を大きく見てみたいと思います。宗教というのは、共同社会の中における多種多様な形を持つ信仰の対象。信仰というのは、宗教活動の意識的側面。キリスト教に二四億名、地球上の中で、そのうちのカトリック一四億名。ローマ教皇（法王）をトップとして組織的にはピラミッド型市。司教、司祭など一般的に神父といい、聖職者である。教会における儀式、典礼を司るのは司祭以上の方である。一方、プロテスタントの方は世界今一〇億名。神父さんではなく、牧師さんという名前を使います。牧師さんは教職者であり、信徒全員が平等に神と繋がっている。従って、この部分で一番、大きな違いはカトリックの方の法王です。教皇は神と一般の人々の中間にいる神の代理的な役割をこのローマ教皇、法王がやっているという表現をします。

プロテスタントの方は、いや、そうじゃありません。神と全ての、牧師さんも含めて、全部同じ等距離でつながっているというふうにおっしゃっています。イスラム教一六億名。そのうちスンニ派八五%、サウジアラビアなど、戒律を重視する民主主義的な立場から国家運営。シーア派一五%、イラン等、戒律よりも信仰の内面を重視する。世襲制による独裁的な立場から国家運営。ヒンズー教九億名、仏教四億名、道教四億名、その他八億名。六五億の方々が宗教を持ち、これは世界の八三%になります。持たない方々は一三億名、一七%になります。

宗教の特にキリスト教について、B．C．約四〇〇〇年、これは旧約聖書三九巻がまとまった。

四千年かけてまとまりました。それからA．D．約二〇〇〇年新約聖書二七巻がまとまりました。従ってキリスト教は六千年かけて六六巻がまとまり、これをもって聖書といいます。聖書はすべて神の霊感を受けて書かれたものとされている。人を教え戒め、正しく義(安心してあの世に行けること)に導く書物。人は皆、原罪を持って生まれる(罪性、利己心、自己中心)。聖書の目的はイエス、キリストに対する信仰によって救いに至る知恵を、あなたに与えうる書物。イエスの言葉(私は道であり、真理であり、命である)。

この言葉は先ほど命のエネルギー、見えない世界の話をしました。そのことも含めて、この言葉が言えるのは、それこそ創造主だけが言える言葉だと思います。創造主を認識し、創造主に従うユダヤ教キリスト教イスラム教の共通点、宇宙すべてを神が創った。やがてこの世の終わりがくる。その後、神と共にあるパラダイスの世に至る。

人々は永遠の地獄か永遠の天国に分かれる。これが三つの宗教の共通点であります。宗教だけでもとても多くの時間を費やすことが出来るものですが、今日は大雑把に人類の六千年かけてきた物についてちょっと触れただけで終わります。残りの時間、人類の未来の希望と夢について具体的に話をしていきたいと思います。ここまでのところが心理について近づくための四つのテーマ自我とは、人間とは、生命とは、実体とはと言うことを掘り下げることによって心理に近づこうという試みでありました。

5. 未来に対する夢と希望

人類が三次元の世界から四次元、五次元にアセンション、次元上昇して行く為に後押ししてくれる技術、新しい技術。これはもうすでに地球上にあります。

人工知能、AI、ベーシックインカム、ブロックチェーン、量子コンピューター。これも非常にこれから重要な技術です。しかし、さらに革新的な技術、これはもう既に登場しつつあります。一部実験的な段階ではもう登場しているし、また、来年あたりからもっともっと登場してくるものも色々あります。

量子金融システム。簡単ファイナンスシステムです。今までの世界の金融システム、送金はスイフトという仕組みを使って送金をして来た。これが今まさに量子金融システムに変わると全ての送金は後を追うことができるということは、全く不正が全てできなくなります。このできなくなることによってですね。今までの金融システムで頼っていた世界にとってはとても脅威につながるシステムです。これはもう既に動き始めています。

地球上でのあらゆる核兵器の廃絶、すべての人々にベーシックインカム。このように人類の未来にとって、とても幸せな夢と希望に満ちたこの政策が実現できればと期待しています。

今日の最後のまとめ。三次元の世界、五次元の世界、三次元の感情は常に他者を強制競争相手として他者に勝つことのみを考え、ネガティブな感情、憎しみ、恨み、妬み、怒り、恐怖が常にこのネガティブな感情を持っているこの世界。そして五次元の方は道徳や倫理面における人類の集合意識が上昇して行くと、ポジティブな感情、自己と他者に対する愛に溢れている。常に楽しいことを考え、常に明るい未来を考える。この考えること自体が実はエネルギーを発しています。そして、周りの人に影響を与えます。従って、ネガティブなことを考えれば、ネガティブな方たちやネガティブな現象を引いてしまいます。ポジティブなことを考え、常に明るいことを考えると、明るい方たちが寄ってきて、明るい物事が寄ってくるというようにです。

三次元と五次元への移行は、人類にとって特別なことをするというよりは、この考え方をネガティブからポジティブに変えるだけです。実にシンプルな単純なことです。そのことを続けることで、そのエネルギーは常にポジティブに変わっていくという話です。

今日述べたのは、地球上の人類の未来の夢と希望。こうあってほしいというふうに考えて述べたことなのだ。そのことは必ずしもそのように行くとは限らないと思います。

しかし、夢と希望を持ちながら、皆さんは笑いながら受け止めてくだされば、それで充分結構です。

以上で今日のレクチャーを終わりたいと思います。

＊＊＊

羽場：佐藤理事長、貴重なお話しをありがとうございました。

皆さんにとって哲学的で少しむずかしかったかもしれませんが、改めてよく学んでいただければと思います。

世界でユーラシア財団が学生さんたちのために学びと交流、共同の機会を作って下さっていることに心より感謝し、若者たちによる平和と共同の未来を作って行きたいと思います。ありがとうございました。

注

（1）やまもと・ぶっこつ。一九一〇～一九九一。西本願寺勧学をつとめる。『山本佛骨法話集』全三巻など。
（2）Niels Henrik David Bohr。一八八五～一九六二。デンマークの物理学者。
（3）Albert Einstein。一八七九～一九五五。ドイツ生まれの理論物理学者。

9. ウクライナ戦争が中国外交に与える影響

朱　建栄

羽場：本日は中国研究において非常に著名な朱建栄先生にいらしていただいて、ウクライナ戦争が中国外交に与える試練、台湾問題への影響にも触れてお話ししていただきます。

それではまず、朱建栄先生のご紹介をさせていただきます。

朱建栄先生は東洋学園大学グローバルコミュニケーション学部の教授で、一九五七年八月、上海で生まれて一九八二年に華東師範大学外国語学部を卒業。日本文学を専攻されていらっしゃいました。その後一九八四年に上海国際問題研究所付属大学院で修士号を迎え、同研究所の研究員でいらっしゃいます。

一九八六年の一一月に総合研究開発機構客員研究員として来日されました。一九九二年三月に学習院大学院で政治学博士号を齋藤孝先生の下でおとりになられました。同年四月から東洋女子短期大学の准教授としてたくさんの本を書かれていたり、講演をされたりしていらっしゃいまして、代表的な著作として『加速する中国、岐路に立つ日本』[1]を二〇二一年一月に、『毛沢東の朝鮮戦争』[2]を一九九一年一月、『毛沢東のベトナム戦争』[3]を二〇〇一年六月に、そして『コロナ以後の東アジア変動の力学』[4]（共著）ということで今日の話にも関わるようなテーマで東京大学出版会から二〇二〇年に出していらっしゃいます。

それでは今最もホットな話題でもありますウクライナ戦争に対して中国がどのように考えているのか、中国外交に対する試練について先生からお話を伺いたいと思います。

朱先生、どうぞよろしくお願いいたします。

＊＊＊

朱：羽場先生ありがとうございます。自分の略歴を詳しく紹介していただいて、一九八六年から来たものですから二六年ですね。

羽場先生とはずいぶん前からの知り合いでして、先生の様々なお話をご教授いただいて、特にヨーロッパ、ユーラシア大陸の多くの問題については自分も先生の啓発を多く受けています。

ちょうど今ウクライナの問題が話題になっていますが、その中で、まずはこの戦争が今後どこに向かうのか、その関連で「影の主役」ともいえる中国ですけれども、それをどう見ているのか、中国の外交、そして台湾問題にどう影響があるのか、今日は「中国の中」のいろいろな見方、話題、動向というものを紹介して、一緒にこの問題を考えていければと思っています。

ではまず、資料の方を共有させていただいて、話を進めて参りたいと思います。

私のテーマは「ウクライナ戦争が中国外交に与える影響」ということです。

これについて、まず中国に与える影響、そしてその見方、その次に中国外交全般、台湾問題、そして最後に時間があれば日中関係にも少し触れたいと考えています。

1. ウクライナ戦争は中国で大きな波紋

中国のネットでも意見が二分化

まず、このウクライナ戦争が、中国で大きな波紋を呼んだことから紹介していきたいと思います。

右の写真というのは、一人の老人、七〇歳ですけれども、耳に怪我をしています。実は上海のある公園で二人の老人が「ウクライナ支持か、ロシア支持か」ということで口論し、そしてもみ合いになって怪我をしてしまった。救急隊員まで出動して、目の前に立って「大丈夫か」と聞いているところの録画の一場面を、私は写真にしてここに載せました。

今回のウクライナの問題を通じて、中国の「旧共産主義系」、「旧ソ連との関係」が今の中国の見方にまだ影を落としていること、しかし新しい変化も起きていることを象徴するかのようなことになったと思います。

中国のネットで、様々な意見が出ています。

日本からは、中国では全部ネットの意見は封じ込められているのではないかという一般の見方があると思いますが、中国のネット、SNSでは、日本よりも実際にもっと活発な議論が行われている。テレビ、新聞に一般の人々が自由に書けない分、みんなが日本でよく使われるLINEより遥かに利用者が多い「微信」(WeChat)を使って自分の意見をネットの世界に出しています。今の中国で「微信」というSNSを利用して情報を取得し、発信しているのは一〇億人以上だという統計が出ています。

今回のネットで出てきた見方ですけれども、六割はロシア支持、四割はウクライナ支持です。

ある人の分析では、傾向として中国北方つまり経済が遅れておりロシアに近い場所に住んでいる、年配者、農家農村の人が、ロシアを支持するのが多いです。

一方、沿海部や南部、つまり経済が比較的発展しているところでは外部の情報を多く入手している若者、そして知識人は、中立もしくはウクライナに同情する人が多いですね。

そのような中でどうしてロシアに同情するのか。本当に今のロシアに憧れているというより、当面の米中関係、「中国はアメリカからバッシングされている」ということで、アメリカへの不満が今の中国の中で強烈に存在しています。その関係でアメリカが叩こうとするロシアに同情するという側面もあるかと思います。

ウクライナ問題を巡る中国政府の立場の変化

次に中国政府の立場から検証していきます。〔二〇二二年〕二月二四日にロシアのウクライナへの開戦が始まりましたが、直後に三日間連続で党中央の政治局がこのウクライナ問題にどう対応するのか討論を行いました。「二一世紀の今このような大規模な戦争をやること自体これはまずい、間違っている」「ロシアとの関係が良いとはいえ、そのままロシアと心中するわけには行かない」「先進国全体、特にアメリカとの関係をさらに悪化させてまで、ロシアを支持するべきではない」というう見方が早い段階で出てきたと聞いています。

ただし、これまでアメリカから同時にバッシングを受けている中国、ロシアがかなり接近をし二月四日の北京冬オリンピックの開幕式にプーチンも来て、双方が緊密に協力すると合意しました。(5) それもあっていきなり変えるわけにも行かないため、今までの政策との統合性を考えつつ、中国の長期的国益を優先に、比較的ニュートラルな立場を決めたと思います。

実際、開戦翌日の二月二五日に王毅外交部長[6]はウクライナ問題に関して五つの基本的立場を公表しました。その第一項目では、中国は各国の主権、領土の保全を尊重・保障し、国連憲章の趣旨・原則を遵守するように求め、この立場は一貫しており、ウクライナ問題においても同様に適用される。すなわち「国の領土の保全」という主権を尊重すべきということを中国は第一項目に持ってきています。

第二項目以下は、ロシア含む全ての国の安全保障に関する正当な要求に配慮すべきこと、各関係者の自制、大規模な人道危機発生の回避なども述べています。

中国の立場に関する米側の批判に対する新華社の反論

開戦後の一時期、特にアメリカの議会が何でも中国バッシングで、ウクライナ問題に関して何でも中国を批判していたことに対し、新華社が四月九日の時点で米側の「十一の暴論」という題で、中国のウクライナ問題に関する批判に反論しています。

いくつか紹介しますと、米国側の情報によれば、「中国はロシア側について、ウクライナに対する行動を阻止しないと伝えた」、「北京冬季オリンピックが終わるまでは侵攻しないように求めた」、そして「中国に武器の援助を要請した」。それに対し新華社の論評は「ロシアは主権国家で、自分の戦略と利益に基づいて戦略を判断・決定・実施しており、事前に中国に意見を求めることはない」と反論しています。実際に中国が軍事援助している証拠はないとアメリカも認めている。

その後、中国のアメリカ駐在大使（当時）・秦剛[7]さんは「我々は事前にロシアによるウクライナ侵攻のことを本当に分かっていれば、当然阻止に向かっていた」と語りました。

そのように事前に中国は「大規模な進行は予想していなかった」と主張しているわけですね。研究者たちから見ても、当時の情勢において、ロシアがウクライナ東部のドンバス地方（ロシア系の住民が多い）を支援するための行動を取ることはあり得るだろうが、キエフを始めウクライナ全土を戦争に巻き込むような事態になるとは予想しませんでした。

その後アメリカから、「中国に対して5回にわたってロシアが侵攻するかもしれないという情報を提供した」と伝えられていますが、中国は今の米中関係の中で、アメリカから言われたことをそのまま信用していないし、むしろ多くはその裏を読んでいる。そのような米中の不信が背後にあると言えます。

もう一つ、アメリカは「中ロが共同声明を発表したことは、ロシアを支持する証拠ではないか」と非難しましたが、新華社論評は「その間三〇以上の国の指導者が訪中し、中国と共同文書を発表している。中ロ共同声明だけで中国がウクライナ問題においてロシアを支持したことにはならない」と反論しました。

遂に中国は、「アメリカ、特にアメリカの軍需産業がウクライナ危機の最大の受益者である」と批判し、この戦争が始まって以来、アメリカの軍需産業が大もうけしているのは、紛れもない事実と指摘しました。

もう一つ、中国が国連総会においてロシア非難を棄権したというのは歴史的な過ちだと米側が批判したのに対し、中国の答えは、「我々と途上国の多くは、ウクライナ問題に関して全般的な懸念と同様の立場を持っている。ほとんどの国は戦争や制裁による紛争解決に賛同していない。中国よりさらにロシア側に同情しているのはインドだ」というものでした。

日本の世論はどこか「中国はロシアと一緒」と考えていますが、日本が一部の防衛関連の物資をウクライナに空輸しようとしたとき、飛行機が通ろうとしてインドから拒否されました。どこか「インドは民主主義国家だ」と考えていますが、そのような単純な線引きではなく、それぞれの国の利益、そして何よりも途上国は先進国から何かあるとすぐに経済制裁を受ける。そのことに対する反発が大きいということを知っておく必要はあると思います。

もう一つ、制裁を支持しないというのは中国から見れば「制裁は問題解決にならない、むしろ更にあおるだけだ。新たな矛盾を激化させるだけ」です。実際にアメリカのオースティン国防長官[8]はこの戦争を通じてロシアの弱体化を図ろうと公に語っています。

ロシアという大国が本当に負けそうになっても負けを認めず、核戦争にまで拡大する恐れもある。しかも今の戦争はウクライナで起きており、毎日ウクライナの兵士とウクライナの住民が死んでいる。しかしアメリカはそのことよりも、ロシアを弱体化させることを目的として、戦争をあおっているということを、冷静に見る必要もある。以上が中国側の反論です。

当初のロシア寄りの報道から、微妙に変化

一方、四月に入って、中国の報道を含めて立場が微妙に変化しています。最初の報道では大体ロシ

ア側の見方を伝えました。同時に「各国の主権・領土保全の尊重」を強調して間接的に侵入反対の立場を表明したのですが、西側からは「ロシア寄り」と批判されました。しかし、四月三〇日、中国の最も権威ある国営新華社がウクライナ外相クレバ[9]に対する書面のインタビューをして、特集を全文掲載し、その中で「ロシアによるウクライナ侵攻」という言葉を三度にわたって使用したのです。

その中で、「中国人民大学」という党関連の学校の教授のネット上の次のような書き込みが広く伝わり、話題になりました。ゼレンスキー大統領[10]は毎日（Twitter で）つぶやいて、結果的に世界からの支援・同情を集めることに成功しました。それより一般のウクライナの民衆は黙々と戦っている。その姿は心に訴えるものがある、という好意的な評価でした。その間、中国はウクライナに人道支援の物資を提供し、ロシア・ウクライナ両方の外相と対談・交渉して「調停に乗り出す用意がある」と伝えたそうです。そして中国の今の報道では、戦況について「ロシア側の報道によればこうだ」、次に「ウクライナ側の報道によればこうだ」という報道の仕方に変わっています。

それでは、ウクライナ人は中国をどう見ているのか。ヨーロッパの「ユーロメディアプレス」というところで行った調査では、各国がこの戦争についてどういう立場か、それに関するウクライナ民衆の見方を調査したところ、ロシアやベラルーシは当然「敵対」ですけれども、中国に関しては「ロシア側に立っている」と見る人が一五％、六三％の人は中国は「中立」と見ています。ほかに十数％は「ウクライナを支援している」と見ています。

このような中で「そもそも中国は何故公の場でロシアを批判しないのか」ということについて、入っていきたいと思います。

2．中国は何故公の場でロシアを批判しないのか

内部で次第に批判が増えている

実は中国の内部でロシア批判は次第に増えています。上海復旦大学の国際問題研究院の副院長ロシア研究センター主任の教授はこう述べてネットで広く読まれています。もちろんロシア側にも一定の背景的要因があることはわかりますが、事件の発端がどうであれ、このロシアの開戦は、国連憲章の基本原則、露ウ両国がかつて調印した全ての条約に違反し、ウクライナがソ連崩壊後に核兵器を引き渡して非核保有国となった、そのことで調印した「ブタペスト条約[11]」に違反してこのロシアの侵攻は国際法的に、間違っている、と。

もう一つ特に報道されたのは、中国の学術会議での発言、これは首脳部にも伝わっていて、香港のフェニックステレビのサイトに掲載され一時期削除されましたが、今拡散され読まれています。元中国の駐ウクライナ大使の発言です。「プーチンの指導下でロシアが復興または振興しているのは嘘である。ロシアの衰退はその経済・軍事技術といろいろな面で現れていて今回の戦争で躓いているところを見ても、深刻な影響を及ぼしている。」

「ウクライナに対しては、ロシアは圧倒的な軍事的優位性があるはずだが、ウクライナ側の頑強な抵抗と、西側の巨大で持続的な援助によって相殺されている。」

「作戦の軍事的理念も明らかにロシアの方が劣っており、ロシアは戦場で受け身になっているだけでなく、世界の世論でもすでに負けている。」

「プーチンが今なお旧ソ連地域を自らの勢力圏と見なし、帝国復活をやろうとしているが、今回の戦争でロシア側はすでに敗北した。」

このような厳しい見方をしているわけです。

中国当局が公にロシアを批判しない理由

しかしでは中国はどうして批判しないのか。

今度はロシアを弁護する見方、外交部の外郭団体・中国国際問題研究院元教授の書いたものですけれども、

「第一にミクロ的にウクライナは反ロシア・ナチス化を先に行っている。ウクライナ東部のロシア系住民に対して攻撃を行っていることもふくめて、ウクライナの国内でロシア語使用を禁止しているではないか。

ミドルスパンで見ればＮＡＴＯの拡大が先にロシアに脅威を与えている。さらにマクロ的に見ればアメリカの『一国覇権主義』が先に覇道をやっている。実際にアメリカが、ウクライナを援助している目的も、ウクライナを擁護するわけでもなく、これを代理にして、つまりスケープゴートとしてロシアを消耗させ、ロシア軍の死傷者を増やすようにそそのかし、さらにロシアのプーチンを潰すためではないか。ロシアが倒れたら今度は中国を集中して絞め殺し、アメリカの覇権を守るためではないか。ウクライナの民衆の流血と犠牲、損害は最初からアメリカの考慮には入っていない。いつも人道主義・人権を言ってはいるが、毎日ウクライナの民衆が死んでいる状況を

止めるべきという話はアメリカから出ていない。」

と、このような批判があります。

ウクライナの「ナチ化」に対する国際社会の批判

ナチスの問題について今の日本ではあまり触れられていません。実はこのウクライナが第二次世界大戦中先にナチス・ドイツに占領され、その地域でナチスの支援を受けた勢力がソ連と戦ったその伝統があって、二〇一四年のウクライナの政変以降、親ナチスの勢力がのさばっているのですね。それについて、日本の公安調査庁のホームページに載っている国際テロリズム要覧の去年版です。

「近年白人思想やネオナチ思想を有したり、外国人を排斥しようとする勢力によるものがウクライナや世界中において顕著になっている。二〇一四年、ウクライナ親ロシア派武装勢力が東部を占領したときでも、ウクライナの愛国者と称するネオナチ組織が『アゾフ大隊』を結成し、欧米出身者の人を中心に白人至上主義、ネオナチ主義を有する外国人戦闘員を勧誘して、二〇〇〇人もの欧米人が参加している。」

ということを日本の公安調査庁が今回の侵攻の前に分析しています。

二〇一四年以降、ロシアなど十数カ国が毎年国連総会でこのネオナチを批判している決議を出しています。これが二〇二一年末の評決です。この「ネオナチを批判する決議」において一三〇が賛成、四九が棄権、二つだけ反対です。どこが反対か赤い文字が出ています。ウクライナとアメリカです。今の国連では大半の国がロシアの侵攻について批判した。しかし、背景を言えば「ナチスの復活」

の批判について世界の大半の国が緑（賛成）を出しているんですね。反対はこの二つ（アメリカとウクライナ）だけです。こういう所も合わせて国連の動きも見るべきなんですね。

実際にあるレポートでですね、「ウクライナの外国義勇兵のリスク」について、アメリカン大学の過激主義の研究を行うイドリス教授[12]は、「この今ウクライナに集まっている義勇兵の中に『白人至上主義』、『極右過激主義』の人たちがいる。ウクライナは近年、白人至上主義者たちの国際的なハブとなっており、超国家主義の民兵組織に入隊した人たちがネオナチ・白人至上主義の外国人戦闘員として集まっている。そして、大半はアゾフ大隊に属しており、彼らは今、ウクライナの軍の一部となっている[13]」と書きました。ウクライナの国内で軍とアゾフ大隊との関係が度々問題となっており、アメリカの雑誌『The Nation』の記者は以前、「ウクライナは軍部にネオナチ部隊を抱える唯一の国家」と記しています。そして実際戦争の三日後、国家親衛隊、アゾフの兵士がイスラムなどを侮辱しているんですね。弾倉に豚の油を塗った弾丸を込め、「イスラムの諸君、君たちは我々の国では天国に行けない」と叫んでいます。アラブの人たちにとって豚はタブーであり、その豚の脂を弾丸に塗ると動画を投稿しているのですね。これはロシア・チェチェンのイスラムを信仰する兵士たちへのメッセージなのです。少なくともこのような一面があることを知る必要があると思います。

ウクライナ戦争について複合的視点も必要

日本でも、あるアナリストがウクライナ危機についてその背景について分析しているのですが、日本における数少ない見方として読み上げます。

「日々のニュースはウクライナの戦況のニュースであふれているが、ウクライナに偏向した報道が多い。しかし、独立系メディアではウクライナ軍が民間人を虐殺していることが報道され、一体どちらが真実であるのか。今日本を含めた西側の報道を見ると、特定のシナリオをフィルターにして、現実を切り取りするような報道しかされていないようにも思う。そのシナリオとは『ロシアの悪魔化』であり、そのシナリオに合致しない情報は切り捨てられる。『善のウクライナ』と『悪のロシア』が対峙する『勧善懲悪』のイメージばかりであり、これは戦前の日本の大本営発表に近い形でないか。」

筆者は各国のメディアから情報収集していますが、実は各国それぞれの立場によって報道に大きな偏りが見られます。このようなことを理解すべきだと思うのですね。そしてインド、トルコ、イラン、イスラエル、ブラジルがロシア寄りの立場を取っています。

やはりそう言うところで、様々な視点を合わせて視るべきだということ。

もう一人「在モスクワ日本人もびっくり、現地とかけ離れた日本国内のロシア報道」という記事も出ていますが、ここでは省略します。

逆のキューバ危機か

ネットにおいて、また一つの面白い意見が出ています。

「日本はいつも何かのことで『国際社会はこうだ』と言うが、日本が見ている『国際社会』とは『北米、西欧、日本、オーストラリア、ニュージーランド』という限られた地域であり、その他多くの地域を含めているのだろうか。彼らの声は果たして同じなのか。それを通り越して『国際社会の声』としているのではないか。」

という皮肉なのですね。

実際に「安全保障」という面で見ても、ロシアの懸念を無視して西側の勢力が拡張しているということも今回の戦争の根源の一つと思います。私は歴史学研究者として「逆のキューバ危機」が想起されます。一九六二年当時のアメリカのケネディ大統領[14]は、アメリカの近くのキューバに当時のソ連がミサイルを配置しようとしたことに対して容認せず、ソ連が撤去しないならば核戦争も辞さないとして世界に緊張が走った事態が起こりました。しかし今、このNATOは二〇〇八年ウクライナとグルジアが加盟する可能性を認め、ウクライナを巻き込む形で東拡しています。しかし、ウクライナからロシアの首都・モスクワまでは五〇〇キロしか離れていません。近年アメリカの軍事支援を受けたウクライナ軍のロシア系住民に対する攻撃も含めて見ないとこの戦争の真相について理解できない。両方の見方が必要となるんですね。

中国の立場と今後の可能性に関する分析

では、この問題の最後に、中国の立場と今後の可能性はどうなのかについて話していきます。

今も中国が公にロシアを批判しない理由を整理しますと三つあります。

第一に、中国の「是々非々主義」。侵攻そのものは良くないものであり、ウクライナの主権は守られるべきものである。それは主張しています。二〇一四年にロシアがクリミアを併合しましたが、中国は未だにこれをロシア領とは認めていない。それぞれの「是々非々」で問題を判断している立場です。

第二に、「ロシア」という世界において巨大な隣国、世界最長の国境線を持つ国との長期的関係への配慮です。このロシアを相手に現時点で後ろから刺すような行為はしてはならないとの認識です。

一九七九年、当時の中国はロシア側についたベトナムに「国境戦争」と称して軍を送り込みました。当時は中国軍侵攻に対して実はアメリカ政府、日本政府も旧ソ連を牽制するためにこれを黙認して世論の多くは支持していました。しかし一時的に支持されていても、その後はいつの間にか「中国はベトナムを侵攻した国だ」と批判され、ベトナムからの対中感情は未だに厳しい状態が続いています。そのようなことも踏まえて、巨大な隣国であるロシアとのロングスパンの関係を配慮せざるを得ない。これが中国の考えではないか。

日本にとっても、中国とロシアは永遠の隣国です。批判すべきであっても、敵に回すようなことをしてよいのか。ロシアから今回国際的制裁の対象として、アメリカ人と日本人の一〇人[15]が名指しで指名されている一方、ドイツとフランスのトップなどは制裁対象に入っていない。彼らは同時にロシアに制裁を加えながら、一方で戦争の解決のためにロシアに働きかけ対話を行っている。そのようなしたたかな外交も本当は必要なのですね。

インドも世界で最たるしたたかな外交を行っています。日本との外交では、「QUAD[16]」を進める一方、中国とは「BRICS[17]」において協力している。「上海協力機構[18]」にも入っている。そのようなところからも、世界は簡単に白黒つけられない部分もあることを理解すべきです。

もう一つ中国から見れば、アメリカは台湾において中国の国益を侵害している。何故我々はアメリ力を支持しなければいけないのか。一種の裏での見返りを求める駆け引きが行われているのではないかと思います。

一方、中国はロシアとの技術、特に金融面の公式往来を停止しています。片方が勝てると思ったときにはこの戦争は終わりません。やはり双方ともこれ以上できないという時になってはじめて可能性が出てきますが、中国はロシアとウクライナ両方の外相と対談したり、実は外部にはあまり知られていませんが、ヨーロッパやアメリカとの間にも、この戦争の終結の方法について様々な裏で根回しをしています。そのような国際政治の側面も見ていく必要があると思います。

3．中国外交と台湾問題の行方に関する展望

中国の外交戦略

それでは次に、中国の外交全般と台湾問題についても話したいと思います。

中国外交でやはり「経済発展」が最優先とされています。

中国はアメリカとの「新冷戦」という対立にならぬようにいろいろな方法で対応し、まず中国の経済発展と国防力の充実を目指し、一〇年以内に中国の総合国力がアメリカに追いつくことを国の最重要課題としています。

中国のＧＤＰはドル換算で去年末の時点でアメリカの七七％に達しています。もし購買力平価で計算するとアメリカを抜いています。購買力平価という世界銀行の基準ですけれども、簡単に言えば「額面のレートでは計算できない国力の部分」なんですね。

たとえば一隻の空母、同じレベルの空母を五〇億ドルでアメリカは一隻しか作れないのに対し、中国は二隻作れる。この価値はどうなのかについて総合したものが購買力平価です。

それで見ると今の中国はアメリカを越えている。しかし中国はドル換算でも、二〇三〇年までにアメリカに追いつくことを最優先目標にしています。大体七〇％以上になると、相手に追いつくのは早くなります。北京大学教授の計算では、

「これからの中国は毎年自国の経済成長率を、アメリカの一・五％さえ上回ることが出来れば、確実に二〇三〇年にアメリカに追いつく。」

という結果が出ています。そしてさらに最近聞こえてきた目標は、

「二〇五〇年にアメリカの二倍になる」という目標です。先のことは分かりませんが、「アメリカに追いつく」という目標はこれから七、八年以内に到達する可能性は十分にある。実際アメリカもこのウクライナ戦争の中で、中国を最大の競争相手と見ています。

イギリスの安全保障研究のシンクタンクがアメリカの議会の依頼を受けて作成した報告書によれば、アメリカの軍事力が中国を圧倒する時間はまだどれくらい残っているかについての結果は、二〇二〇年時点で「残り一〇年」であるとの結論を出しています。一〇年後にはアメリカを完全に中国を抑えることができなくなる。逆に言えば、アメリカが中国を抑えられるのは今のうちということで、しばらくは米中関係において激しい駆け引きが続くと思います。

ただ中国はアメリカと戦争をしようとは思っていない。「なるべく平和を維持しながら、中国国内の経済・技術発展を優先する」という戦略だと思います。

台湾の統一：「現代化」最優先の「サブ目標」

では台湾はどうか。台湾問題はやはりウクライナ問題とは違う。核心は米中関係にあります。

今の中国もウクライナの戦争を見て、「武力統一の対価はあまりにも大きい」と分かっている。実際に中国の台湾戦略を見れば、当然中国にとって台湾統一は悲願です。

中国共産党政権は、国民を豊かにすることと国家の統一を目指すことを政権の正統性の根拠にしています。台湾が独立したら共産党も政権を失う、ということで、台湾の分離・独立は絶対に容認しない。しかし、かといって急いで台湾の武力統一を行うかというとそうも行かない。

中国は一貫して「経済の近代化の実現」を最優先しているからです。

まず鄧小平[19]さんが一九八二年に、「近代化建設」・「台湾を含む国家統一」、「平和外交・反覇権」を「党の三大任務」と提示し、そして「経済建設」が核心・全ての問題を解決する基礎だとも強調しているんです。それ以後の江沢民政権、習近平政権も「経済発展」を最優先とする路線を展開しています。

では中国は簡単に台湾への武力行使をするのか、実は中国自身が二〇〇五年に「反国家分裂法[20]」を制定しています。

それによって、中国は三つのケースにのみ、非平和的手段、すなわち武力行使をしない。いかなる名目方式で中国から切り離す事実を作ったり、分離をもたらしかねない重大な事変が発生したり、あるいは平和的統一の可能性が完全に失われたときにしか、非平和的方式をとらない、ということは、中国は法律で示しています。

一方で日本の報道で、「中国の軍用機が台湾を常時威嚇している」としています。台湾はかつて朝鮮戦争以降アメリカが一方的に線を引いた防空識別圏、中国の内陸に深く食い込んで設定しています。その中に中国が入ることが「中国が台湾の防空識別圏を侵害した」、つまり「台湾を威嚇した」ということになっているのです。

中国軍は台湾の分離独立の動向およびアメリカの支援を牽制する側面はありますが、だからといって、今の中国が台湾に対する武力行使をしようとしていることにはならないと、私は思います。

中国の本音と最大の可能性は「平和統一」

では、これからの中国はどうするのか?

やはり、台湾とウクライナの状況は違いますが、ウクライナは主権国家です。台湾は国連と世界の主要国が認める「中国の一部」です。強いて言えば、台湾はウクライナ東部のドンバス地方の二つの自治州、共和国に相当します。だから、実はロシアのクリミアも含めて、さらにウクライナ東部の自治・独立も中国は支持・承認していないし、今後も私はしないと思います。ですからロシアがこのウクライナの国内からこの地域を切り出して併合するのを中国が支持することは逆に外部が台湾の独立を支持することに正当性を与えるからです。

そういう意味で中国は「台湾問題」を念頭に置いて、ウクライナの問題に対する立場を決めています。実際に中国の民衆の多くは今のウクライナ戦争の映像を見て、無実の民衆の損害を知って、台湾を巡っても、「戦争は絶対に避けるべき」という動きが寧ろ高まっています。さらに細かく見れば、台湾経済は輸出と投資の両面において四割以上は中国の大陸に依存しています。特に中国沿海部(浙江省、福建省、広東省）は台湾経済と「運命共同体」になっています。ですから台湾への武力攻撃は、中国沿海部自身も経済崩壊という損害を被るため、中国も簡単に台湾へ攻撃することはできない。

その中で、これからどうなるか。実は北京もアメリカも台湾も現状況下では、解決法がないということをわかっているので、「一つの中国」との枠の中での曖昧さを保っている。北京は台湾が「中国の一部」であるということさえ破っていなければ、武力行使はしない。台湾も、「中国」という枠から離脱しなければ中国も攻めてこない。ちなみに現在でも、台湾の民衆の七割以上が「台湾海峡で戦争が起こることはない」と見ています。

むしろ日本の中で「もうすぐ台湾海峡が戦争になる」とあおられています。

アメリカは「中国が武力行使したら軍事介入する」をレッドラインとし、中国は「アメリカが台湾の分離・独立に加担したら武力を使わざるを得ない」とそれぞれのレッドラインを設けていますが、実際は互いに一線を越えないように慎重になっています

今のアメリカの軍事力が台湾をめぐって中国を圧倒するという勝算がなくなった。だから、曖昧さを保ちながらアフガニスタン、ウクライナへの対応から見ても分かるように、外の同盟国・日本をあおって戦わせている。そのような外交が行われていることも見るべきです。一時期、「習近平さんは続投するために台湾を武力征服することをレガシーとしているのではないか」という憶測が出ましたが、中国の経済規模がアメリカに追いつくことができれば、まさに一〇〇年ぶりに世界のトップとして復活できる。これが最大のレガシーなのですね。台湾統一というのは、アメリカと「対等」になって初めて可能になると中国は理解しています。

4. 日中関係

転換点にさしかかる

最後に日中関係についても触れていきたいと思います。

今の日中は、マクロ的に見れば、歴史上初めての「対等な関係」なんですね。古代の一〇〇〇年以上にわたって中国が圧倒的な強さを誇っていましたが、近代の日清戦争以降、日本が発展したことにより一時期中国が日本と対等になりました。しかし、その後中国が没落。日本はさらに前に進む中で中国との対等関係を考えようとしなかった。戦後中国は内乱、アメリカによる封じ込めにより発展が遅れ、日本は先を走った。しかし今日はそれぞれに一長一短があって、対等の目線ができる時代になったはずです。

安倍晋三元首相は最近「先祖戻り」発言が多いですが、二〇一九年大阪サミット[21]の時に習近平主席と共に「これから日中の新時代だ」と表現して「明るい未来」を約束していました。

コロナや米中の対立の二つの要因が変化させていましたが、日本人の対中感情において九割近くを「中国にあまり良い感情を持っていない」を占めています。しかし一方、「中国との関係は重要」が七割近くを占めていて、経済面では中国は日本の最大の貿易相手国でもあります。コロナの前は観光客の三割、日本における消費の半分近くを中国人が占めていました。

現在ポストコロナで観光客の受け入れを再開していますが、各地方では中国人観光客を一番期待しています。民間の交流が広がれば、もう少し変わってくるのではないかと思います。

一方、皆が懸念しているのが「尖閣諸島問題」ですね。「中国が軍事侵攻してくるのではないか」と一部で言われていますが、実はそれを巡って、二〇一四年に日中政府の間で合意しているのです。今の文章は外務省のホームページに載っているものです。

「双方は尖閣諸島等、東シナ海の海域において近年緊張情勢が生じていることについて異なる見解を有していると認識し、対話と協議を通じて、状況悪化を防ぐと共に危機管理メカニズムを構築し、不測の事態を回避する。」[22]

このような表現で合意しましたが、その後かえって立場が後退して「とにかく一〇〇%尖閣諸島は日本のものだ」、「中国が入ってくるのは不法侵入だ」という論調が高まりました。ですが、この合意で双方は相違を認め、島をめぐる紛争と緊張を一緒に回避していくことを合意しているのです。一九九七年に日中が漁業協定を結んでいます。[23] 尖閣諸島の一二海里についての見方が異なるのでそこには触れず、実は尖閣諸島一二海里以外に漁場については「日中がともに管理する」という合意がされています。ですから、本当はその地域で互いにこれ以上対立が起きないようにする合意ができているけれども、どこか今は「中国が日本に侵攻してくる」という視点で、この問題が解釈されてしまっています。

では、中国が本当にこの島を奪いにやってくるのか。軍事的に見て、あの小さな島を取ったとしても、守ることはできないことは誰の目にも明確です。それより政治的に見て、中国が一方的に軍事力を使うとすれば、日本を含めた近隣国が中国を恐れてアメリカの作る「対中包囲網」には入るでしょう。中国にとって圧倒的に孤立します。第二、中国が一方的に軍事力を使えば、少なくとも先進国全体から経済制裁を受けます。第三、尖閣諸島は台湾のすぐそばにある。これを人民解放軍が取ったら、台湾が即座にアメリカの懐に入るため、台湾統一が不可能になる。

中国から見れば、なぜあの小さな尖閣諸島を取る必要があるのか。むしろ日本の中で、緊張をあおっていることに問題があるのではないか。

アメリカ側は、日中の関係をあおって、かつ日本を利用して対中の封じ込めを行い、日本をアメリカのミサイル防衛構造に組み込むことを狙っている。台湾問題に日本を巻き込む戦略です。一方日本の一部の保守派は、尖閣諸島問題をあおることで日本の防衛力の拡張を狙い、第二次大戦後に課せられた敗戦国としての制限を解くことを目指しているのではないか。そのような側面を考える必要もあります。今の中国は日本国内の内向き・保守的な傾向を警戒しています。

日本の軍事力整備は近隣諸国からの警戒を産み、平和憲法を持つ日本の信頼度が低下するのではないかと見られています。

日中関係に対する中国側の懸念

二〇二二年六月一日に中国の駐日大使・孔鉉佑(こうげんゆう)大使[24]が、日中協会で講演した際、日中関係に対する期待と懸念を述べています。

「中国は日本にとって脅威なのか、日本は答えなければならない。我々中国は一度も日本を敵として扱ったことは無く、一貫して中日の平和・友好を主張している。しかし今の日本国内では、中国を戦略・安全保障上の脅威として捉える傾向が強まり、アメリカと連携して中国封じ込めを主張する人々が増えていることを懸念している。台湾問題は中日関係の根幹に関わる高度で敏感な問題であり、処理を誤れば両国関係に破壊的な影響をもたらす。そもそも中国の原則は中日の国交正常化実現である。この『一つの中国』という原則を破れば、日中関係最初の基礎がなくなる。(25)」

安倍さんが「台湾有事、すなわち日本の有事」という発言をしていますが、「有事」というのは日本語で「戦争」を意味します。この論調には大きな間違いがあります。

第一に、台湾は中国の一部と日本は認めているのに、日本の有事に直結するという言い方がおかしいのではないか。国際法違反ではないのか。第二に、「有事」は戦争を表していますけれども、すでに日本は台湾のことで「戦争をするぞ」と言っているようなものだが、国内でコンセンサス（了解）を得ているのか。第三、そもそも日本の平和憲法は「専守防衛」。それなのになぜ隣の国に軍を出すのか。その部分において、今の日本の中の一部の動きが懸念されると、中国大使がこのようなことを述べたわけです。

日本の対中スタンスへの提言

最後に私自身の対中国へのスタンスについて、これからどのようにすればよいのか、個人的に考えたことを述べます。私は、中国は個々の問題を抱えていても、簡単に崩壊しないしなやかで、したたかな一面を持っていると思います。

最近のコロナ渦でも、上海では「ゼロコロナ」を掲げ相当の社会的影響を受けましたが、なぜここまで「ゼロコロナ」にこだわるのか。

一つは全体的に途上国という一面がある。上海というと大都市で抑えることはできても、もし農村にまで広がってしまったらそれこそ抑えられなくなる。第二に、このコロナが終結する可能性を見極めようとしている。オミクロンで終われば良いけれど、世界のどこかにかつて強い重症化をもたらしたデルタ型などが潜んでいる。それらが復活した場合、どうなるのかを慎重に見極めている。様々な側面はありますが、中国経済に影響を与え、上海の市民が多くの制限に不満を抱えていることも事実です。しかしこれらは個々の問題ではありますが、全国的にはどうなのか。おそらく中国の今年の経済成長の目標は五・五%ですけれど、中国側の専門家による計算によれば、現時点でおそらく四・九%ほどの成長にとどまるだろうと出ています。目標には届かないが、今のアメリカのインフレ・経済不況を見ればですね、それを遥かに超え、中国は成長するだろうと見られています。

中国は今、経済を振興するための措置をたくさん持っています。いろいろな投資をする方法、金利を下げる方法が残っている。しかしこれらの刺激策を出していません。日本の対中外交は「木を見て森を見ない」傾向がある。「個々の問題」ばかりを見て結論を出そうとする。しかし、より大きい背景を合わせて見ない。現に中国の実態がわかっていない。「中国は崩壊する」と日本の一部で毎年のように叫ばれているが、崩壊するどころか二〇一〇年に日本に追いつき、今の中国のGDPはドル換算で日本の三・五倍近くになったんですね。そこを合わせて中国の勢いを見ていく必要があります。米中二強の時代は不可避であることを感情抜きに把握し、情勢判断を前提とすることです。

第二に、やはり「安保はアメリカ、中国は経済」というバランスを取ることを日本の有識者の多くが主張していますが、アメリカは中国を押さえ込むために日本をあおっている。

だからこそ日本は外交においてもう少ししたたかに、「火中の栗」を拾わないようにすること。アメリカは元々日本を「対中包囲網の最先端」に追いやる狙いがある。これを冷静に見ていく必要があります。

第三に、今触れたように台湾問題は中国にとってもアキレス腱であるため、日本も慎重に対応すべきです。

最後に、わたしは今の日本がＩＴ産業時代の技術が遅れているなどにおいてなど様々な問題を抱えていても、依然として日本の強みがあると思います。基礎研究、製造業、研究開発などですね、日本はこれからも世界にとって重要な存在であると考えています。今の日本はどこか「自信喪失」して「内向き」かつアメリカの檻の中に閉じこもっているように思われます。そうすると、一部の威勢のいい人たちの声ばかりが取り上げられるのですけど、実際には日本は、アメリカからも中国からも重視されています。私の中国系の友人が、日本のある地域にあるアメリカの会社に勤めているのですが、アメリカ政府の依頼を受けて日本の中小企業、日本の先進技術を物色しています。アメリカが「あなた方の技術を買いたい」とすれば、自分たちの技術がアメリカに買われている日本の中小企業は喜ぶでしょう。

しかし、この企業が一定のお金をもらうとしても、実際にこの中小企業の技術は日本国全体の国力となっていない。それらは全て「アメリカの国力」として組み込まれている。そういう意味で、日本は経済技術的にも「アメリカの属国」と言わざるを得ない。中国も日本の技術開発力を高く見ているんですね。

日本は自分の強みをもっと生かして、「中国とアメリカの架け橋」を務めることが出来るのではないかと思います。アメリカに対しては、「東洋の文化」を説明し、中国に対しては「民主化」という世界の大きな流れを説明し、中国を外部から理解されるように働きかけること。日本はそのような建設的なアドバイザーになれるはずです。メンツにこだわる中国ですが、内心は世界から褒められたい、世界の作法をもっと習得して尊敬されたい。東洋と西洋を兼ねる日本は本当はもっと助言できる立場なのですね。こういうような所は日本もできるし、すべきでないかと思います。

時間になりましたので、私の話はこれで終わらせていただきます。ありがとうございました。

＊＊＊

羽場：朱先生。非常に深遠なお話をありがとうございました。一時間の中で、ロシア・ウクライナ戦争、そして中国の外交政策、最後は日中関係の問題点をどう考えるのかについて、非常に盛りだくさんなお話をしていただきました。

たくさん質問があるとは思いますが、恐縮ですが最初に私から、質問をさせていただきます。

ウクライナ戦争について、中国が停戦のために仲介をしたらどうかということが最初から出ていて、現在は国連事務総長や、フランス・ドイツ、ＡＳＥＡＮのインドネシアが積極的に今の状況を終わらせよう動いていますが、王毅外相と習近平国家主席の見方が少し異なるように感じるのですが、現在の戦争をやめさせるために中国が動くというのはあり得ないのでしょうか？

朱：ええ、重要なご質問ですね。私の知る限り、中国はそのような機会をうかがっていて、水面下ではすでに動いていると聞いています。ではなぜ表に今出ていないのか。

現在の状況については先ほど触れましたけれども、この戦争で「片方が勝てる」と思っているときには調停しても意味が無いんですね。ロシアが勝てると思っても、ゼレンスキー大統領が勝てると思っても無理です。ですから、やはりこれからいよいよ可能性がタイミングを窺っているのではないかと思います。次に、トルコ、インドネシアといった外の国々が動いているということは、基本的には「調停」というよりは「お膳立て」です。「交渉の場を提供する」ということだと中国は理解しています。本当の「調停」というのは「自分が責任を持って担保する」ということが必要なんです。トルコやインドネシアにはそれができないので、ドイツやフランスは中国に働きかけているように聞いています。要するに両方から「今の案は相手にだけ有利でこちらには不利だ」となってしまうと、まとまらないわけですね。中国から停戦に向かう構想が出ているとも聞いています。三段階において、①即時停戦。ただこの即時停戦の時に西側からの制裁を解除するとなれば、これはロシア側に有利になります。実際にそれは無理です。西側が制裁を解除することはないからです。しかし、どのようなことがあってもまず戦争をやめさせる。これが第一段階です。第二段階、それが二月二四日よりも前の状態に回復しつつ西側からの制裁を減らし、ロシアが求める安全保障上の要求をある程度提供していく。そして第三段階に包括的な合意に入っていく。これを中国は考えているので、そういう意味ですぐにではなくても、働きかけていくのではないかと思います。もうひとつ、中国は「シャトル外交」がそれほど得意ではないのです。キッシンジャーができたことでも王毅外相にはできません。しかし習近平さんには強いリーダーシップがあるので、プーチンとも、ウクライナともある程度の関係があって、マクロン大統領とも、バイデン大統領とも裏で話し合いが出来る。

そういう意味で「首脳外交」という形で行う可能性がないわけではない。ただこれからタイミングを見計らっている状態だと思いますが、いずれにしても、現時点では「調停」のタイミングには至っていないと中国は見ています。おそらくこれから二、三か月以内、あるいは年末にかけて、いよいよ停戦を巡る動きが出てくる可能性があるのではないかと思います。

羽場：ありがとうございました。非常に詳細にお答えいただきましてありがとうございます。是非中国の調停を期待したいと思います。

では、他に質問がある人は居ますか。お願いします。

学生M：神奈川大学国際学部、歴史民俗学科のMと申します。

本日は貴重なお話をありがとうございました。一つ台湾について質問があります。

先ほど先生が「台湾は国連と先進主要国が中国の一部と認めている」とおっしゃっていたのですが、日本もその中に含まれているのでしょうか。

朱：はい、基礎的な部分についての質問ですね。日本の中であまり触れられていない重要なテーマについてお答えしたいと思います。

答えはその通りです。日本は第二次世界大戦において敗北し、台湾を手放したのですけども、サンフランシスコ条約において「台湾を中国に返還する」ということは言っていません。

しかし、一九七二年に日中の国交を樹立したときに、中国側が「台湾が中国の一部であるということを認めなければ国交は樹立できない」と要求しました。それで交渉の内容に関して、私が編著した日中国交正常化の証言についての本の中でも紹介されていますが、日本外務省が出した案は「中国の要求を承知する」としています。「承知する」といっても「正式に認めること」にはならない。ですがこのような表現では中国側からは受け入れられなかった。

そのときに大平正芳外相は外務省スタッフと相談した結果、中国課からこのような提案が出された。それが「ポツダム宣言の第八条を遵守する」ということです。「ポツダム宣言の第八条」とは「カイロ宣言が完全な形で実行されるべき」という内容です。「カイロ宣言」には「台湾は中国に返還されるべき」と明記されています。日本は敗戦後にポツダム宣言を受諾しましたので、このような遠回りの表現で、当時の日本は反中の保守勢力もいる中で、「承認」という言葉を書かずに、「ポツダム宣言の第八条を遵守する」と表現することで中国との合意を得ました。一九七二年の九月二九日に日中の国交が樹立され、一〇月に国会での答弁で大平外相が「事実上日本が台湾の中国の一部と認めることで国交樹立に至った」と説明しています。つまり、「日本は完全に台湾が中国の一部であることを認めている」と中国は認識しています。

学生M：わかりました。ありがとうございました。

羽場：重要な質問をありがとうございました。先生も非常にわかりやすい説明をありがとうございました。

朱：もう一言。ちょうどさっきの質問の方ですが、これが一九七二年九月二九日の日中共同声明です。ここの第三項目に「中華人民共和国は台湾が領土の不可分の一部であることを表明し、日本政府はこの立場を十分に理解し、尊重する」とあります。しかし、次の言葉。これが、中国が要求したことですが「ポツダム宣言の第八項に基づく立場を堅持する」。その言葉で中国は国交正常化を了解したということです。以上です。

学生M：ありがとうございました。

羽場：ありがとうございます。では二人目です。お願いします。

学生T：こんにちは。神奈川大学のTと申します。中国政府のウクライナ問題に対する意見は、これからどうなるとお考えでしょうか。

朱：ウクライナ政府に対する中国の立場ですね。

実は中国の人はウクライナが大好きなのです。それには様々な理由があります。ウクライナは「東欧の文化の都」なんですね。絵画や音楽などが発展していて中国からの留学生がウクライナにたくさん行っています。中国は事前に今回の侵攻を知らなかったので、日本がアメリカから要請を受けて早めにウクライナに駐在する日本企業を撤退させたにもかかわらず、中国は六〇〇〇人以上（うちおよそ三〇〇〇人が留学生）が撤退していませんでした。戦争が起きるとは信じていなかったからです。だから戦争が起きた後、慌てて撤退したのですが、その三〇〇〇人以上の留学生が主にウクライナで何を勉強するのかというと、芸術です。もう一つ、中国軍の近代化のためにはウクライナの力をずいぶん借りました。中国の最初の空母「遼寧号」の船体はもともと旧ソ連時代に造られた「バリヤーク」でウクライナから購入しました。旧ソ連崩壊後、ウクライナの多くの技術者が中国の経済技術・軍事力発展に関わった。今でも中国で活躍しているタレントの一人はウクライナ人です。三つめは、中国はやはり「食糧戦略」において穀倉地帯のウクライナを重要視しています。ウクライナと共同して食料生産の基地にしています。ですから、中国の「一帯一路」国家構想もロシアルートとウクライナルートを重視しています。そういう意味で、ウクライナを敵に回すことは得策でないと中国も理解しているので、これからはやはりウクライナとの関係は、少なくとも対米関係の影響でロシアとの関係を簡単に切り離す頃はできないし、かと言ってウクライナを敵に回してまでロシアの軍事行動を支持することもあり得ない。長期的に考えればウクライナの領土保全や経済交流を重視しているので、今後ともウクライナとの関係を重要視する動きは変わらないのではないかと思います。

実はここ数年中国とウクライナ政府との関係はあまり良くありません。なぜなら二〇一四年の政変以降、ウクライナがロシアとの関連でアメリカ寄りになっているからです。しかし中国はウクライナの中に多くのパイプを持っているので、今後も中国はウクライナを敵に回し、切り捨てるような方針はとらないと私は考えています。以上です。

羽場：ありがとうございました。

何人かの中国人の知り合いからも、「ロシアがウクライナに軍事侵攻するとは思わなかった」という話を聞きましたので、非常に興味深かったです。おっしゃるように軍事関係においても中国とウクライナの関係は非常に良かったですから、確かに今の状況が中国にとっても外交的に難しい立場にあると言うことが分かりました。ありがとうございました。

非常に面白く、多面的に考えさせられた内容で勉強になりました。

これまで鳩山由紀夫先生や藤崎一郎先生も含めて、いろいろな形でウクライナ問題を語ってこられましたが、本日は中国がウクライナ問題をどう考えているのか、そして台湾問題や日中問題も含めて非常に広範囲なお話をしていただきました。朱建栄先生、本当にありがとうございました。

注

(1)『加速する中国　岐路に立つ日本――ポストコロナ時代のアジアを考える』花伝社、二〇二一年。
(2)『毛沢東の朝鮮戦争――中国が鴨緑江を渡るまで』(初版) 岩波書店、一九九一年。『毛沢東の朝鮮戦争――中国が鴨緑江を渡るまで』(岩波現代文庫)、二〇〇四年。
(3)『毛沢東のベトナム戦争――中国外交の大転換と文化大革命の起源』東京大学出版会、二〇〇一年。
(4)『コロナ以後の東アジア――変動の力学』東大社研現代中国拠点編、東京大学出版会、二〇二〇年。朱先生は「アフターコロナの中国政治社会――聞こえてきた『前進』の地響き」を執筆。
(5)二〇二二年二月四日、ロシアのプーチン大統領が訪中し、北京で習近平国家主席と会談した。
(6)一九五三年生まれ。第一三代中華人民共和国外交部長。
(7)一九六六年天津市生まれ。中国駐アメリカ大使、外交部長を歴任、二〇二三年秋に解任された。
(8)Lloyd James Austin III。一九五三年生まれ。二〇二一年より第二八代アメリカ合衆国国防長官。
(9)Dmytro Ivanovich Kuleba。一九八一年生まれ。二〇二〇年よりウクライナ外務大臣。
(10)Volodymyr Oleksandrovych Zelenskyy。一九七八年生まれ。二〇一九年より第六代ウクライナ大統領。
(11)ブダペスト覚書 (Budapest Memorandum on Security Ssurances) のこと。一九九四年一二月五日、ハンガリーの首都ブダペストでの欧州安全保障協力機構 (ＯＳＣＥ) において、アメリカ・イギリス・ロシアの三国が署名した覚書。ウクライナ・ベラルーシ・カザフスタンが核不拡散条約に加盟したことを受け、この三か国の安全を署名参加国が保障するという内容である。
(12)https://www.american.edu/spa/faculty/cynthia.cfm
(13)https://www.mashupreporter.com/problem-of-uklain-foreign-fighters/
(14)John Fitzgerald Kennedy。一九一七年生まれ。第三五代アメリカ合衆国大統領。
(15)https://www.yomiuri.co.jp/politics/20220505-OYT1T50112/
(16)日米豪印戦略対話 (Quadrilateral Security Dialogue)。安倍晋三首相によって提唱され、二〇一七年に設立。
(17)ブラジル、ロシア、インド、中国、南アフリカの総称。二〇〇九年に全四か国で初の首脳会議を開催。二〇一一年に南アフリカが初めて参加した。

(18) 中国語では上海合作組織、英語では Shanghai Cooperatin Organization（SCO）。二〇〇一年、中国、ロシア、カザフスタン、キルギス、タジキスタン、ウズベキスタン、インド、パキスタン、イランの国家連合。二〇〇一年設立。

(19) 中華人民共和国の政治家。四川省生まれ。一九〇四～一九九七年。

(20) http://jp.china-embassy.gov.cn/jpn/zt/www12/200503/t20050314_1988153.htm

(21) G20大阪サミット（開催日：二〇一九年六月二八日～二九日）。出席のため来日した習近平中国国家主席と二七日夜、安倍晋三首相が会談。

(22) https://www.mofa.go.jp/mofaj/a_o/c_m1/cn/page4_000789.html

(23) https://worldjpn.net/documents/texts/JPCH/19971111.T1J.html

(24) 一九五九年生まれ。第一二代中華人民共和国駐日大使（二〇一九～二〇二三年）。

(25) http://jp.china-embassy.gov.cn/jpn/dsgxx/202206/t20220615_10703708.htm

(26) 石井明、朱建栄、添谷芳秀、林暁光編『記録と証言　日中国交正常化・日中平和友好条約締結交渉』岩波書店、二〇〇三年。

10．ＲＣＥＰ、ＣＰＴＰＰと東アジアにおける地域統合

サン・チュル・パーク（朴相鐵、Sang-Chul Park）

羽場：パーク先生は、韓国ポリテクニーク大学の教授であり、アジアにおけるＥＵ経済研究、またアジアの地域統合研究の権威でもあります。スウェーデンでも教鞭をとっておられ、欧州でも地域統合研究者として高く評価され活躍されています。本日は「ＲＣＥＰ、ＣＰＴＰＰと東アジアの地域統合」についてお話をいただきます。どうぞよろしくお願い申し上げます。

＊　＊　＊

この度は、神奈川大学にお呼び頂き、ありがとうございます。羽場久美子先生に心より感謝いたします。

私は以前にも神奈川大学に来たことがあり、大変充実した時間を過ごすことができました。ぜひまた神奈川大学に行きたいと思っておりましたので、今回再び、オンラインですが、お呼び頂き心より感謝しております。

また、特別講義、特にアジアの協力、協力、統合についてお話しできることを嬉しく思います。

今日のタイトルは、ＲＣＥＰ〔地域的な包括的経済連携〕とＣＰＴＰＰ〔環太平洋パートナーシップに関す

る包括的及び先進的な協定。略称：包括的・先進的ＴＰＰ協定〕、そして東アジアにおける地域統合です。また、現在のアジェンダであるＩＰＥＦ〔インド太平洋経済枠組み〕も追加しました。これは昨日（二〇二二年五月二三日）、バイデン米国大統領が東京を訪問した際に開始されたばかりです。

＊＊＊

はじめに、今、特に東アジアで何が起こっているのか、インド太平洋、経済の枠組みについて、これまでどのような背景があり、どのような経済構造が存在するのかを簡単に説明します。世界の超大国がこの地域で競争しているのです。

まず、世界貿易は、第二次世界大戦以来、過去六〇年間の経済成長の重要な要因と見なされてきました。

しかし、特に二〇〇八年の世界的な金融危機以降、貿易の減速を目の当たりにしてきました。保護主義が広がり、また突然のパンデミック、Covid-19を経験し続けています。ですから、私が言いたいのは、グローバル化のプロセスに関して、私たちは危機の真っ只中にいるということです。国際機関、研究機関、ＷＴＯ〔世界貿易機関〕、ＩＭＦ〔国際通貨基金〕、世界銀行などは、世界貿易機関に基づくこの図が示しているように、今年の第３四半期には世界経済が回復する可能性があると予測しています。

二〇二〇年には世界経済が劇的に落ち込み、すべての国、特に先進国が金融政策と金融政策を打ち出し、市場に多額の資金を投入しました。

それ以来、世界経済は回復し始めましたが、実体経済ではなく、主に株式市場や建設部門などです。

そのため、今年の第3四半期以降、世界経済は回復し始める可能性があると考えています。

しかし、現在、私たちは別の重要な要因、いわゆる負の要因、ヨーロッパ大陸におけるロシアとウクライナの間の戦争を目の当たりにしているため、確実ではありません。

とにかく、この現在の世界経済と現在の状況の中で、私たちは、特に東アジアで、経済的および政治的協力と協力のためのメガＦＴＡ〔自由貿易協定〕を完了しました。

これは、ご存じのとおり、二〇一八年に日本が計画したＣＰＴＰＰと、中国が主導するＲＣＥＰであり、正式には二〇二〇年まではＡＳＥＡＮ主導ですが、実質的には中国主導です。

そこで、私の焦点は、メガＦＴＡにおいて、この地域の三つの主要経済国または主要国、中国、日本、韓国の主要な役割は何かということです。私たちはアジアにいるので、彼らは競争していると同時に協力しています。したがって、Ｇ2と呼ばれる米国と中国の間の貿易紛争の経済的および政治的影響と考えられる影響を検討することは非常に重要です。

さらに、東アジアの協力にどのような影響があるのか、東アジア内または東アジアを超えて地域経済統合をどのように構築するのかを検討する必要があります。同時に、グローバル・サプライチェーンの再編成にも貢献しています。現在、米国政府や日本や韓国などの地域同盟国は、グローバル・サプライチェーンの再構築に熱心に取り組んでいます。そして、それがアジア諸国だけでなく、米国や欧州連合にどのような影響を与えるか。

このような背景に基づいて、昨日発表された、インドを含む一三の加盟国がこのフレームワークに参加するインド太平洋経済フレームワークの新しい競争を経験し、昨日通知されました。この地域で何が起こっているのか？　私たちが今住んでいるこの地域が、なぜ政治、経済、社会、安全保障などの面でこれほどダイナミックで急速に変化しているのか。

ＲＣＥＰ：地域的な包括的経済連携

メガＦＴＡと東アジアの協力という次の問題に進みましょう。どのような種類のメガＦＴＡをが完成されたか。

まず、世界最大のＦＴＡ、いわゆる自由貿易協定であるＲＣＥＰ、地域包括的経済連携から始めましょう。二〇一二年一一月に交渉が開始され、完了するまでに八年以上かかりました。

初期段階では、韓国のイニシアチブであるＡＳＥＡＮ＋３は、中国、日本、韓国によって開始されました。

その少し後、日本政府はＡＳＥＡＮ＋６を提案しました。これは、東アジアの三か国に加えて、オーストラリアやニュージーランドなどのオセアニアの二か国、さらにはインドを包摂します。それでＡＳＥＡＮ＋６になった。日本の考えがより包括的であったため、中国を含むすべての加盟国が受け入れました。

なぜ中国がこの種の経済協力を作ろうとしたかというと、中国は地域全体の自由貿易協定を構築するという非常に強い意図を持っていたからです。

地域的な自由貿易協定はこれまで、二国間、多国間の双方からなっていた。例えばＡＳＥＡＮ諸国、二国間、韓国とＡＳＥＡＮ、日本とＡＳＥＡＮ、中国とＡＳＥＡＮ、などです。

欧州連合や北米のNAFTAなど、世界の他の地域では、欧州連合では一九五六年から、北米では一九九四年から、すでに地域全体の自由貿易協定が結ばれています。つまり、私たちは西側世界に比べてかなり遅れをとっていたので、経済成長を継続的に促進し、利益を保護するために、地域全体の自由貿易協定を作成する必要があることは、ある意味で理にかなっています。

すべての加盟国が同じレベルの工業力を持っているわけではないため、これにより、地域内で効率的な分業効果が得られます。ですから、私たちが互いに協力することは非常に理想的であり、それは大きな経済的利益をもたらします。同時に、サプライチェーンを非常に強化します。そのため、この地域だけでなく、世界の他の地域、特に北米や欧州連合などの先進市場で商品やサービスを提供することができました。

しかし残念なことに、二〇一九年一一月に協定が締結されたとき、インドはRCEPに参加しませんでした。これは、インドが貿易赤字、特に中国との貿易赤字の増加を過度に恐れているためで、貿易赤字は総貿易赤字の五〇%を超えています。インドの参加がなければ、RCEPは依然として最大のFTAであり、人口は二三億人を超え、生産額は二六兆米ドルを超え、二〇二〇年の貿易量は百四億米ドルを超えています。中国の優位性、役割が警告されることがよくありますが、時には強い勢いと動機が積極的な役割を果たしていることは非常に目に見えます。

中国は、RCEPを地域の貿易ルールを設定するツールとして使用することを強く意図しています。この視点は、加盟国全体に対しても、肯定的および否定的な視点をもたらします。ご存知のように、中国の経済システムは市場経済システムと計画経済システムの双方から、完全ではありませんが、密接に策定され、表現されています。したがって、中国が支配的に貿易ルールを設定している場合、特に日本、韓国、その他の一部のＡＳＥＡＮ諸国などの民主主義国は、この種の一方的な、非常に厳格な貿易ルールに従うことに慣れていません。私たちがかなり恐れていることであります。

一方で、中国は今後二〇～三〇年間、世界で最も成長する市場であり、国際経済機関の分析に基づくと今後米国とヨーロッパの市場は縮小する可能性があると考えられています。

他のメガＦＴＡや世界の他の地域と比較したＲＣＥＰの現実を図でお話しましょう。インドがＲＣＥＰから脱退したにもかかわらず、世界の人口、ＧＤＰ（国内総生産）、商品貿易におけるＲＣＥＰのシェアは圧倒的です。

したがって、二〇二〇年の統計を見ると、減少したのは運用の総数だけです。なぜなら、インドは中国と同様に一四億人近くの人口を抱える大国だからです。

人口部分を除いて、ＧＤＰと貿易量はそれほど減少していません。というのも、世界経済におけるインドの経済的部分はまだかなり限られており、ＧＤＰの約二・五％にすぎません。しかし貿易量では、インドの貿易量は国内市場志向の経済構造であるため、ＧＤＰの部分よりもはるかに低くなっています。

中国がＲＣＥＰを支配しているのは、その経済規模によるものです。二〇〇三年から二〇〇六年まで岡山大学で働いていたとき、私は日本人の同僚と話をしましたが、二〇〇〇年の初め、日本経済は最も高度に発展しており、彼らの一人当たりの所得は米国とほぼ同じレベルであったため、中国を将来の競争相手と見なすことはありませんでした。しかし今や経済成長率と継続的に成長する傾向、そして人口と物理的な領土を含む国の大きさを見ると、中国を無視できなくなっていると思われます。

中国がこのような高い経済成長率で継続的に成長できるのであれば、中国は経済的にも政治的にも最も重要な国の一つになる可能性があります。しかし、二〇〇三年の当時、世界経済に占める中国の割合はわずか二%程度で、現在のインドの割合よりわずかに低かった。そのため、私の同僚たちは私の話を注意深く聞いていませんでしたが、ちょうど七年後（二〇二〇年）、中国は日本を抜いて第二位の経済大国になりました。RCEPの中国の割合は五〇%近くありますが、インドがRCEPから脱退したため、現在はさらに五〇%を超えています。中国なしでは、RCEPが経済的に適切に機能する方法を想像することさえできません。ですから、実際にはこれが現実であり、私たちはこのことを認識しなければなりません。これが、RCEPに関するメガFTAの最初の部分です。

CPTPP：環太平洋パートナーシップに関する包括的及び先進的な協定

この地域で二番目のメガFTAであるCPTPPについて見てみましょう。TPPから日本主導のCPTPPに変更された。米国の参加なしで、二〇一八年一二月に完了しました。ご存じのように、ワシントンのキャピトルヒル（連邦議会）は米国の参加を承認しましたが、トランプ政権はTPP（環太平洋パートナーシップ）から撤退しました。彼の国内政策、アメリカ第一主義によるスローガンにより、強力な保護主義を行うことになりました。

残念なことに、米国の参加がなければ、このメガFTAは経済的に劇的に縮小され、わずか三分の一の規模、わずか十一の加盟国にまで縮小されました。二〇一九年の世界人口の六・六%、世界のG

DPのわずか一五％、世界の貿易量は一五・四％です。それで、米国の参加を含む前年の統計と比較すると、二〇一四年から一五年にかけてはほぼ同じですが、二〇一九年は米国の撤退後、残念ながら三分の一近く劇的に縮小しています。

CPTPPの機能と役割は、RCEPに比べてかなり制限されている可能性があります。また、米国の撤退により、非常に興味深い現象も見うけられます。一部のASEAN諸国、特にマレーシアとベトナムは、CPTPPへの参加にかなり消極的であり、動揺していました。彼らの利益は、米国の参加にかなり依存しているためです。しかし、安倍政権はこの二つの加盟国を説得し、再びTPPへの参加を促したので、彼らは同意しました。

興味深いことに、「フィリピン、タイなどの他のASEAN加盟国がなぜCPTPPに参加しなかったのか」と思われるでしょう。これはIPEFの状態からも説明できます。タイ経済、フィリピン経済、インドネシア経済はCPTPP構造からはあまり大きな経済効果を生み出せないという単純な理由から、メガFTAには参加しなかった。

CPTPPでは、米国の参加なしではGDPの四六％以上を占める非常に強力な日本の優位性が見られます。実際、二〇二〇年以降、NAFTA〔北米自由貿易協定〕から更新されたUSMCA〔米国・メキシコ・カナダ協定〕やRCEPと並んで三番目に大きなFTAであり、自由貿易協定でもあります。東南アジア諸国との経済規模と市場、産業のつながりと構造により、中国と競合しています。したがって、効果にもかかわらず、貿易環境は急速に変化しています。なぜなら、米国政府は、今年〔二〇二二年〕、二〇〇九年のオバマ大統領のように、アジア人政策の下でアジア市場に戻ることを熱望しているからです。そのため二〇二一年、突然、中国、韓国、台湾がRCEPへの加盟を表明した。現在、韓国はCPTPPの申請書を提出しており、台湾も同様に申請書を提出しており、中国は検討中ですが、メンバーへの申請を発表しており、IPEFの発足によりスピードがエスカレートしています。

IPEF：インド太平洋経済枠組み

私たちは、従来のFTAではない新しい形のFTAを目の当たりにしています。二〇二一年一〇月の東アジア首脳会議で発表された米国政府主導のインド太平洋経済フォーラムが事実上発足し、昨日発足まで八か月かかりました。では、インド太平洋経済フレームワークとは何か、なぜ米国はCPTPPのメンバーになるのではなく、IPEFを構築することを強く望んでいるのか。

近い将来、米国がCPTPPのメンバーになることを望んでいると表明しました。しかし、残念ながら、私の意見では、それは不可能です。

IPEFは自由貿易協定ではありません。自由貿易協定は四つの柱の一つであるため、IPEFは地域協定に基づいて、世界貿易、サプライチェーン、デジタル経済、脱炭素化などの四つの柱で構成されています。NHKテレビのニュースを見たとき、日本のニュースメディアは三つ目の柱をクリーン・エネルギーとインフラストラクチャーに置きました。その通りですが、ホワイトハウスが発表した元のフレームワークを見ると、デジタル経済と脱炭素化が最優先されています。

しかし、米国のシンクタンクは、東アジア諸国がIPEF、デジタル経済、脱炭素化に対して抵抗する可能性があると分析しました。これは、東アジア諸国の産業レベルがデジタル経済と脱炭素化に対処するための準備が整っていないためです。そのため、彼らが名前をデジタル経済と脱炭素化から、クリーン・エネルギーとインフラストラクチャーに変えたことに気づきました。

第四の柱は、税金と腐敗防止です。それは公式にはオープン・プラットフォームですが、実際には、特に戦略的産業部門であるハイテク分野のグローバル・サプライチェーンを通じて、中国の参加に対して抵抗をするでしょう。実際、サイズとしてのIPEFはRCEPよりも少し大きくはありますが、残念ながら、純粋な自由貿易協定ではなく、加盟国のアメリカ市場へのアクセスについて米国政府が話したことがないため、近い将来にどこまでうまくいくかはわかりません。

特に、ASEAN加盟七か国は、米国市場へのより開かれた市場アクセスに熱心です。日本、韓国、オーストラリア、ニュージーランド、シンガポールなどの他の国は、すでに米国との自由貿易協定を結んでおり、純粋で開かれた市場アクセスをすでに持っているため、これら六か国のようには緊急の問題ではありません。これらの六か国は、米国との技術と経済の結びつきを強化し、中国へのグローバル・サプライチェーンの再形成に反対する、いわゆる内輪の国だと思います。したがって、これは、中国を除く世界のサプライチェーン、戦略的産業、特に半導体とバッテリーをGDPの最大規模とするものです。

したがって、IPEAを設立するために、日本と韓国は米国にとって非常に重要です。つまり、これは韓国、日本、台湾、および米国の技術同盟と見なされます。しかし、ご存じのように、台湾は加盟国として含まれていません。なぜなら、それは中国にとってあまりにもデリケートな問題かもしれないからです。

ＣＰＴＰＰでは日本の支配的な役割を示していますが、ＲＣＥＰでの中国の役割に比べてかなり限定的です。なぜなら、特にオーストラリア、メキシコ、カナダ、チリなどの他のパートナー国を見ると、ペルーも含めて、これらの国は東アジアの国ではありません。オーストラリアは東アジアに属することができますが、彼らの経済的利益はより、北アメリカにリンクされ結合されているため、その共同はほぼ三三％を超えており、結合して非常に強力に協力することができます。したがって、ＣＰＴＰＰは、日本が一方的に主導することはできず、世界の他の地域からのチェックとコントロール機能も同時に受けなければならないと私は考えています。

＊

最後の段階に移りましょう。メガＦＴＡだけでなく、私がさきほど追加した三つの主要経済地域によるＩＰＥＦについても、より政治的および経済的な効果をもたらします。故に、最初の政治的影響としてこれら三つのメガＦＴＡは、実際には、互いに協力するのではなく、互いに競合しています。どちらも、技術、製造、農業、天然資源においてかなり強いつながりがあります。同時に、米国がＩＰＥＦを立ち上げない限り、これらのメガＦＴＡは地域全体のサプライチェーンにインセンティブを生み出します。

それは純粋な地域協力と追求のコラボレーションかもしれませんが、残念なことに、ＩＰＥＦにより全体として、地政学的および経済的環境は劇的に変化しました。そのため、中国はＲＣＥＰをＢＲＩファンドに橋渡しすることで、経済的および政治的影響力を獲得しています。中国はＩＰＥＦのために方向性と戦略を修正しなければならない。そして、これらは、特に中国市場とともに、輸送、エネルギー、通信リンクを強化することにより、市場アクセスを強化することもできますが、ＩＰＥＦがどのように発展するかによって、再び修正される可能性があります。

ＲＣＥＰやＣＰＴＰＰは、米中のＧ２貿易紛争に基づく保護主義への強力な対抗策として我々が望んでいるものでもあるのですが、それがどのように発展するかは今はわかりません。私たちは継続的に監視し、ＩＰＥＦの真の意味は何か、特に貿易の回復力の観点から、または米国政府が、特に発展途上国における強い経済的利益への欲求をどの程度受け入れる準備ができているかを探る必要があります。そのため、ＣＰＴＰＰではなく、特にＲＣＥＰとＩＰＥＦとの激しい競争が予想されます。

中国はまだＣＰＴＰＰのメンバーではないため、ＣＰＴＰＰはＲＣＥＰよりもはるかに容易にＩＰＥＦと協力することができます。しかし、中国がＣＰＴＰＰのメンバーになったとしても、ＣＰＴＰＰにはすでにルールが設定されているため、中国の役割はかなり制限される可能性があり、中国がＣＰＴＰＰのメンバーになった場合、中国は国内市場をより多く開放する必要があります。今、法による支配の原則の高いレベルに従い、市場経済機能を開放する必要がありますが、中国がこの種のハイレベルなＦＴＡに対応する準備ができているかどうかはわかりません。

特に、この二つのメガＦＴＡとその枠組みは、地域の外交、軍事、経済、技術などあらゆる分野で競合する可能性があり、残念ながら台湾問題は地政学的リスクと不安定性を増大させています。ＩＰ

ＥＦ発足の初日に、バイデンが台湾への中国の侵略の可能性について関与している人物を保護することについて話したとき、中国がいかに敏感に反応したか、多くの人がすでに聞いたことがあると思います。

東アジアにおける地域統合

Ｇ２の貿易紛争は、二つの異なる制度と競争により、これまで以上に集中的に増加するでしょう。それは国家安全保障問題の新しいアジェンダを作成し、それと組み合わせて、私たちは今「経済安全保障」と呼んでいます。突然、ハイテク開発と覇権に基づく経済安全保障という新しい言葉を耳にするようになりました。これに対し、中国は戦略的技術に挑戦しており、米国の保護主義は少なくとも一〇年、あるいはそれ以上続くでしょう。特に、半導体、大容量バッテリー、重要な鉱物、および材料、そして最後に医薬品です。したがって、これらは中国への輸出が禁止されています。

私見では、中国が非常に敏感に反応しているのは、高度に洗練された部品やコンポーネントを自力で生成できず、三〇％未満にとどまっているからです。したがって、高度に洗練された部品およびコンポーネントの七〇％は、特に韓国、日本、および米国から輸入する必要があります。では、中国がグローバル・サプライチェーンの再形成から除外された場合、五年後に何が起こるでしょうか？　中国の産業、特にハイテク産業では、時代遅れになる可能性があります。これは中国政府が最も恐れていることです。

米国主導のグローバル・サプライチェーンの再構築には日本と韓国がリストに含まれています。これら二つの国は、半導体と大容量バッテリーを生産する中核国であるためです。ですから、あなたが知らされていないかどうかに関係なく、韓国のニュースも見ているなら、私は日本のニュースを毎日見ていましたが、先週の金曜日の二〇日にバイデンが韓国を訪問したとき、彼は最初に、韓国政府でなく、半導体メーカー最大手のサムスン電子を直接訪問しました。これは、彼が高度に洗練された技術分野への中国のアクセスをブロックするために、グローバル・サプライチェーンを再構築するつもりであることを示しています。

中国主導のＲＣＥＰは、両刃の剣として、特に日本、韓国、シンガポールに対して作用する可能性があります。したがって、レアアース製品、リチウム、タングステンなど、および中間製品における中国への依存度が高いため、韓国と日本に対する中国の高いリスクが現実のものとなっていることを意味します。経済、貿易、産業の観点から、東アジアのどの国が中国と関係があるかを示しています。日本と韓国とシンガポールは非常に厚いつながりを持っています。

図１　RCEP 内の、地域間関係図（日中韓シンガポールが依存関係）

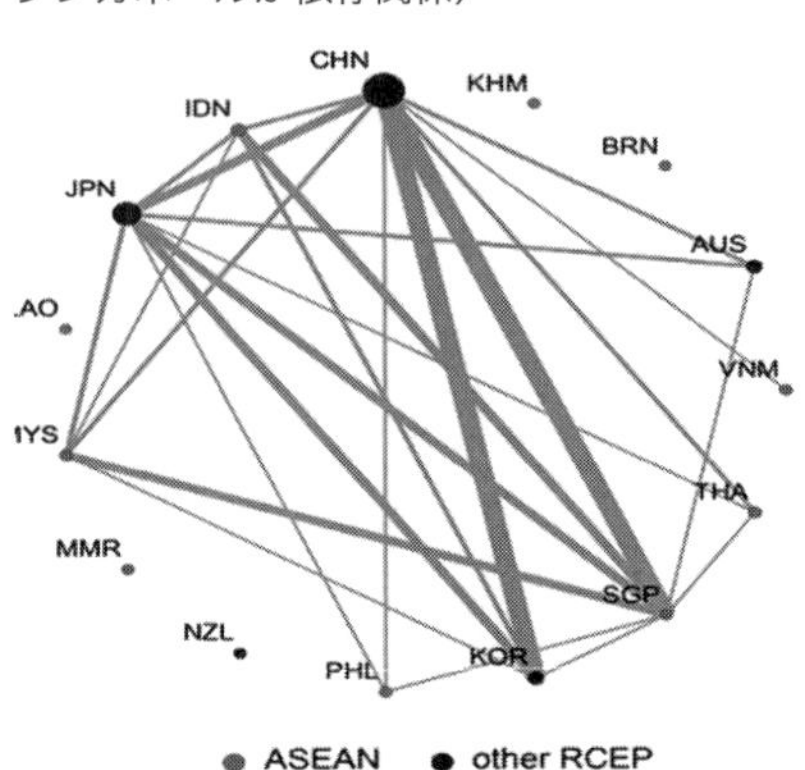

出典：Adopted by Francois & Elsig, 2021

中国の中間製品に最も依存している国を示しています。たとえば、中程度の依存度が五〇％を超える中国は、韓国よりも高くなっています。ただ、依存度七〇％以上で見ると韓国の方が日本より高いですが、アメリカの場合はどちらも日本や韓国よりかなり低い

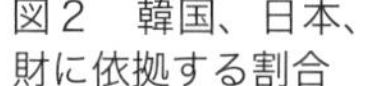

図２　韓国、日本、アメリカが中国の中間財に依拠する割合

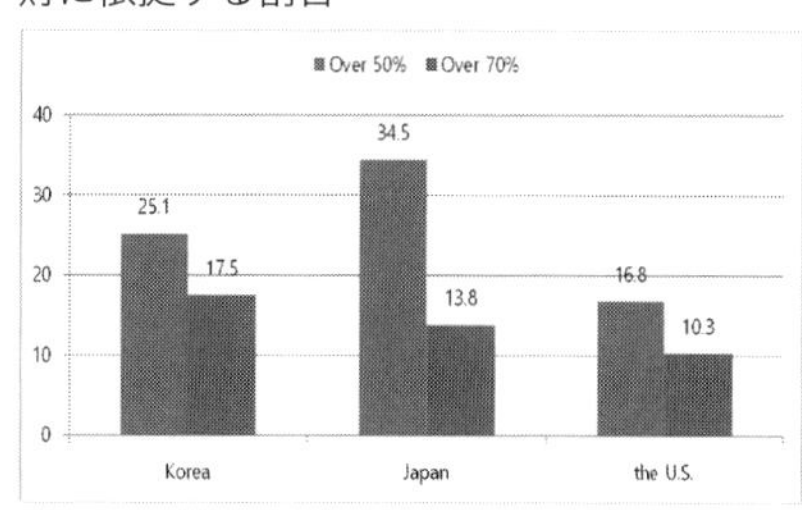

出典：Author's own adaptation based on Kim,2021

です。したがって、中国の反応次第で、中国がどのように反応するかによって、韓国と日本が経済と産業の面でどれだけ脆弱になる可能性があるかを意味します。

経済効果を見てみましょう。ＲＣＥＰはＧＤＰと貿易量の世界シェアを増やしていますが、ＣＰＴＰＰは二〇一五年から二〇一九年にかけてシェアを失いました。したがって、ＲＣＥＰとＣＰＴＰＰへの参加は、加盟国の純粋な経済的利益に基づいています。マレーシアとベトナムの事例を見れば、彼らがＣＰＴＰＰへの参加に反対した理由と、フィリピンとタイが拒否した理由がわかります。そして、フィリピンとタイがＩＰＥＦのメンバーになったのは、ＩＰＥＦが経済的利益だけでなく、経済的安全保障だけでなく、米国側からの軍事的安全保障も、より多く生み出すことができると考えているからです。

日本と韓国はＲＣＥＰのＧＤＰ成長率で最大の勝者ですが、中国と韓国はＣＰＴＰＰでわずかにやや敗者になる可能性があります。現在の貿易、政治、軍事、技術環境。中国、日本、韓国はＲＣＥＰの貿易拡大の勝者であり、中国、韓国、一部のＡＳＥＡＮ加盟国はＣＰＴＰＰのやや敗者です。

所得効果は、ＲＣＥＰとＣＰＴＰＰ、および三つの主要経済国とＡＳＥＡＮ諸国のＧＤＰ成長を意味します。したがって、中国の場合、ＲＣＥＰは黒字を生み出し、ＣＰＴＰＰはマイナスの影響を生み出します。そして韓国は多かれ少なかれ同じですが、日本は両方で利益を得ることができます。したがって、日本は二つのメガＦＴＡで最大の勝者になる可能性があると説明します。

しかし、他のＡＳＥＡＮ諸国ではかなり異なります。したがって、説明したように、フィリピンとタイは、ＣＰＴＰＰが彼らに経済的利益をもたらさないため、ＣＰＴＰＰに簡単に参加することを望んでいません。そのため、ＲＣＥＰと比較してＣＰＴＰＰでは貿易量を大幅に増やすことができず、したがって、フィリピンとタイはＣＰＴＰＰに参加する準備ができていませんでした。

次に、ＩＰＥＦがどのようになるかを見てみましょう。オーストラリア、日本、韓国、ニュージーランド、シンガポール、米国などのコア六メンバーのＩＰＥＦは、経済安全保障同盟を締結すると予想されます。これらの国々はこれまで軍事同盟の中核であり、私が説明したように、米国政府はこの軍事同盟を技術だけでなく経済同盟にも拡大する予定です。そして驚くべきことに、インド、そしてＡＳＥＡＮの七か国がＩＰＥＦに加盟しました。インドがＩＰＥＦに加盟した理由はさまざまだと思います。

オーストラリア、ニュージーランドと並んでアジアの七つの加盟国（おそらくシンガポールを除く）は、東アジアの先進国と見なされているため、ＡＳＥＡＮ加盟国に比べ発展途上国であるインドは経済的利益のアラカルトを選択できるためです。ですから、私は同じ言葉を選びます。すなわち、ホワイトハウスが選んだ言葉である、またはアメリカのシンクタンク研究所であるアメリカのＣＳＩＳ（米国戦略国際問題研究所）が選んだ言葉である、アラカルト戦略またはアプローチです。

説明したように、ＩＰＥＦは四つの異なる柱で構成されていることを意味します。したがって、この地域の開発途上国を代表するこれらの八か国は、四つの柱すべてに参加するのではなく、経済的利益を生み出すことによって作成できるいくつかの柱を選択します。したがって、ＩＰＥＦは、すべての加盟国が四つの柱すべてを同時に追求しなければならないという意味ではありません。オープンプラットフォームであるため、実行したい柱や準拠したい柱を選択できます。しかし、米国を除いた六つの加盟国、東アジアの五つの加盟国は、米国および高度に発展した加盟国とのＦＴＡをすでに完了しているため、四つの柱すべてを遵守することに問題はありません。ですから、ＥＵとほぼ同じような構造で、六つのサークル加盟国によって開始され、後に七つの外部加盟国によって開始されると思います。この点で、私はこれら六つの加盟国、内輪の加盟国がＩＰＥＦの中心的な役割を果たすと信じています。

米国の参加により、全体のサイズとスケールが劇的に増加しました。したがって、米国が何らかの形で参加することで、東アジアの主要加盟国は、経済的利益だけでなく、外交、技術、軍事、安全保障など、より多くの利益を生み出すことができると考えています。これが、これら一三の加盟国がＩＰＥＦの初期段階に参加する準備ができている理由の背後にある基本的な考え方です。そして圧倒的に、ＴＰＰにおける米国の立場もこの戦略的方向性を示しています。また、米国が東アジア諸国と巨額の貿易赤字を出したにもかかわらず、米国はこの種のインド太平洋経済枠組みを確立する準備ができていることを示しています。これは、この地域および世界における中国の拡大に（対抗的に）取り組むためです。

ＩＰＥＦは、インド太平洋戦略の一〇の行動計画の一つです。ご存じのように、実はインド太平洋戦略は安倍晋三政権が発案し、トランプ政権に引き継がれ、アメリカでは政権交代したものの、バイデン政権がインド太平洋戦略を引き継いでいます。これは、米国のグローバル戦略にとってアジア太平洋地域またはインド太平洋地域がいかに重要であるかを示しています。

私の結論は、第一に、貿易と海外直接投資（ＦＤＩ）が経済成長の主な原動力であり、経済学者も政治経済学者もこれを拒否することはできません。しかし、保護主義は現在でも世界の貿易環境を劇的に変化させています。そこで保護主義への対抗策としてＲＣＥＰやＣＰＴＰＰを期待していましたが、ＩＰＥＦ発足後、突如、新たな貿易環境に直面することになりました。

投資に対する中国のリスクの増大は現実であり、米国が主導するグローバル・サプライチェーンの再構築により、弱体化することはできないかもしれませんが、これは機会の側面であり、同時に課題の側面も共存しています。実際、日本はこの地域で二つのメガＦＴＡで最大の勝者であり、ＲＣＥＰでは中国と韓国が勝者です。しかし、ＩＰＥＦによって、状況は変わる可能性があります。特に日本と韓国がＩＰＥＦの勝者になる可能性があり、最大の敗者は中国になる可能性があると思います。しかし、それはＩＰＥＦが将来どのように発展するかに完全に依存しています。特にＲＣＥＰと競合し、地域だけでなく世界での中国の拡大を制御する新しい地域プレーヤーとしてのＩＰＥＦです。

どうもありがとうございました。以上が私の講義です。

＊　＊　＊

羽場：どうもありがとうございました。ＲＣＥＰとＣＰＴＰＰに関する非常に興味深い重要な分析でした。ＩＰＥＦの最新の資料と分析もありました。最後に、パーク先生に心からの拍手をお願いしたいと思います。本日は、オンラインではありますが、懐かしい神奈川大学に戻ってきてくださり、本当にありがとうございました。

11．インドと南アジアの協力

プラディープ・チャウハン（Pradeep Chauhan）

羽場：みなさんこんにちは。本日はインドのクルクシェトラ大学からプラディープ・チャウハン教授が来られました。彼は、二〇二三年からはインドのジャワハルラル・ネルー大学の教授に移籍されました。彼は、世界国際関係学会（ISA）アジア太平洋でも一緒に働いており、二〇二三年の早稲田大学の国際会議ではプログラムチェアを務めていただきました。インドの地域協力、特にSAARC〔南アジア地域協力連合〕とBIMSTEC〔ベンガル湾多分野技術経済協力イニシアティブ〕とについて研究されており、本日はその講演をしていただきます。どうぞよろしくお願いいたします。

＊＊＊

チャウハン：はじめに、このコースと地域連携の講義のために、学生たちと交流する機会を与えてくださった羽場久美子教授に感謝いたします。この講義をお届けできることを本当にうれしく思います。この講義は、インドと日本の間で進行中の学術協力の一環でもあります。インドはインド社会科学研究評議会（ICSSR）、日本は日本学術振興会（JSPS）および日本学術会議（SCJ）です。過去三年近く、羽場久美子教授とはこの学術協力と地域協力に取り組んでいます。

私の講演は二つのパートで構成されます。主要なパートはSAARC（サーク）とBIMSTEC（ビムステック）、インドと南アジアの地域協力です。現在の世界的な状況では、戦争がウクライナとロシアの間で進行しているため、それについて考察し、それがその地域だけでなく世界中にどのような影響を与えているかについて考察します。

SAARC：南アジア地域協力連合

まずはSAARCです。SAARCは南アジアの地域協力組織です。私たちはそれを南アジア地域協力連合と呼んでいます。これらは、モルディブ、ネパール、パキスタン、スリランカ、アフガニスタン、バングラデシュ、ブータン、インドの国々からなっています。一九八五年に始まりました。ご想像のとおり、もう三七年です。当初は七か国のメンバーでしたが、後にアフガニスタンも参加しました。

SAARCの活動にはいくつかの障害がありましたが、SAARCには地球の総人口のほぼ二一、二二%、つまり地球の人口のほぼ四分の一が含まれているため、非常に重要な組織です。また、オブザーバーもいます。多くの国がオブザーバーになることに関心を示しています。日本もSAARCのオブザーバーです。彼らはSAARCの活動に参加し、協働しています。オーストラリア、中国、欧州連合、韓国、ミャンマー、モーリシャス、イラン、米国。欧州連合も、オブザーバーの位置にあることがわかります。アメリカも、オーストラリアも、日本もそうです。

世界的に、SAARCは地域協力に積極的に取り組んでいます。多くの国がSAARCへの参加に関心を示しており、特にミャンマーはインドとの国境に位置しています。ロシアでさえ、以前からSAARCの一部になることに関心を示していました。SAARCが何をしているか。成果とは何か、重要性とは何かについて話します。経済協力、地域協力、安全保障、防衛の分野で、人々の地域パートナーの想像力を捉えた活動をしています。

BIMSTEC：ベンガル湾多分野経済協力イニシアチブ

BIMSTECと呼ばれる別の組織があります。

SAARCには多くの問題、特にインドとパキスタン間の安全保障問題があるのですが、次にBIMSTECの背景を簡単に説明します。私は、多くの国がこの地域協力であるSAARCに参加することに関心を示していることを議論しました。

その後、BIMSTECという新しい別のアイデアが生まれます。BIMSTECは二つの方法で定義できます。一つには、それはベンガル湾の多分野の技術的および経済的協力のイニシアチブです。いま一つには、他の方法で略語を読み取ることもできます。

それは、バングラデシュのB、インドのI、ミャンマーのM、スリランカのS、およびタイのTというBIMST経済協力（EC）なのです。その略語も文字どおりになります。しかし、主な略語は、私たちが説明したように、多部門の技術的および経済的協力のためのベンガル湾イニシアチブなのです。

SAARCは南アジアの主に西側との地域協力ですが、東南アジアからの主要なパートナーがタイであるため、BIMSTECは東南アジアと連携しており、BIMSTECの範囲はSAARCよりも広くなっています。南アジアと東アジアを結ぶからこそ、重要になってきています。

インドとパキスタンの間の関係、国境の緊張、安全保障の問題などいくつかの重要なSAARCの問題は、こちらの共同関係からは除外されています。アフガニスタンの問題も同様です。BIMSTECでは、そうした問題はありません。

BIMSTECは、BIMSTECの言葉自体に内包されているように、各国がどのようにして責任を負う主な国になることができるという経済的および技術的協力に焦点が当てられました。すべての加盟国が国をリードしました。インドは、通信、電気通信、輸送の分野でリードしており、同様に、他の国もそれぞれの分野でリードするようになりました。これらの主要国には、その協力をさらに進める責任があります。

BIMSTECの加盟国、GDP、一人当たり所得、総GDPは一目でわかります。

これは一見する価値があります。

南アジアではインドが主要なパートナーであるのに対し、東南アジアではタイが主要なパートナーであることがわかります。

SAARCでは、インドが最大のパートナーでありますが、経済的な観点からだけでなく、人口や面積などの規模からも、より小さな国がいくつかあるために不均衡になっていると指摘されました。ブータン、ネパール、スリランカ、モルディブなど、多くの国がSAARCのメンバーです。

ＳＡＡＲＣにおいてはインドが兄弟の兄のような役割を果たしているという議論がありました。少数のメンバーには、インドが地域のパワーになろうとしているという懸念がありました。それは覇権を生み出すでしょう。覇権の脅威は、実際に協力に影響を与えることになりました。

この懸念が強調された分野で、ＢＩＭＳＴＥＣには、バランスがあることがわかります。ＢＩＭＳＴＥＣは現在、ＳＡＡＲＣよりも急速に成長しています。しかし、ＳＡＡＲＣは南アジア自由貿易地域（ＳＡＦＴＡ）において多くの成果を上げています。ＳＡＡＲＣ諸国は、この地域に自由貿易圏を作ろうとしています。

SAARC大学

私たちが通常議論するもう一つの成果は、ＳＡＡＲＣ大学です。

多くの外部オブザーバーは、ＳＡＡＲＣ大学がニューデリーに設立されたことに驚き関心を持っています。それは私たちが「南アジア大学（ＳＡＵ）」と呼んでもいるのです。それは、加盟国すべての大学と言えます。大学は教員、学生と密接に連携し、共同しています。それは大きな成果をあげており、ニューデリーで非常にうまく機能しています。

羽場久美子教授は何度もその大学を訪問し、講演とインタヴューをしました．

次の訪問で、私たちは改めてそこに行きます。そしてＳＡＡＲＣ大学の成果を観察してきます。

ＢＩＭＳＴＥＣには先ほど申し上げましたが、タイが加わっているのでバランスがとれています。経済的な観点から見ると、タイ経済はバランスを取るのに十分な規模を持っています。

同様に、ＢＩＭＳＴＥＣとＳＡＡＲＣの両方を見たとき、同じことをもう一度繰り返したいと思いますが、ＳＡＡＲＣが南アジアと西アジアとの地域間組織であるのに対し、ＢＩＭＳＴＥＣは東南アジアと南アジアとの地域間組織です。ＳＡＡＲＣは冷戦下の一九八五年に創設され、それはピークにありますが、ＢＩＭＳＴＥＣはポスト冷戦後に確立されました。

私が言及したように、ＳＡＡＲＣにはインドが強すぎるという不信感と疑惑もあります。これは政治、特にインドとパキスタンの問題です。また西には、アフガニスタンの問題もあります。

しかし、ＢＩＭＳＴＥＣは、友好的な関係があります。

ＢＩＭＳＴＥＣは、各国間の経済協力により重点を置いています。彼らは政治問題にはあまり取り組んでいませんが、経済協力や非対称的なパワーバランスに重点を置いています。先ほど述べたように、インドはＳＡＡＲＣやその他の小さなパートナーの中で巨大な国です。しかしＢＩＭＳＴＥＣでは、力の均衡が保たれています。タイとインドです。地域間取引を見ると、ＳＡＡＲＣはわずか五％です。ＢＩＭＳＴＥＣでは、地域間貿易が六％増加しました。

認識についていくつかの調査が行われました。ＢＩＭＳＴＥＣについての認識、成長、開発についての認識は急速に進んでいます。一部の利害関係者にインタビューしたところ、ＢＩＭＳＴＥＣに対する認識は七五％、ＳＡＡＲＣは一五％であることがわかりました。一部の人たちにとっては充分に知られていない存在でもあります。

南アジア地域の協力関係

では、南アジアにおける地域協力の課題は何でしょうか？

SAARCの目的は、南アジア諸国間の集団的自立を強化することです。お互いの問題に対する相互の信頼、理解、感謝に貢献すること。経済、社会、文化、技術、科学の分野における積極的な協力と相互支援を促進すること。他の開発途上国との協力を強化すること。共通の利益の問題に関する国際フォーラムにおける相互の協力を強化すること。同様の目標と目的を持つ国際的および地域的組織と協力することです。

SAARCには、他の地域機関とつながることも重要な目的であります。SAARCは、いくつもの高い宣言を掲げ、実行しています。

他の多くの組織が、ASEANを含め、地域協力を行っています。そうした連携は進行中です。SAARCは、コラボレーションが進むように努めています。同様に、この組織は知識移転の連携を進め、実用的なコンピュータ・アプリケーションに焦点を当てようとしています。組織はまた、ジャーナル、研究論文、およびその他の技術移転媒体を通じて、主要な研究を発展させています。この二つの組織、SAARCとBIMSTECは、そうした知識移転の分野で南アジアで非常に重要な役割を果たしていると言えます。

それでは、開発の重要な優先事項と、経済の生産性と競争力への貢献は何でしょうか？　私たちはこれらすべての分野に焦点を当てようとしています。

一つ目は、科学、技術、工学、数学に焦点を当てた高等教育の共同研究を増やし、質を向上させることです。

先ほど申し上げたように、SAARCはすでに共同大学を設立しています。いくつかの研究の優先課題は、国および地域レベルですでに特定されています。そのために、財政および管理メカニズムも開発されました。学術機関は、この分野で優れた研究を行い、質の高い研究提案を行う研究者間の能力を構築するよう求められました。

同様に、資金援助、奨学金、大学院生およびポスドク研究員のためのフェローシップを含む、国内、地域間、地域外のコラボレーションをサポートするための特定の資金が投入されています。

どのように研究レベルで地域協力を強化できるのか。先ほど、この知識の移転について述べたように、いくつかのプロジェクトが特定されました。さまざまな分野、さまざまな国の学者との共同が行われています。同様に、民間部門の学術協力も、両組織の加盟国でどのように強化できるかなどの取り組みが行われています。

地域協力と国際関係——中国の位置

先に述べたように、SAARCは現在、多くのことを実現しています。しかし、多くの正式な交渉が、メンバー間で進められています.

彼らはさまざまなテーマについて議論を進行させています。

たとえば、アフガニスタンによって現在浮上している地域の安全保障問題についても議論します。インドとパキスタンの間の、国境を越えたテロリズムの主要な問題についても議論がなされています。

近年、パキスタンが中国に近づいているため、別の三角関係が出現しています。中国はすでにパキスタンで回廊を確立しています。インドは、紛争中の土地であえて、なぜその回廊が開発されたのか、などと異議を唱えています。その巨大な回廊は、現在、インドとパキスタンの間だけでなく、インドと中国の関係の争点でもあります。インドと中国は、互いに国境紛争と国境問題を抱えています。それはさらに、パキスタンを通じて互いの組織間関係や機能を妨げています。

スリランカでも、いくつかの小さな回廊やいくつかの港の開発を通じて、中国は大きな役割を果たしています。最近、スリランカの経済が低迷しているということを聞かれたことがあるかもしれません。非常に高い価格高騰のため多くの抗議が起こり、多くの問題が発生しており、政治的対立も生じています。多くの人が中国を非難しています。

中国はインフラ開発の役割を果たしましたが、そのためにスリランカは債務の罠に陥っています。それは現在進行中の地域的なものです。

アフガニスタンでも、スリランカでも問題が発生しています。それから、インドとパキスタンとの国境問題、国境を越えたテロの問題、そしてインドと中国の関係の悪化が起こっています。

これらの国境と安全保障の問題は重要な課題です。スリランカが、その焦点にもなっています。

ミャンマーでさえ、安定はありません。いくつかの競合があると聞かれたことがあるかもしれません。ミャンマーからは多くの移民難民がインド国境を越えてきました。彼らはロヒンギャと呼ばれています。ロヒンギャはインド全土に広がり、ミャンマーからの移民が継続的に入国しています。そういう現状が多く起こっています。

一見すると、南アジアは経済的に発展していますが、同時に多くの国で大きな貧困問題を抱えています。一人当たりのGDPからもその様子を見ることができます。インドでは、経済は非常に急速に成長しています。また、バングラデシュの経済も非常に急速に成長していますが、多くの国々、パキスタン、アフガニスタン、現在はスリランカも、うまくいっていません。

ネパールにも、多くの問題があります。ネパールはまた、多くの中国人が入国しているため、現在インドの論争の的になっています。全体的にインドは、ネパールが経済協力のために中国人を誘致することを望んでいません。

中国の機関は、パキスタン、スリランカ、ネパールを通じて、さまざまな方法で地域全体に浸透しています。

ドクラムと呼ばれる場所がブータンにあり、そこでインドと中国との国境問題が起こりました。そこではインドと中国の間で小競り合いがありました。問題は早期に解決され、エスカレートされませんでしたが、問題は依然としてそこにあります。その意味で、中国はこの地域で直接的および間接的に大きな役割を果たしていると言えます。

同時に、SAARCのパートナーである中国との貿易を見た時、驚くべきことに、インドとの間に大きな問題をかかえています。

インドは現在、中国との貿易が最も多いのです。その輸入は八〇〇億ドル以上です。インドの中国からの輸入は八〇〇億ドル以上ですが、インドから中国への輸出は約一五〇億ドルです。そのため、この差により巨額の貿易赤字が存在しています。

RCEPとインド

この巨額の貿易赤字がインドにとって最大の問題となります。羽場先生は以前の会議で、なぜインドがRCEP（地域包括的経済連携）に参加しなかったのかについて議論しました。

RCEPという巨大な地域協力が二年前（二〇二〇年一一月一五日）に調印されました。最後の瞬間、インドは撤退したのです。インドがRCEPを撤回した理由は何か。日本はRCEPに加盟しています。インド、中国を含む一四、一五か国の地域共同として、RCEPが重要な役割を果たせるように、日本は今もインドをRCEPに参加させようとしています。日本も、オーストラリアも入っています。韓国もある。アジアの主要な国々が多く加盟しています。

これにより、巨大な多国間協力圏を形成できます。このように、RCEPの創設により非常に重要な地域協力が生まれました。

インドは喜んで参加したいのですが、現在大きな貿易赤字に直面しています。インドの主な関心事は中国でした。インドがRCEPの一部になると、インドはこの枠組みの中で自由な移動が地場産業の成長を妨げるのではないかと恐れているのです。

率直に言って、インドと中国の地場産業の発展は重要な問題を抱えています。

なぜなら、すべてのスペアパーツ、機械の小さな部品はすべて中国から来ているからです。その脅威感がインドにはありました。農産物においても脅威感がありました。

インドはオーストラリアに対してもいくらかの懸念を持っています。インドへの輸入品が安くなるでしょう。それは地元の農業者、つまり農業全体の成長を妨げるでしょう。インドでは、農業は非常に重要なセクターであり、雇用の約四五％は農業に従事しています。GDPの約一三～一四％が農業部門で、それがもうひとつの脅威でした。RCEPにインドが参加しなかったのはそのためです。

以上のように、RCEPにはいくつかの非常に重要な問題がありましたが、インドと日本の二国間関係では自動化など多くの分野で多くの協力が行われています。日本も四年前に首相がインドを訪問した際に新幹線について条約を締結しました。

その新幹線開発は、日本の助けを借りてインドで進んでいます。多くの国、特に日本との良好な関係があるものの、以上のような理由でインドはRCEPへの参加を決定することができませんでした。

この地域、南アジアは、アジアの人口の約四分の一を占める重要な地域ですが、人口の約三％から四％の地域において、人口の集中度は非常に高くなっています。

インドの人口は約一四億人ですが、パキスタンは二億二〇〇〇万人です。同様に、バングラデシュもほぼ同じ人口なので、インドはその巨大な人口の中心です。人口過剰が問題になることもありますが、リソースの観点からも、インドにおけるこの点は人口ボーナスです。

インドは現在、世界で最も若い人口が多い国です。人口の二七％以上が一五歳から二九歳です。インドの若者人口は約四億人です。私たちはそれを配当と呼んでいます。若者人口は一つの肯定的なポイントです。高等教育、IT教育など、その人口にスキルを与えるいくつかのポリシーを利用することにより、配当として変換できます。

他の努力も必要です。しかし、その配当は、シリコンバレーであろうと、グーグル、ツイッター、フェイスブック、ペプシ、マイクロソフトなどすべての主要な組織であろうと、米国でもインドの若者が非常に重要な役割を果たしていることがわかります。

全体として、これらすべての組織に若いインド人のＣＥＯがいます。ＮＡＳＡでさえ、インドの科学者が非常に重要な割合を占めています。

世界的にも、ヨーロッパや日本のように多くの国が高齢化する中で、この若者人口は重要な役割を果たしています。先進国の多くは人口の高齢化の問題を抱えています。日本は、移民または自動化とロボット工学のいずれかによって、労働力を代替する政策を立てています。ここで、日印協力が重要な役割を果たすことができます。

たとえば、いくつかのコラボレーションを行うことにより、これらの人的サービスをさまざまな分野で提供することができます。

この人口統計学的特徴は、特に南アジアでは非常に独特です。ヨーロッパや日本のような多くの国では高齢化が進んでいますが、インドでは若者の人口が膨大です。

この人口ボーナスは二〇五四年まで続き、ピークは二〇四二年になるでしょう。これは他国に比べ非常に重要な側面です。

それが、インドが地域協力だけでなく、人口統計学的特徴により、グローバルな政治的および経済的シナリオのさまざまな分野で活躍できる理由です。実際、それは極めて重要なことです。

ここで強調したいもう一つの重要な点は、この地域ではインドが民主主義の国であり、それも安定した民主主義国であるということです。

近隣諸国では民主主義体制の導入を試みていますが、安定性は非常に低く、特にパキスタンやアフガニスタンでは難しい。バングラデシュは、少し安定しています。

政治シナリオを見ると、インドは約三〇の州からなる一四億の人口を構成しています。

インドには多くの州があります。ある州はウッタルプラデーシュ州と呼ばれ、人口は約二億五〇〇〇万人です。国として考えると、インド内で八番目に大きい国です。多くの州は、世界の多くの国よりも大きいのです。私が言及したウッタルプラーデシュ州でさえ、日本の二倍の人口を持っています。

そういう有利な状態がインドにはあります。

巨大なインドには三〇の州があるため、インド自体は国ではなく、亜大陸と呼ばれています。異なる言語、異なる地域、異なる人々の集合体です。インドはまた別の地理が表示されます。半島です。三方向に海があります。それは地域にとって主要な役割ですが、インドは地域協力において本来あるべき重要な役割を果たせませんでした。

先に述べたように、多くの州、多くの加盟国が、インドは時々植民地支配のように振る舞うと主張しています。

インドは、周りの国が自分たちを脅威と感じていることを考慮すべきであり、地域で指導的な役割を果たしたいのであれば、政治的だけでなく経済的にも、安全保障の分野、インフラストラクチャの分野、教育、技術において、より重要な支援の役割を果たすべきであると思います。

インドは、この地域の高等教育、技術、科学において非常に重要な役割を果たすことができます。

その責任はインドにあります。

全体として、インドではSAARCとBIMSTECを通じて、南アジアでの地域協力を実現することができます。この二つの組織は、この地域の希望であり、重要な役割を果たしていると言えます。いくつかの問題が残されていますが、それらはSAARCとBIMSTECに関するものです。

では、世界的な情勢では、何が起こっているのか、二〇二〇年のウクライナとロシアの戦争の後、多くの変化が起こっています。

ロシア・ウクライナ戦争

最後に、全世界を粉々に引き裂いたロシア・ウクライナ戦争の意味を簡単に述べたいと思います。今日、この種の戦争の解決については、国連の下の多くの組織、多くの多国間機関が関与することが重要です。しかし、これまでのところ国際機関がこの戦争を止めることができていません。

ご存じと思いますが、そもそもウクライナはロシア帝国の一部だったという基本的な事実があります。三〇年前まで、まだソ連だった。

一九九一年にソビエト連邦が崩壊し、ウクライナは別の国になりました。それまではソ連の一部でした。

なぜこの戦争が起こっているのか、そしてなぜNATOの名前がそこにあるのかをニュースで聞いたことがあるでしょう。冷戦の前にはNATO加盟国とワルシャワ条約機構が対峙していました。しかし、ソ連崩壊後、ワルシャワ条約機構も崩壊しました。

現在、これらの地域の安全保障上の問題により、ヨーロッパではＮＡＴＯ加盟国が増加してきました。一九九一年、ウクライナは独立を宣言し、これら一五の独立国が生まれました。ロシアでさえ一時はＮＡＴＯ加盟に関心を持っていました。

まず、ポーランド、ハンガリー、チェコスロバキアの国々がＮＡＴＯに加盟しました。ウクライナとグルジアでさえ、長い間ＮＡＴＯへの加盟を望んでいた。ロシアは、そうすべきではないという異議を唱えていました。

しかし、今後の主な側面はＮＡＴＯ拡大に関連しています。

実際、ＮＡＴＯの拡大は進行中でした。

ロシアは、ＮＡＴＯにウクライナを含めるべきではないと脅していた。実際、紛争の核心はＮＡＴＯにあったと言えます。ウクライナはＮＡＴＯ加盟を認められていないという保証がロシアに与えられました。物事はそのように進んでいました。これが当初のシナリオでした。実際、どの国がどの国をサポートしているかというシナリオです。それが変化した。

ロシア・ウクライナの戦争は実際、全世界に衝撃を与えたと言えます。この戦争の影響は何だったでしょうか？　非常に多くの影響がありました。

①最初の主要な影響は、防衛費の支出に焦点が当てられたということです。防衛費は各国で増加しており、この戦争の結果、すでに多くの地域で増加しています。これは、ロシアとウクライナの二つの国だけでなく、ヨーロッパでも軍事費が増加したことを示しています。これは良い兆候ではありません。ヨーロッパには多くの脅威があります。ロシア・ウクライナ戦争の第一の意味は、軍事費が大

幅に増加したということです。

②エネルギー問題、エネルギー価格です。特にヨーロッパで深刻な影響を受けているエネルギーの安全保障です。ヨーロッパはロシアにエネルギーを依存していました。それは大きな影響を受けました。エネルギー価格は高騰しています。そのため、あらゆるものの価格が世界中で高騰しています。多くの国が非常に深刻な影響を受けています。それは貧しい国、開発途上国にも影響を与えています。そのエネルギーの地政学が今再び現れるでしょう。それが、この戦争の二つ目の大きな意味です。

③食料安全保障です。小麦の三〇%がロシアとウクライナの二つの国から来ていたため、食料の安全が確保されていました。この二つの国は、小麦をアフリカ諸国、中東、および他の多くの地域に輸出していました。それが戦争の影響を大きく受けています。それが第三の意味です。

④人道的大惨事です。これがいかに巨大であるかがわかります。悲劇はそこにあります。

ウクライナからさまざまな国へ大量の難民が流出し、国は著しく荒廃しました。国を再建するためにも、多くの努力と時間が必要です。しかし、この戦争が実際にどれほどの人々や家を失わせ、さまざまな国に避難させたのか。女性や子供がどのように影響を受けたか。彼らは自分の国から脱出し難民となった。そこには人道的大惨事が起きています。

⑤世界銀行の報告によると、貧困がウクライナで発生しています。

一日五・五ドル以下を貧困とすると、ウクライナの貧困率は一・八%でした。しかし今、世界銀行によると、一九・八%に増加しています。国連は三〇%になると言っています。すなわち、貧困率が一・八%から一九・八%、さらに三〇%に急増したのです。

それらの人々の状況はどれほど悲惨でしょうか。彼らは難民によって不安定になっています。子供たちはどうなりますか？　それがこの戦争の第五の影響です。

⑥世界的に、サプライチェーンが影響を受けています。繰り返しになりますが、ＩＭＦは成長が鈍化すると述べたため、成長に影響を与えています。

インフレが発生し、インフレ率は上昇しています。

この戦争により、成長は鈍化し、グローバルに影響を与えています。いくつかの国はより効果が大きいです。影響が少ないものもありますが、それでも影響はあります。インドのような国でさえ、エネルギー問題や、これら二つの国とインドの間のその他の輸出入のために、多くの影響を受けています。

インフレがおこり、物価が高騰する。

サプライチェーンが原因で成長に影響を与えています。スペアパーツや機器の多くの輸入、これらの停滞が、成長に影響を与えています。

ヨーロッパの成長にも影響を与えています。エネルギー、ガス、調理用ガスについて言及しましたが、車の多くの部品がウクライナとロシアから来ていたため、自動車産業でさえも影響を受けるでしょう。

⑦同様に、観光業も影響を受けています。ウクライナは出国者数が最も多い国です。離職率が最も高い上位一〇か国の一つです。観光産業が影響を受けています。航空業界も同様です。

⑧すでに、世界的コロナウイルスの拡大によって世界は多くの影響を受けていました。

コロナはこの戦争とともに、私たちには非常に大きな影響を与え、成長にマイナスの影響を与えるでしょう。それは、世界の地政学、安全保障、軍事に関する多くの認識を変えるでしょう。

⑨最後に、これらの安全保障関連の協定と防衛産業に影響を与えます。また、国連などの多国間機関やその他の組織にも影響を与えます。このような紛争を回避するために、これらの機関がどのように平和構築の役割を果たすことができるか、信頼関係は実際に影響を受けました。

全体として、この戦争の後、新たな経済的、政治的問題が出現しています。すでにそれは現れています。なぜ私がこのロシア・ウクライナ戦争に言及したのかというと、南アジアのこの地域は直接には関与していないものの、その戦争のためにひどく影響を受けているからです。

インドでは、約二万人の学生がウクライナで勉強していました。彼らは教育の継続が必要なため、インドに強制送還されなければなりませんでした。

ウクライナやロシアとは多くの貿易がありました。

この戦争におけるインドの役割は何でしょうか？

一部の国は、インドの役割、またはインドが取ろうとしている役割に満足しています。

インドは、人道支援を通じて戦争の影響を受けた人々を助けながらも、中立を保とうとしています。

しかし、インドは支援政策に加担することを避けています。

インドがどのような役割を担っているのか、何を担うべきなのかは、議論の余地がある問題です。

しかし、多くの問題があります。

インドでも心配が広がっています。人々は政府レベルでさえこの戦争を心配しています。

繰り返しますが、心配はそれがあまりにも長引くことです。この戦争を止めることができる組織や国やグループはありません。それが懸念事項です。

この言葉とともに講演を終わります。羽場久美子先生、本当にありがとうございました。

＊

羽場：チャウハン先生、ありがとうございました。二つ質問したいことがあります。一つは非常に興味深いもので、SAARCとBIMSTECの違いについてです。

BIMSTECは経済的なコラボレーションでもあり、技術的なITコラボレーションでもあるとおっしゃいました。

将来、または現在、SAARCとBIMSTECのどちらがより効果的ですか？　SAARCとBIMSTECのどちらが将来最も重要になるでしょうか？

私はSAARCに注目しています。だからこそ、先生の説明は非常に興味深いものでした。しかし、今後の違い、あるいはインドにとっての重要性の違いがあれば、ご意見をお聞きしたいと思います。これが最初の質問です。

二つ目はロシア・ウクライナ戦争です。インドとロシアは歴史的にとても良い関係にあると言われています。これまで、インドとロシアは良好な経済関係を築いてきましたが、軍事関係も良好です。トルコは戦争を仲介し、その戦争を効果的に止めたいと思った。しかし、それは今まで成功しませんでした。

インドはロシアとウクライナの戦争を仲介することができると思いますか？　この二つの質問です。

プラディープ・チャウハン：まず、SAARCとBIMSTECについては、SAARCの方が古く、形が整っています。しかし、インド・パキスタンの関係の悪化の結果、本来あるべき成長を遂げていません。

ＢＩＭＳＴＥＣも地域的な対立はありますが、経済協力だけでなく、安全保障もあるため、ＳＡＡＲＣの範囲よりは間違いなく大きくなっています。

現在、ＳＡＡＲＣが成功する組織として浮上するという話がいくつかあります。しかし現在インド・パキスタンの紛争のために、私が述べたように、いくつかの問題があります。

ＢＩＭＳＴＥＣ、ＳＡＡＲＣはどちらが良いとは、言えません。

ＢＩＭＳＴＥＣは、経済と技術に重点を置いた別の種類の組織です。それらには別個の権限がありますす。どちらも問題があると思いますが、両方の観点から見ると、ＳＡＡＲＣにはより多くの役割があります。

先ほど述べたように、インドは南アジア地域で非常に積極的な役割を果たさなければなりません。より小さなメンバー国の信頼を得て、積極的な役割を果たさなければなりません。間違いなく、その点では、ＳＡＡＲＣが、ＢＩＭＳＴＥＣよりも効果的です。

しかし現在、中国がパキスタンを、ターゲットにしており、ＳＡＡＲＣの共同関係は成長していないことをお伝えしなければなりません。物事は進んでいますが、本来あるべきほど速くはないので、ＢＩＭＳＴＥＣにわずかに焦点が移動しています。あなたの関心はＳＡＡＲＣであることは良く存じ上げています。

インドがロシアに対して果たすことができる役割に関しては、非常に興味深い質問です。はい、多くの国が、インドがウクライナとロシアの問題で役割を果たしていると述べています。インドは間違いなくロシアと良好な関係を築いているという地政学があると思います。

しかし、インドは日米豪印戦略対話（QUAD、クアッド）のように米国とも良好な関係を築いています。QUADでも共同な関係を取っている。また一方ではロシアとも協力していますが、同時にクアッドの一員でもあります。

インドは、ロシアやアメリカと対等な関係を実現しようとしています。しかしインドは、トルコが試みたような役割を果たすことができます。インドとロシアの間には歴史的なつながりがあるため、インドの方がより効果的だと思います。軍事的および経済的基盤、それが双方の間にあります。

うまくいけば、インドはロシア・ウクライナ戦争の調停者の役割について考えるかもしれません。インドは試してみる必要があります。あなたは正しいでしょう。多くの人が、インドはこの調停を試みるべきだと言っています。しかし、技術的な難しさも同様にあると思います。外交的な面では世界がインドに調停に入るように促しているわけではありませんが、世界的な努力がなされれば、インドはその準備ができているかもしれません。

羽場：ありがとうございました。追加のオンラインの質問をしたいのですが、次のような質問が二つあります。ロシアがSAARCのメンバーになる可能性はありますか？　中国もBIMSTECやSAARCのメンバーになる可能性はありますか？　これが最初の質問です。

アジア太平洋で始まったクアッドとオーカス（AUKUS）があります。インドは日本と同様にクワッドのメンバーです。しかし、インドはより独立しています。インドは歴史的な帝国です。インドは、米国や他のヨーロッパ諸国からも独立しています。インドはクアッドやその他の地域協力とどのように連携していますか？　BIMSTECとSAARCはクアッドよりも重要ですか？

チャウハン：はい。一方で、ウクライナとロシアの戦争の展開がありますので、SAARCはロシアを入れないと思います。ロシアとウクライナは修復しがたい関係になっている。

しかし、SAARCは非常にうまくやってきたので、地域の力、地域組織として浮上しました。先ほど言ったように、この地域の人口問題のため、中国でさえSAARCの一部になることに関心を示していますが、近い将来、ロシアは戦争のゆえに、中国は国境紛争のゆえに南アジアの地域協力に入るとは思いません。

インドと中国の間を考えると、中国がSAARCの一員になることにインドは同意しないでしょう。地域大国としての覇権を通じて、近い将来ではないと思いますが、おそらく数年後には、SAARCが南アジアの地域共同の中心になる可能性があることが明らかになるかもしれません。

二番目の、クアッドについてのことですが、中国に対抗する組織であるクアッドについて話すとき、すべてのメンバーが中国への対抗という同じ目的を持っていると思います。そういうブロックであるはずです。そのブロックでも、インドは、非常に重要な国の一員です。

実際、インドはそのように、クアッドに参加することで地域のバランスを取り戻せることを喜んでいます。なぜなら、クアッドがそこにあると、中国は今クアッドに対して何らかの問題を抱えているからです。

明らかに、インドには対中国という点で、その利点があります。クアッドがブロックとして現れる場合。その協力が地域にかかっているだけなら、この地域の地域バランスを作るだろう。クアッドはその役割を果たすことができます。その意味では、インドは非常に重要なメンバーになるでしょう。米国も以前にインドに接近を試みました。インドが民主主義と経済大国として台頭することを望んでいました。その目的は、中国をその影響の下に保つことでした。しかし、それはあまり成功しませんでした。再び対立が来ます。

インドは現在、クアッドの残りの三つの重要なメンバーである日本、オーストラリア、米国の支援を受けて、非常に集中していると思います。そうです、インドは役割を果たすことができます。

羽場：どうもありがとうございました。生徒たちに質問があるかどうか尋ねたのですが、多くの学生があなたのプレゼンテーションのアイデアをよく理解しました。そのため、現段階では、質問はありませんでした。どうもありがとうございました。

時間になりました。インドのクルクシェトラ大学からオンラインで講義をして下さり本当にありがとう。近い将来、私たちは直接対面で会いたいと思っています。どうもありがとうございました。また日本かインドでお会いしましょう。

チャウハン：私の方も、もうすぐあなたの講義をインドで準備します。私はインドの生徒たちのためにあなたの講義を期待しています。ありがとうございました。

羽場：ありがとう。おそらく八月には、ヨーロッパのポーランドの国際会議でも会うことができます。来られますか？

チャウハン：もちろん。どうもありがとうございます。

羽場：いろいろとありがとうございました。とても興味深く、重要で、有益なプレゼンテーションでした。ありがとうございました。

12．Ｃｏｖｉｄ‐19とアジア経済の行方

平川　均

羽場：平川均先生は、アジア経済の第一人者で名古屋大学、国士舘大学で長い間、教鞭をとってこられました。二〇世紀末から二一世紀初めにかけてのアジア経済の発展について多くの論文やご著書を執筆されています。今回は特にＣｏｖｉｄ‐19がアジア経済にどのような影響を与えたかという観点からご講演いただきます。どうぞよろしくお願い申し上げます。

＊＊＊

アジア全体の経済の行方について一緒に考えていきたいと思います。皆さんに今日話す内容は、新型コロナ感染症の背景を含め、コロナでアジア経済、発展途上地域はいったいどうなったのか、どうなっているのか、どのような課題に直面しているのかなどについてです。それを最初に確認し、そのあとで、コロナ後のアジア諸国の在り方について、企業調査やインタビューの結果などに寄りながら、お話したいと思います。

1．コロナの感染爆発と世界の格差の拡大

アメリカにトランプ政権ができて、本当に世界が大きく変わりました。私は、トランプさんが大統領にならなければよかったと本当に思うのですけれど、でもトランプ大統領の誕生は必然であったのかもしれません。連日ニュースになるように、今、世界は混迷の中にあります。

アメリカでは年間一千名を超える人が、警察官によって殺されている。人種差別や所得格差の大きな国なのですね、アメリカは。こういう社会の中でトランプ大統領が生まれたのです。トランプさんは「アメリカ第一」をスローガンにして大統領になりましたが、世界の秩序には無頓着で、私から見ると利己主義者で扇動家、世界の平和や国際秩序に関心はありません。彼がアメリカの大統領として行った政治と外交が、バイデン大統領になっても大きな影響力を持っていて、今でも世界に大きな不安定性をもたらしているといっていいでしょう。

トランプさんがアメリカの貿易赤字の原因を一方的に中国のせいにしたことで、米中貿易戦争が始まりました。彼は好んで「ディール」という言葉を使いましたが、そうした外交で中国を手なずけようとしたんですけど、上手くいかなかった。中国は経済が世界第二位の大国になっていることもあって、アメリカに対して対等な交渉を望みましたので、それは上手くいかなかったのです。ただし、二〇二〇年一月には、その年がアメリカの大統領選の年でしたから、トランプさんの判断で貿易戦争の「第一段階の合意」が成立しました。ところが、そこに新型コロナのパンデミックが起こってしまう。米中間の対立は貿易戦争から、先端技術の窃取、安全保障問題などに移り、覇権争いとなってし

まったのです。

そうすると発展途上国はどうなるのか。アジアの今後はどうなるかです。それについて考えてみたいと思います。

コロナが起こったのは二〇一九年の十二月。ジョンズ・ホプキンス大学コロナウイルス・ダッシュボードによると、一年後の二〇二〇年一二月段階の世界の感染者累計は多い順にアメリカ、次いでブラジル、ロシア、フランス、トルコ、イギリス、イタリア、スペインになります。同じ年の一月一二日の中国の感染者数は四一名に過ぎなかったのですが、世界に広がり一気に数千、数万、数十万人、数億人へと爆発的に増えていったのです。もちろんそれは、人の移動で広まったのです。イタリア、フランスなど、先ずヨーロッパ諸国、さらにはオーストラリア、アメリカで爆発し、ラテンアメリカにも広がりました。ウイルスの真の発生源がどこかは政治問題にもなっていますが、中国で最初に集団発生したのは間違いありません。

ただしここで注目したいのは、グローバリゼーションの時代の感染症はひとたび出現すると、アッという間に世界に広がるということです。だから、主な感染国はグローバリゼーションで経済活動が活発に行われていた国、地域ということになります。人の移動が密なところで感染爆発が一気に起こるのです。

次に、約二年後の二〇二一年一一月までの世界の感染状況を見てみましょう。アメリカで感染爆発が起こったのは二〇二〇年の四月からですが、八月、年末から翌年二月頃の三回の波があり、二一年初めには一日の感染者数が二十万人を越えました。この間に、インドでは一日当たりの感染者数が世界一になる時期が二度ありました。二〇二〇年の九月ごろに一度目の感染爆発があり、二一年五月ぐらいから二度目のさらに大きな感染爆発がありました。二度目のインドの一日の感染者数は四〇万人に近づきました。二〇二二年の六月では、一日の感染者数の多い順にアメリカ、ドイツ、フランス、ブラジル、台湾、オーストラリア、スペイン、イギリス、日本と続きます。インドの感染者数はその後減りますので、ウイルスは国や地域を変えて、大きな感染の波を世界中で次々と引起していたということが分かります。

世界保健機関（WHO）の二〇二二年六月段階の報告では累計で、世界の感染者が五億四〇〇〇万人、死亡者数が六〇〇万人です。二〇二〇年末と二〇二一年末にはそれぞれデルタ株とオミクロン株が出現して、大きな感染爆発の波が起りました。ただし、オミクロン株は感染者数が多いのですが、死亡者数は少ないです。こうした特徴は、ワクチン接種の効果や新株のウイルスの特徴があるかもしれません。とにかく何度も世界で場所や国を変えて感染爆発が起っている。ちなみに、亡くなった人の多い国は順にアメリカ、ブラジル、メキシコ、インド、ペルーなどです。アメリカの他は、中国を除くBRICS諸国などです。

コロナは最初、一年で終わるとみられていました。しかし三年経っても終わっていない。二〇二一年の後半くらいからは世界の多くの国でウィズ・コロナ（with corona）の対応に変わります。コロナを移動の制限では抑え込めませんでしたから、その代りに開発されたワクチンで抑え込もうということなのですが、二〇二一年の段階では、グテーレス国連事務総長等がワクチンを先進国が独占するだけでは感染を抑えられないから、先進国だけでワクチンを独占しないで欲しいと訴えていました。ワクチン接種は貧しい発展途上国で進みませんでしたので、しかも医療体制も不十分ですから、発展途上地域の実際の感染者数や死亡者数は確認された数よりもずっと多いと推測されています。

ところで、二〇一五年から始まったSDGsには一七の目標がありますが、その最初の目標に、貧困をなくそう、というのがあります。しかし、コロナによって世界中で貧困者が増えてしまいました。SDGsは二〇一五年から始まります。それから五年経って一億人の最貧層を減らしましたが、コロナによって元に戻ってしまいました。だから、世界ではコロナで貧困者がものすごく増えているのです。コロナの影響を世界的に見ると、特に発展途上国で大きな犠牲者が出ているのです。

コロナが世界にどのような影響を与えたのかということについて、国連貿易開発会議（UNCTAD）が調べていますが、二〇二〇年にどれだけ貧困者が増えたかということが分ります。過去二〇年ほど、中国、インドは所得を大きく増やして貧困層を減らしてきたのですが、コロナのロックダウンで、これらの国でもまた貧困層が増えてしまいました。特にインドは悲惨な状態で、大きく極貧の人々を増やしました。コロナの感染は、弱い立場の人たちに一番影響を与えているのです。パソコンを使ってネットワーク上でリモートワークのできる人はいいけれど、もちろんその人たちも大変ですが、そうでない外で働かねばならない人たちは日常的に人に会わねばなりません。そうでなければ所得が得られません。人に接しなければならない人々、働く人々が、大きな危険と隣り合わせで犠牲となっているのです。

2. コロナが経済に与えた影響

コロナで経済はどうなったのでしょうか。二〇二〇年にコロナで大きく落ち込んだ世界の景気は、二〇二一年には元に戻りしました。では世界の投資はどうなったでしょうか。アジアへの直接投資を見ると、コロナで最初は減るのですが、二〇二〇年でも全体では増えているんですね。それがどこに向っていたかというと、実は中国です。中国はその年の四月にはロックダウンを解除しています、経済をいち早く回復させたのですね。しかし、世界的には、同じ時期にロックダウンは劇的に増えていました。中国と世界の傾向は全く逆の構造になっていたのです。だから、世界からその中国への企業進出が多くなったのです。

それでどんなことが起きたでしょうか。コロナによってアメリカと中国の関係はめちゃくちゃに悪くなりました。事実関係を追っていくと、それがよく分かります。WHOがコロナの緊急事態宣言を出したのは二〇二〇年の一月三〇日です。コロナをCovid-19と命名したのが二月一一日。パンデミック宣言は三月一〇日でした。国際機関がコロナのパンデミックを公式に認めたのは三月なのです。中国は、四月八日に武漢のロックダウンを解除しています。

アメリカが中国からの入国を禁止したのは、一月三〇日でした。この措置に中国政府は当初、アメリカに抗議しています。要するに、中国で始まった感染症だからアメリカはその危険性を過大に煽っているというものでした。しかし、コロナはまさにこの時には、世界に感染を広げていたのです。イタリアやヨーロッパ全土へコロナは広がって行ったのです。

ここで思い出して欲しいのですが、最初に集団感染が起きた時、中国はマスクが足りなかったのですね。それで、一時的ですが、日本からマスクが中国に送られました。その後は、中国でマスク生産が回復し、中国が世界的に供給するようになります。これはマスク外交と呼ばれました。二〇二〇年末からはワクチンが開発され、世界に供給されるようになりますね。それは、ワクチン外交と呼ばれます。

中国とアメリカは互いに非難合戦をしますが、その時、世界中ではコロナが広がっていました。それが二〇二〇年の現実なのです。ちなみに、トランプさんはコロナのウイルスを「中国ウイルス」と公言しました。でも、トランプさんは中国が嫌いかというと、そうではない。習近平さんが中国のそれまでのルールであった憲法を改正し、最高指導者を続けられるようにした時、トランプさんは習主席を祝福していました。だから彼は、中国が嫌いだということではないのです。

トランプさんは米中貿易戦争を二〇一八年三月から始めていますが、交渉が思い通りにいかないと気が済まない。何でもかんでも中国が悪い、と次々に中国へ制裁を科しました。中国はどうしたのかというと、出来る限り対等の報復措置を取りました。特に二〇二〇年の五月以降になるとアメリカに一歩も引かずに、強力な報復措置をとるようになります。

アメリカは、新疆ウイグルでの人権侵害を批判して、ウイグル産の綿製品の輸入を禁止しました。その措置は他国の企業に対しても同じで、アメリカへ輸出する企業に対しては輸入を禁止します。中国はアメリカの最先端技術を盗んだ、中国企業に不当な補助金を出してアメリカ企業から雇用を奪ったなどを理由にして、中国がアメリカの覇権に挑戦していると確信するようになります。バイデン政権はそのトランプの政策を引き継いだのですね。これに対して中国は、あからさまに相手を攻撃するようになります。「戦狼外交」と呼ばれるようになる政策を始めたわけです。それはアメリカ以外の国に対しても同じです。中国に批判的なことをいう国に対しては、どこの国であっても、戦略的な資源の輸出を止めたり、輸入品の場合は輸入を止めたりするようになりました。私は、これは中国が「トランプの罠」にはまったように思えて仕方がありません。

貿易戦争の直接当事者ではない米国以外の国にすれば、それは、中国は「大国」だから言うことを聞け、と脅されているように感じることになります。

ところで、中国のワクチン外交に触れましょう。中国のワクチン外交は、二〇二一年はとても上手くいっていました。二〇二一年の九月までに中国は百億ドルのワクチンを輸出したのです。世界中にワクチンを、特に「一帯一路」のインフラ建設プロジェクトに参加している国を中心に、ワクチンを送りました。四月段階の輸出は八〇カ国以上、そのうちの五三カ国には贈与していました。同じ年の三月段階の中国のワクチン生産量は二億二九〇〇万回分の接種量ですが、そのうちの四八%が輸出でした。ところが、アメリカは一億六四〇〇万回分の接種の生産をしていたのですが、輸出はトランプ大統領がアメリカに優先して供給する大統領令に署名し、企業が輸出できなくなっていたかもしれないのですが、輸出はゼロでした。アメリカがワクチンを同盟国などに送り始めるのは、二〇二一年五月以降です。興味深いのは、中国は、ワクチン輸出実績ゼロの国がワクチン輸出国を非難する資格はない、とアメリカを非難していたことです。

次に、これは皆さんも知っているかも知れませんが、五月の新聞報道にワクチン輸出のことが載っていました。二〇二一年九月まで中国はワクチンの輸出をどんどん増やしているのですが、二〇二二年に入って減り始め四月にはピーク時の九七％も減ってしまったのです。これは中国のワクチンがオミクロン株には効かないということでした。だからアメリカやイギリスのワクチンが使われるようになって、中国のワクチンはほとんど輸出されなくなってしまったのです。ですから、一帯一路の重要な柱であった健康シルクロードは、その戦略的輸出品、援助品目を失ってしまいました。今後、健康シルクロードはどうなるでしょうね。

3．アジア・発展途上経済と中国

中国は、一帯一路参加国に返済できないほどの貸付を行っていて、債務国を「債務の罠」に陥れていると言われています。過重な貸付で債務国を返済できなくさせていると言われるんですけれど、そう言われるようになったのは二〇一八年頃からです。この批判はコロナ感染症の爆発が起こる前のことです。実は中国のアフリカなどの発展途上諸国にどれくらい貸付がなされているのかは、その頃あまりよくは分らなかったのですね。二〇一〇年代の中頃から世界の港湾の運営権などを中国企業が次々と買い取る事例が起って、それで中国の低・中所得国への貸付の実態に関心が向かったのです。その結果、アフリカやアジアの国々で急激に中国に借金が増えていることがわかって「債務の罠」論が盛んになったのです。

そうしたら、コロナの感染爆発が襲ったのです。先進国から見ると信用の格付けが低い国に中国が大量に貸付を行っていて、契約の内容も中国に有利なものとなっているというのです。だから、先進国や貸付企業はコロナで債務返済の難しい国に救済措置をとらないといけないのですが、その措置をとると、債務国が余裕の生まれた資金を中国の返済に回してしまいかねないと心配することになったのです。

先進国・G20は、コロナの感染爆発の最中の二〇二〇年四月に債務支払い猶予イニシアティブ（DSSI）という貸付国の共通の猶予枠組みを始めました。この措置は、二〇二一年一二月まで続けられました。中国もこの枠組みに参加したのですが、中国からの貸付の多くはこのイニシアティブでカバーされていないのです。それで先進国が返済を猶予すると、中国への返済に回されてしまうとの不信感が先進国の政府や銀行の間に生れたのです。

アメリカや国際金融機関は、実は一九八〇年代から新自由主義という、なんでも市場に任せるべきだという考えで発展途上国に貿易や金融の自由化と民営化を指導・強制してきました。貧しい国はお金がないから貧しいのですが、返済能力がないということで鉄道や道路、港湾などのインフラ整備が出来ないできました。貧しい国は助けてくれる国がないという状況が続いてきたのです。そこに中国が一帯一路構想を立ち上げたので、中国の融資で大規模なインフラ建設が可能になったのです。ラオスの鉄道はコロナの中で開通しましたし、インドネシアでは高速鉄道が完成しています。中国に対しては非難ばかりが目につきますが、そういう側面があります。中国の融資は貧困国への融資が多く、それを中国の企業が請け負って建設を行うということになります。そこでは返済問題が起こるのは、ある程度避けられなかったと思いますが、コロナでそれが輪をかけて大きな問題になってしまったという不運もあると思います。しかし、それによって世界が発展途上国の開発の問題に関心をもたなければいけなくなった、という点は指摘しておきたいと思います。

次に、アメリカなどの対応を見てみましょう。中国が急成長し、国際社会で影響力を増し、アメリカに対抗するまでになったことに脅威を感じて、アメリカや日本もですが、中国に対抗する枠組みを考えるようになりました。中国の一帯一路に対して「自由で開かれたインド太平洋」（FOIP）という枠組みがそれです。アメリカと日本はインドとオーストラリアを加えてクアッドという四か国の協力枠組みを作りました。それは明らかに中国を念頭においた対抗の枠組みです。

アメリカや日本はこの枠組みで、中国の軍事面や外交面で対抗しようというのです。経済でも先端技術、軍事関連技術の中国企業との取引を禁止し、関係を切り離そうという政策がなされています。それはデカップリングと言われています。価値観の近い国の間で分業を組み直そうというのがフレンド・ショアリングですが、これも同様の性格を持つものです。そうした国際社会の分断構造が生まれ始めています。

ところで、先ほど中国は「トランプの罠」にかかって「戦狼外交」を始めたといいましたが、この「戦狼」というのは、中国からすると決して悪い意味ではないのです。何でも中国が悪い、といわれているることには中国の少なくない人々の反発があるのです。中国は大国になったという意識もありますから、やられたらやり返す、というように考える外交官に対しては人々が支持するのです。そうした人々が、アクション映画「戦狼」の名をかりて戦闘的な外交官を「戦狼外交官」と呼んだのです。ただし、こうした中国の対外的に強硬な態度は、中国の外の人々にすると、悪いイメージになりますよね。ですから、「戦狼外交」は中国の国内と国外ではニュアンスの異なる用語なのです。

とにかく、中国の外交は、南シナ海での強硬な領有権の主張もあるように、中国の外では中国のイメージを大きく損なうことになりました。中国のイメージに関するアメリカのピューリサーチセンターの調査がありますが――主に先進諸国の調査ですが――、中国に対する好感度は二〇一八年ごろから急に悪くなり、その割合は記録的な水準になりました。ヨーロッパ、アメリカ、日本を含む先進国で、とりわけトランプ政権以後、中国に対するイメージが悪化し、脅威を感じる人が増えているのです。中国の「戦狼外交」がそれを後押ししているのです。

東南アジアでも同じ傾向が見られます。ASEAN研究センターによるASEAN諸国の知識人に対する調査がありますが、それによると、経済大国はどこかという質問に対する回答は、もちろん中国になっていますが、その中国に心配する人が圧倒的に多いんです。中国の経済大国化、政治大国化を、周りの国の人々は認めるのですが、同時にすごく心配し始めているということがわかります。

二〇二二年の調査では、中国が一番パワーがある、と答えた人の割合は五四%に達しています。中国が心配だという回答は二〇二一年の八六%から二二年には七六%に減りましたが、これはワクチンがあったからだといえます。コロナの感染爆発の中でワクチンを送って助けてくれたのは、アメリカでなく中国だったということです。どこのワクチンが良いかと聞くと、アメリカ製との答えが一番多いのですけどね。でも、アメリカは供給してくれなかったということなのです。

中国の大国化は心配ではあるが、インフラ支援をしてくれている。ワクチンも提供してくれた。貧しい国では、特にそう考えると思います。ノーベル経済学賞受賞者のJ・スティグリッツは、アメリカは中国には勝てない、世界に希望を持たせなければいけないのに、トランプによってアメリカは信頼を失った。そういう国が中国に勝てるか、と問うています。

アメリカと中国の貿易を見ると、トランプさんはあれだけ中国を非難し、喧嘩したのに、貿易額は減ってはいません。人権（イデオロギー）と経済の面で中国との関係を見ると、欧米系の国の人々とアジアの国の人々の間ではかなり違いが見られます。中国に対するイメージは殆どの国でよくないのですが、人権問題と経済問題の関係では違いが目立ちます。人権問題が解決しなければ経済のダメージも仕方ないと考えるのは、アジアでも、ニュージーランドやオーストラリアの欧米系の国の人々に多いです。ところが、韓国、シンガポール、台湾、日本などは人権問題が解決していなくても、経済では中国と関係を維持して欲しいと考える人たちがかなりな割合でいる。アジアの国では、政治的には色々あっても経済の関係は別だ、と考える人の割合が多いのです。

コロナの後でも、経済的には中国から撤退しようとしている企業は殆どありません。これから、経済は活性化する、ビジネスを維持したい、広げたい、と殆どの企業は考えています。中国の事業を撤退して、他の国に移そう、という企業は少ない。コロナもあり、一カ所に生産を集中するのは良くない。だから中国のほかにもうひとつ拠点を作っておこうと考えて――これは「チャイナ・プラス・ワン」と呼ばれます――供給のネットワークの調整が行われていますが、中国との経済関係は、アメリカ企業ですら切れないのです。それは中国の市場が、それほどに大きく重要だということでもあるでしょう。

中国との政治的な対立は深まっています。しかし、経済関係は強く、とりわけアジアの国々の経済関係は簡単には切れません。政治的にも断絶はできません。そうすると、私たちが考えなければいけないのは、対立をあおるような方向では問題は解決しない。どんなに難しくても、中国との間でお互いに納得出来る解決策を探さねばならないということです。アメリカに追随するだけでなく、両国の間に入って調整する努力を欠かせないのです。

＊＊＊

羽場：平川先生、示唆に富むご講演をありがとうございました。

謝辞

コロナ禍での二〇二二年を通じて、世界と日本のつながり、激動する世界の中で日本がどのように生き、行動していくべきかについて、世界および日本で苦悩しながら活躍されている先生方と共に、考えてきました。

今、世界の大転換期といわれている時代にあって日本全国の市民の方々、またこれから世界へ、社会へ羽ばたいていく若者たちにとって貴重な示唆を与える講演ばかりだったと思います。

これから日本の五〇年、百年を支えていく皆さんが、ぜひこれらの貴重な講演を人生の礎としつつ、近隣国と協力し、「ＳＤＧｓ、誰ひとり取り残さない」という理念をもって、社会のために、また自分自身のために活躍してほしいと思います。

重要な、本質的な考え方を学び、その上で、自分の頭で考える、考え続けることでよりよい社会をつくっていって下さい。

諸先生方、貴重なご講演をありがとうございました。

また、世界の中の日本、を考え実行する機会とご支援を与えて下さった、ユーラシア財団佐藤理事長はじめスタッフの方々、神奈川大学学長・学部長はじめスタッフの方々、そして本書を世に出すことに多大に貢献して下さいました明石書店の大江道雅社長と編集者の佐藤和久様に心より感謝申し上げます。

羽場久美子

世界に、社会に羽ばたくすべての若者たち、そして日本と世界を対話と共同と平和でつなごうとするすべての老若男女の皆様に感謝と共にささげる。

【講師紹介】（掲載順）

羽場久美子（はば・くみこ）
編著者紹介参照。

鳩山由紀夫（はとやま・ゆきお）
元日本国内閣総理大臣、東アジア共同体理事長。

藤崎一郎（ふじさき・いちろう）
日米協会会長、元駐米特命全権大使。

明石　康（あかし・やすし）
元国際連合事務次長、国立京都国際会館理事長。

山極壽一（やまぎわ・じゅいち）
日本学術会議元会長、京都大学前総長、総合地球環境学研究所所長。

上野千鶴子（うえの・ちづこ）
東京大学名誉教授、認定 NPO 法人ウィメンズアクションネットワーク理事長。

川人　博（かわひと・ひろし）
弁護士、過労死弁護団全国連絡会議代表幹事。

佐藤洋治（さとう・ようじ）
ユーラシア財団理事長。

朱　建栄（しゅ・けんえい）
東洋学園大学名誉教授。

サン・チュル・パーク（Sang-Chul Park）
韓国ポリテクニーク大学教授、スウェーデン客員教授。

プラディープ・チャウハン（Pradeep Chauhan）
クルクシェトラ大学教授、現デリー大学教授。

平川　均（ひらかわ　ひとし）
名古屋大学名誉教授、国士舘大学教授。

【編著者紹介】

羽場久美子（はば・くみこ）

青山学院大学名誉教授、京都大学客員教授、早稲田大学招聘研究員。博士（国際関係学）

世界国際関係学会（ISA）執行委員、副会長、世界国際関係学会（ISA）アジア太平洋副会長、会長を歴任。グローバル国際関係研究所所長。北東アジア未来構想研究所（INAF）副理事長。沖縄を平和のハブに！共同代表。世界国際関係史学会（CHIR）日本代表理事。日本政府観光局（JNTO）MICE アンバサダー。神奈川大学特任教授、日本国際政治学会理事、日本政治学会理事、日本 EU 学会理事、ロシア・東欧学会理事・事務局長、日本国際フォーラム参与、東アジア共同体評議会副議長などを歴任。

ハーバード大学客員研究員、パリ大学、EUI（欧州大学研究所）、ロンドン大学 SEEES、ハンガリー科学アカデミー歴史学研究所・少数民族研究所、各客員研究員を歴任。

中国北京大学・精華大学・中国外交学院、中国外交部、中国南京大学・中国政法大学・中国社会科学院、ロシア・サンクトペテルブルク大学、中国浙江大学・国際連合大学にて招聘講義。

専門は、国際政治史、国際関係論、地域統合論。

紛争の平和的解決、欧州とアジアとの比較研究で文部科学省科学研究費研究代表（2022〜2027）。世界に羽ばたく若者を育成し、地域間協力を実現し、平和を構築する研究を生涯のミッションとする。

著書：*100 years of World Wars and Regional Collaboration: How to create New World Order?*（世界戦争 100 年と地域協力）, Springer, 2022, *Brexit and After*, Springer, 2021.『中欧・東欧文化事典』丸善出版、2021。『移民・難民・マイノリティ—欧州ポピュリズムの根源』彩流社、2021。『アジアの地域統合を考える—戦争を避けるために』『アジアの地域協力—危機をどう乗り切るか』『アジアの地域共同—未来のために』以上 3 部作明石書店、2017〜18。『ヨーロッパの分断と統合—包摂か排除か』中央公論新社、2016。『拡大ヨーロッパの挑戦』中公新書、2014。『グローバル時代のアジア地域統合』岩波書店、2012。『拡大するヨーロッパ、中欧の模索』岩波書店、1996。『統合ヨーロッパの民族問題』講談社現代新書、1994〜2003（7 版）など多数。

世界の中の日本
——社会に羽ばたく若者たちへ　平和をつくる

2024 年 5 月 31 日　初版 第 1 刷発行

編著者　羽 場　久 美 子
発行者　大 江　道 雅
発行所　株式会社 明石書店
〒101–0021 東京都千代田区外神田 6-9-5
電話 03（5818）1171
FAX 03（5818）1174
振替　00100-7-24505
https://www.akashi.co.jp/
組版　明石書店デザイン室
印刷・製本　モリモト印刷株式会社

（定価はカバーに表示してあります）　ISBN978-4-7503-5693-8

エリア・スタディーズ

1 現代アメリカ社会を知るための60章
明石紀雄、川島浩平 編著

2 イタリアを知るための62章【第2版】
村上義和 編著

3 イギリスを旅する35章
辻野功 編著

4 モンゴルを知るための65章【第2版】
金岡秀郎 著

5 パリ・フランスを知るための44章
梅本洋一、大里俊晴、木下長宏 編著

6 現代韓国を知るための61章【第3版】
石坂浩一、福島みのり 編著

7 オーストラリアを知るための58章【第3版】
越智道雄 著

8 現代中国を知るための54章【第7版】
藤野彰 編著

9 ネパールを知るための60章
日本ネパール協会 編

10 アメリカの歴史を知るための65章【第4版】
富田虎男、鵜月裕典、佐藤円 編著

11 現代フィリピンを知るための61章【第2版】
大野拓司、寺田勇文 編著

12 ポルトガルを知るための55章【第2版】
村上義和、池俊介 編著

13 北欧を知るための43章
武田龍夫 著

14 ブラジルを知るための56章【第2版】
アンジェロ・イシ 著

15 ドイツを知るための60章
早川東三、工藤幹巳 編著

16 ポーランドを知るための60章
渡辺克義 編著

17 シンガポールを知るための65章【第5版】
田村慶子 編著

18 現代ドイツを知るための67章【第3版】
浜本隆志、髙橋憲 編著

19 ウィーン・オーストリアを知るための57章【第2版】
広瀬佳一、今井顕 編著

20 ハンガリーを知るための60章【第2版】 ドナウの宝石
羽場久美子 編著

21 現代ロシアを知るための60章【第2版】
下斗米伸夫、島田博 編著

22 21世紀アメリカ社会を知るための67章
明石紀雄 監修 赤尾千波、大類久恵、小塩和人、落合明子、川島浩平、高野泰 編

23 スペインを知るための60章
野々山真輝帆 著

24 キューバを知るための52章
後藤政子、樋口聡 編著

25 カナダを知るための60章
綾部恒雄、飯野正子 編著

26 中央アジアを知るための60章【第2版】
宇山智彦 編著

27 チェコとスロヴァキアを知るための56章【第2版】
薩摩秀登 編著

28 現代ドイツの社会・文化を知るための48章
田村光彰、村上和光、岩淵正明 編著

29 インドを知るための50章
重松伸司、三田昌彦 編著

30 タイを知るための72章【第2版】
綾部真雄 編著

31 パキスタンを知るための60章
広瀬崇子、山根聡、小田尚也 編著

32 バングラデシュを知るための66章【第3版】
大橋正明、村山真弓、日下部尚徳、安達淳哉 編著

33 イギリスを知るための65章【第2版】
近藤久雄、細川祐子、阿部美春 編著

34 現代台湾を知るための60章【第2版】
亜洲奈みづほ 著

35 ペルーを知るための66章【第2版】
細谷広美 編著

36 マラウィを知るための45章【第2版】
栗田和明 著

37 コスタリカを知るための60章【第2版】
国本伊代 編著

38 チベットを知るための50章
石濱裕美子 編著

39 現代ベトナムを知るための63章【第3版】
岩井美佐紀 編著

40 インドネシアを知るための50章
村井吉敬、佐伯奈津子 編著

41 エルサルバドル、ホンジュラス、ニカラグアを知るための45章
田中高 編著

エリア・スタディーズ

42 パナマを知るための70章【第2版】 国本伊代 編著
43 イランを知るための65章 岡田恵美子、北原圭一、鈴木珠里 編著
44 アイルランドを知るための70章【第3版】 海老島均、山下理恵子 編著
45 メキシコを知るための60章 吉田栄人 編著
46 中国の暮らしと文化を知るための40章 東洋文化研究会 編
47 現代ブータンを知るための60章【第2版】 平山修一 著
48 バルカンを知るための66章【第2版】 柴宜弘 編著
49 現代イタリアを知るための44章 村上義和 編著
50 アルゼンチンを知るための54章 アルベルト松本 著
51 ミクロネシアを知るための60章【第2版】 印東道子 編著
52 アメリカのヒスパニック＝ラティーノ社会を知るための55章 大泉光一、牛島万 編著
53 北朝鮮を知るための55章【第2版】 石坂浩一 編著
54 ボリビアを知るための73章【第2版】 真鍋周三 編著
55 コーカサスを知るための60章 北川誠一、前田弘毅、廣瀬陽子、吉村貴之 編著
56 カンボジアを知るための60章【第3版】 上田広美、岡田知子、福富友子 編著
57 エクアドルを知るための60章【第2版】 新木秀和 編著
58 タンザニアを知るための60章【第2版】 栗田和明、根本利通 編著
59 リビアを知るための60章【第2版】 塩尻和子 編著
60 東ティモールを知るための50章 山田満 編著
61 グアテマラを知るための67章【第2版】 桜井三枝子 編著
62 オランダを知るための60章 長坂寿久 著
63 モロッコを知るための65章 私市正年、佐藤健太郎 編著
64 サウジアラビアを知るための63章【第2版】 中村覚 編著
65 韓国の歴史を知るための66章 金両基 編著
66 ルーマニアを知るための60章 六鹿茂夫 編著
67 現代インドを知るための60章 広瀬崇子、近藤正規、井上恭子、南埜猛 編著
68 エチオピアを知るための50章 岡倉登志 編著
69 フィンランドを知るための44章 百瀬宏、石野裕子 編著
70 ニュージーランドを知るための63章 青柳まちこ 編著
71 ベルギーを知るための52章 小川秀樹 編著
72 ケベックを知るための56章【第2版】 日本ケベック学会 編
73 アルジェリアを知るための62章 私市正年 編著
74 アルメニアを知るための65章 中島偉晴、メラニア・バグダサリヤン 編著
75 スウェーデンを知るための60章 村井誠人 編著
76 デンマークを知るための70章【第2版】 村井誠人 編著
77 最新ドイツ事情を知るための50章 浜本隆志、柳原初樹 著
78 セネガルとカーボベルデを知るための60章 小川了 編著
79 南アフリカを知るための60章 峯陽一 編著
80 エルサルバドルを知るための66章【第2版】 細野昭雄、田中高 編著
81 チュニジアを知るための60章 鷹木恵子 編著
82 南太平洋を知るための58章 メラネシア ポリネシア 吉岡政德、石森大知 編著
83 現代カナダを知るための60章【第2版】 飯野正子、竹中豊 総監修 日本カナダ学会 編

エリア・スタディーズ

84 **現代フランス社会を知るための62章**
三浦信孝、西山教行 編著

85 **ラオスを知るための60章**
菊池陽子、鈴木玲子、阿部健一 編著

86 **パラグアイを知るための50章**
田島久歳、武田和久 編著

87 **中国の歴史を知るための60章**
並木頼壽、杉山文彦 編著

88 **スペインのガリシアを知るための50章**
坂東省次、桑原真夫、浅香武和 編著

89 **アラブ首長国連邦（UAE）を知るための60章**
細井長 編著

90 **コロンビアを知るための60章**
二村久則 編著

91 **現代メキシコを知るための70章【第2版】**
国本伊代 編著

92 **ガーナを知るための47章**
高根務、山田肖子 編著

93 **ウガンダを知るための53章**
吉田昌夫、白石壮一郎 編著

94 **ケルトを旅する52章** イギリス・アイルランド
永田喜文 著

95 **トルコを知るための53章**
大村幸弘、永田雄三、内藤正典 編著

96 **イタリアを旅する24章**
内田俊秀 編著

97 **大統領選からアメリカを知るための57章**
越智道雄 著

98 **現代バスクを知るための60章【第2版】**
萩尾生、吉田浩美 編著

99 **ボツワナを知るための52章**
池谷和信 編著

100 **ロンドンを旅する60章**
川成洋、石原孝哉 編著

101 **ケニアを知るための55章**
松田素二、津田みわ 編著

102 **ニューヨークからアメリカを知るための76章**
越智道雄 著

103 **カリフォルニアからアメリカを知るための54章**
越智道雄 著

104 **イスラエルを知るための62章【第2版】**
立山良司 編著

105 **グアム・サイパン・マリアナ諸島を知るための54章**
中山京子 編著

106 **中国のムスリムを知るための60章**
中国ムスリム研究会 編

107 **現代エジプトを知るための60章**
鈴木恵美 編著

108 **カーストから現代インドを知るための30章**
金基淑 編著

109 **カナダを旅する37章**
飯野正子、竹中豊 編著

110 **アンダルシアを知るための53章**
立石博高、塩見千加子 編著

111 **エストニアを知るための59章**
小森宏美 編著

112 **韓国の暮らしと文化を知るための70章**
舘野晳 編著

113 **現代インドネシアを知るための60章**
村井吉敬、佐伯奈津子、間瀬朋子 編著

114 **ハワイを知るための60章**
山本真鳥、山田亨 編著

115 **現代イラクを知るための60章**
酒井啓子、吉岡明子、山尾大 編著

116 **現代スペインを知るための60章**
坂東省次 編著

117 **スリランカを知るための58章**
杉本良男、高桑史子、鈴木晋介 編著

118 **マダガスカルを知るための62章**
飯田卓、深澤秀夫、森山工 編著

119 **新時代アメリカ社会を知るための60章**
明石紀雄 監修　大類久恵、落合明子、赤尾千波 編著

120 **現代アラブを知るための56章**
松本弘 編著

121 **クロアチアを知るための60章**
柴宜弘、石田信一 編著

122 **ドミニカ共和国を知るための60章**
国本伊代 編著

123 **シリア・レバノンを知るための64章**
黒木英充 編著

124 **EU（欧州連合）を知るための63章**
羽場久美子 編著

125 **ミャンマーを知るための60章**
田村克己、松田正彦 編著

エリア・スタディーズ

126 カタルーニャを知るための50章　立石博高、奥野良知 編著
127 ホンジュラスを知るための60章　桜井三枝子、中原篤史 編著
128 スイスを知るための60章　スイス文学研究会 編
129 東南アジアを知るための50章　今井昭夫 編集代表　東京外国語大学東南アジア課程 編
130 メソアメリカを知るための58章　井上幸孝 編著
131 マドリードとカスティーリャを知るための60章　川成洋、下山静香 編著
132 ノルウェーを知るための60章　大島美穂、岡本健志 編著
133 現代モンゴルを知るための50章　小長谷有紀、前川愛 編著
134 カザフスタンを知るための60章　宇山智彦、藤本透子 編著
135 内モンゴルを知るための60章　ボルジギン・ブレンサイン 編著　赤坂恒明 編集協力
136 スコットランドを知るための65章　木村正俊 編著
137 セルビアを知るための60章　柴宜弘、山崎信一 編著
138 マリを知るための58章　竹沢尚一郎 編著
139 ASEANを知るための50章　黒柳米司、金子芳樹、吉野文雄 編著
140 アイスランド・グリーンランド・北極を知るための65章　小澤実、中丸禎子、高橋美野梨 編著
141 ナミビアを知るための53章　水野一晴、永原陽子 編著
142 香港を知るための60章　吉川雅之、倉田徹 編著
143 タスマニアを旅する60章　宮本忠 著
144 パレスチナを知るための60章　臼杵陽、鈴木啓之 編著
145 ラトヴィアを知るための47章　志摩園子 編著
146 ニカラグアを知るための55章　田中高 編著
147 台湾を知るための72章【第2版】　赤松美和子、若松大祐 編著
148 テュルクを知るための61章　小松久男 編著
149 アメリカ先住民を知るための62章　阿部珠理 編著
150 イギリスの歴史を知るための50章　川成洋 編著
151 ドイツの歴史を知るための50章　森井裕一 編著
152 ロシアの歴史を知るための50章　下斗米伸夫 編著
153 スペインの歴史を知るための50章　立石博高、内村俊太 編著
154 フィリピンを知るための64章　大野拓司、鈴木伸隆、日下渉 編著
155 バルト海を旅する40章　7つの島の物語　小柏葉子 著
156 カナダの歴史を知るための50章　細川道久 編著
157 カリブ海世界を知るための70章　国本伊代 編著
158 ベラルーシを知るための50章　服部倫卓、越野剛 編著
159 スロヴェニアを知るための60章　柴宜弘、アンドレイ・ベケシュ、山崎信一 編著
160 北京を知るための52章　櫻井澄夫、人見豊、森田憲司 編著
161 イタリアの歴史を知るための50章　高橋進、村上義和 編著
162 ケルトを知るための65章　木村正俊 編著
163 オマーンを知るための55章　松尾昌樹 編著
164 ウズベキスタンを知るための60章　帯谷知可 編著
165 アゼルバイジャンを知るための67章　廣瀬陽子 編著
166 済州島を知るための55章　梁聖宗、金良淑、伊地知紀子 編著
167 イギリス文学を旅する60章　石原孝哉、市川仁 編著

エリア・スタディーズ

168 **フランス文学を旅する60章** 野崎歓 編著
169 **ウクライナを知るための65章** 服部倫卓、原田義也 編著
170 **クルド人を知るための55章** 山口昭彦 編著
171 **ルクセンブルクを知るための50章** 田原憲和、木戸紗織 編著
172 **地中海を旅する62章** 歴史と文化の都市探訪 松原康介 編著
173 **ボスニア・ヘルツェゴヴィナを知るための60章** 柴宜弘、山崎信一 編著
174 **チリを知るための60章** 細野昭雄、工藤章、桑山幹夫 編著
175 **ウェールズを知るための60章** 吉賀憲夫 編著
176 **太平洋諸島の歴史を知るための60章** 日本とのかかわり 石森大知、丹羽典生 編著
177 **リトアニアを知るための60章** 櫻井映子 編著
178 **現代ネパールを知るための60章** 公益社団法人 日本ネパール協会 編
179 **フランスの歴史を知るための50章** 中野隆生、加藤玄 編著
180 **ザンビアを知るための55章** 島田周平、大山修一 編著
181 **ポーランドの歴史を知るための55章** 渡辺克義 編著
182 **韓国文学を旅する60章** 波田野節子、斎藤真理子、きむ ふな 編著
183 **インドを旅する55章** 宮本久義、小西公大 編著
184 **現代アメリカ社会を知るための63章【2020年代】** 明石紀雄 監修 大類久恵、落合明子、赤尾千波 編著
185 **アフガニスタンを知るための70章** 前田耕作、山内和也 編著
186 **モルディブを知るための35章** 荒井悦代、今泉慎也 編著
187 **ブラジルの歴史を知るための50章** 伊藤秋仁、岸和田仁 編著
188 **現代ホンジュラスを知るための55章** 中原篤史 編著
189 **ウルグアイを知るための60章** 山口恵美子 編著
190 **ベルギーの歴史を知るための50章** 松尾秀哉 編著
191 **食文化からイギリスを知るための55章** 石原孝哉、市川仁、宇野毅 編著
192 **東南アジアのイスラームを知るための64章** 久志本裕子、野中葉 編著
193 **宗教からアメリカ社会を知るための48章** 上坂昇 著
194 **ベルリンを知るための52章** 浜本隆志、希代真理子 著
195 **NATO（北大西洋条約機構）を知るための71章** 広瀬佳一 編著
196 **華僑・華人を知るための52章** 山下清海 著
197 **カリブ海の旧イギリス領を知るための60章** 川分圭子、堀内真由美 編著
198 **ニュージーランドを旅する46章** 宮本忠、宮本由紀子 著
199 **マレーシアを知るための58章** 鳥居高 編著
200 **ラダックを知るための60章** 煎本孝、山田孝子 著
201 **スロヴァキアを知るための64章** 長與進、神原ゆうこ 編著
202 **チェコを知るための60章** 薩摩秀登、阿部賢一 編著
203 **ロシア極東・シベリアを知るための70章** 服部倫卓、吉田睦 編著
204 **スペインの歴史都市を旅する48章** 立石博高 監修・著 小倉真理子 著
205 **ハプスブルク家の歴史を知るための60章** 川成洋 編著
206 **パレスチナ／イスラエルの〈いま〉を知るための24章** 鈴木啓之、児玉恵美 編著
207 **ラテンアメリカ文学を旅する58章** 久野量一、松本健二 編著

――以下続刊

◎各巻2000円（一部1800円）

〈価格は本体価格です〉